Literatura y Fantasía en la Edad Media

LITERATURA Y FANTASÍA
EN LA
EDAD MEDIA

EDICIÓN DE
JUAN PAREDES NÚÑEZ

GRANADA
1989

© UNIVERSIDAD DE GRANADA.
LITERATURA Y FANTASIA EN LA EDAD MEDIA.
ISBN: 84-338-1014-6. Depósito legal: GR/1397-1989. Edita e
imprime: Servicio de Publicaciones de la Universidad de Granada.
Campus Universitario de Cartuja. Granada.

Printed in Spain   *Impreso en España*

Prólogo

Desde hace algún tiempo, y desde perspectivas muy diversas, se viene hablando de la existencia de lo que algunos autores califican como una nueva Edad Media. Roberto Vacca, por ejemplo, plantea en su obra *Medio Evo prossimo venturo*, como el propio título indica, la tesis de la pronta aparición de una nueva época medieval. Su teoría está construida a partir de la degradación de los grandes sistemas de la era tecnológica, demasiado complejos, y a veces autosuficientes, para no escapar al control que sobre ellos se quiere ejercer. Imagina una catástrofe casual, ocurrida un día cualquiera en Estados Unidos, donde se produce un atasco de comunicaciones. La falta de energía eléctrica, la nieve, los incendios, el pillaje, la violencia y el saqueo, producen infinidad de muertos por frío e inanición, ante la impotencia de las fuerzas armadas, víctimas también de la parálisis general. Cuando se restablece el orden, millones de cadáveres se encuentran dispersos por las calles, y comienzan a difundirse epidemias, creando una situación parecida a la que produjo la peste negra que acabó en el siglo XIV con los dos tercios de la población europea. Sólo los pobladores de las zonas subdesarrolladas parecen subsistir con mayor facilidad. La propiedad se apoya sólamente en el derecho de usurpación. En este momento, la estructura es ya típicamente feudal. La alianza entre poderes locales se apoya en compromisos y no en la ley, las relaciones individuales, en alianzas, y no queda más remedio que planificar instituciones equivalentes a las comunidades monásticas que, en medio de la decadencia, se encargan de mantener la vida y transmitir los conocimientos a la posteridad.

Umberto Eco (*La Edad Media ha comenzado ya*) repasa esta hipótesis apocalíptica haciendo un análisis de la realidad actual, que nos aproxima a esta imagen. Para la existencia de una Edad Media hace falta el desmembramiento de una paz por el empuje de las invasiones. Hoy, no importa de donde procedan los "bárbaros", asistimos a la crisis de la "Pax Americana", "hoy —dice Eco— está desapareciendo el 'hombre liberal', empresario de lengua anglosajona, que había tenido en el *Robinson Crusoe* su poema primitivo y en Max Weber a su Virgilio".

Furio Colombo (*Poder, grupos y conflicto en la sociedad neofeudal*) analiza, por su parte, la contemporaneidad de una situación neomedieval.

El paralelo hay que establecerlo en función de imágenes opuestas simétricamente: al descenso de población, la dificultad de comunicaciones y el abandono de las ciudades, suceden hoy la superpoblación, el exceso de comunicaciones, el hacinamiento y la polución. La gran ciudad no es invadida por bárbaros, pero sufre escasez de energía eléctrica, de agua, exceso de tráfico, y camina a su autodestrucción.

El progreso, los fantásticos viajes espaciales, las telecomunicaciones, tienen también su paralelo en la Edad Media de la primera revolución industrial, del invento del timón o el molino de viento. Los caminos de peregrinación surcaban aquella época como surcan hoy la nuestra las carreteras, las líneas aéreas o las vías del ferrocarril. La inseguridad es la misma. El hombre medieval veía el mundo poblado de presencias maléficas, el de hoy tiene esas fuerzas presentes en la gran ciudad. Eco encuentra incluso paralelos entre las formas de las órdenes mendicantes y el moralismo del marxismo-leninismo, con sus llamadas a la pobreza, austeridad y "servicio al pueblo". Las divergencias entre órdenes, que se fabricaban sus propios disidentes, son las mismas que encontramos en la época actual. Nada por otra parte, dice, más cerca del juego intelectual de la Edad Media que la lógica estructuralista, el formalismo de la lógica y la ciencia física y matemática. Los excesos formalistas y el antihistoricismo estructuralista son los mismos que los de las discusiones escolásticas.

El panorama es más complejo en el aspecto puramente cultural. Hay en ambas épocas un paralelo en la comunicación visual. La catedral era el libro de piedra donde todo se contaba. Y nuestro arte, es un arte de aditivos y composiciones como el medieval.

La Edad Media fue una época de "revolución cultural", aunque, como señala Eco, todo el proceso se caracterizó por pestes y matanzas, intolerancia y muerte.

No podríamos comprender muchas de nuestras manifestaciones culturales sin su entronque con una realidad que sufrió sus primeras vicisitudes en la época medieval. Pero es, desde otra perspectiva, el mundo de la fantasía el que ahora tal vez mantenga unos lazos más tangibles con la Edad Media. Basta echar una ojeada a la producción literaria más reciente, y no sólo en España, para darse cuenta de la vigencia, desde esta vertiente, del mundo medieval; y no hay tampoco que referirse exclusivamente a *El nombre de la rosa* del propio Eco o a la búsqueda de los mitos del dragón o del cuerno del unicornio, parte por cierto del *collage*, junto con un basilisco, un trozo de cruz o el anillo de San José, de un tesoro principesco o cardenalicio, como pieza de una exposición *pop art.* Son por lo demás muchas las editoriales que están poniendo al alcance del público en general, a través de traducciones en muchos casos, las obras más importantes de la lírica trovadoresca, la épica, la materia de Bretaña, las novelas de Arturo, Lancelot, Merlín, Perceval y todos los personajes del fantástico universo inmortal de la corte de Camelot. El mito se hace cuento a través del viaje iniciático hacia una época reencontrada cuya fantasía, desaparecida la experiencia mítica concreta, se deja ahora literariamente elaborar.

El puente mágico de engarce entre esta época "enorme y delicada" (Verlaine dixit) y la nuestra es lo *fantástico,* valorado en el contrapunto del tiempo, su sentido y su funcionalidad.

Cuando en la evolución progresiva de la conciencia humana, en ese continuo proceso de interiorización de los mitos que el hombre ha ido realizando para desmitificar la realidad y captarla en su pureza objetiva, muere una creencia, renace en un nivel superior en forma estética. La creencia, muerto su elemento formal, racionalizado, ya no puede seguir aceptándose como tal, pero sobrevive el elemento de base que le dio origen. Y este elemento necesita estructurarse en una forma nueva cuyo ropaje no sea negado por la ciencia: lo *fantástico.* Surge así como respuesta a una necesidad oculta del hombre. El cuento maravilloso expresaba —dice Robert Caillois— los ingenuos deseos del hombre frente a una naturaleza que aún no ha aprendido a dominar. Los relatos de miedo sobrenatural traducen el terror de ver el orden del mundo, tan penosamente establecido y comprobado por la investigación metódica de la ciencia experimental, ceder al asalto de fuerzas irreconciliables, nocturnas, diabólicas. Por su parte, los modernos relatos de anticipación, de ciencia ficción, reflejan la angustia de una época a la que el progreso científico, lejos de proteger contra lo inimaginable, precipita hacia él. En los tres casos, el clima general del relato, los temas, la inspiración, derivan de las preocupaciones latentes de la época en que nacen: "Féerique, narration fantastique, science-fiction, remplisent ainsi dans la littérature une foction équivalente, qu'elles semblent se transmetre. Elles trahissent la tension entre ce que l'homme peut et ce qu'il souhaiterait pouvoir —suivant les âges, voler par les airs ou atteindre les astres; entre ce qu'il sait et ce que lui reste interdit de savoir (...) Ces fantaisies, en apparence le plus libres, dissimulent ainsi, sous des jeux différents de symboles, des nostalgies et de craintes qui se perpétuent à travers l'histoire et qui évoluent avec les changements que l'homme apporte à sa condition".

Casi todas las aproximaciones a lo fantástico y maravilloso aparecen influidas por la definición de Todorov, para quien lo fantástico ocupa el tiempo de la incertidumbre frente a un acontecimiento aparentemente sobrenatural, y en particular por la diferenciación que establece entre lo *extraño* y lo *maravilloso*, en el sentido de que el primero puede resolverse mediante la meditación, recibe una explicación natural *a posteriori*, mientras el segundo conserva siempre un residuo sobrenatural.

Pero esta definición no puede aplicarse a lo *maravilloso medieval*, porque requiere la presencia de un lector implícito, ausente en el Medioevo, capaz de inclinarse por la explicación de los hechos o lo sobrenatural. Frente a la mentalidad "científica" moderna, el hombre medieval tiene una mentalidad *simbólica*. De manera que la diferencia entre ficción y realidad se hace mucho más compleja cuando nos referimos a un texto medieval. El concepto godmanniano de "visión del mundo" es fundamental para comprender la obra medieval. El hombre medieval tiene una forma peculiar de concebir la naturaleza y el cosmos, el tiempo y la historia, la muerte y la eternidad, la fortuna o el destino. Vive sometido a la naturaleza, en un mundo desconocido y sin límites, lleno de amenazas, misterios y maravillas, cuyos confines se asientan en lo mítico e intemporal. Si el hombre moderno se cree agente de la historia, el medieval se considera sujeto a unas fuerzas externas *sobrenaturales*. Pero no se trata de apurar las diferencias, sino de afirmar que el hombre medieval aplica unas categorías espacio-temporales distintas, con un sistema de creencias y una forma distinta de captar la realidad. Hay que desarrollar una *poética de la imaginación* si no queremos correr el riesgo de quedarnos en la materialidad del texto medieval.

Lo más fantástico de la Edad Media reside precisamente en la falta de delimitación concreta entre lo fantástico y lo real. La mezcla caracteriza al Medioevo. Nuestro sentido de lo fantástico y maravilloso no se corresponde con el que tenían el "autor" y el "lector" medieval. El viaje submarino de Alejandro puede parecerle totalmente increíble, pero no la entrevista entre la Naturaleza y Belcebú en los Infiernos. Lo que realmente impresiona a los poderes divinos no son los prodigios que permiten a Alejandro bajar al fondo de los mares o ascender por los aires en una cesta tirada por grifos, sino el orgulloso desafío del héroe a los límites naturales. *Pesó al Criador que crió la Natura, /ovo de Alexandre saña e grant rencura,/ dixo: "Este lunático que non cata mesura,/ yol tornaré el gozo todo en amargura"*. Lo fantástico que atribuimos a la obra medieval es, según Zumthor, nuestro fantástico. La imposibilidad de aplicar al texto medieval la doble opción propuesta por Todorov, por la inexistencia del "lector implícito" sujeto de la duda o la explicación racional, obliga a la extrapolación. Sin embargo, el sentido de algunas novelas artúricas es del mismo signo que nuestras obras fantásticas del siglo XIX. La diferencia es formal. Hay en ambas un mismo sentido marcado por el miedo a la interioridad, al enfrentamiento consigo mismo.

Lo fantástico no es un juego con el terror (R. Caillois), ni el momento de la duda entre la explicación racional o sobrenatural (Todorov), ni una manifestación gratuita de lo oculto y misterioso. Lo fantástico es una irrefrenable protesta contra el mundo tal cual es y la vida en que estamos inmersos. Por eso, mientras más materialista es nuestra civilización, más violento es nuestro deseo —de ahí, tal vez, la nostalgia del mundo medieval— de salvaguardar nuestro mundo interior.

La concretización estética del terror es un intento de conjurar lo terrorífico, el miedo a lo oculto, lo demoníaco, la muerte. "Veo lo que *jamás he visto*, así que no es maravilla si me he asustado un poco", dice Gauvain a la doncella del Cementerio Peligroso que le recrimina por haber sentido "paour". La iconografía del gótico plasma, en este sentido, el miedo desencadenado por la peste negra que asoló a Europa en la segunda mitad del siglo XIV.

El mundo de la epopeya es un mundo de certezas. El héroe jamás duda de su fe, su fidelidad o su fuerza, y lo sobrenatural es admitido sin ningún tipo de sorpresa. Roland tiende su guante a Dios en el momento de su muerte, siguiendo el uso feudal, y éste lo acepta. El del *roman* artúrico en cambio aparece invadido por el misterio, la inquietud y la inseguridad. La nobleza cortés sueña con hechos extraordinarios, proezas inquietantes e insólitas. Es la inquietud de espíritu patente en obras como *Erec o Le Conte du Graal* la que, como señala Marcel Schneider, nos encamina hacia lo fantástico, y no las escenas de encantamiento y magia, que pertenecen al mundo estricto de lo maravilloso.

Los prodigios y encantamientos se suceden para subrayar el valor y la proeza del paladín. Pero los autores no hubieran descrito tantos hechos insólitos y maravillas si su público no las hubiese aceptado. Parecería como si a partir del siglo XII ya hubiera dejado de creerse en el mundo de las realidades concretas y las cosas inmutables. El rey Arturo y sus caballeros de la mesa redonda representan este deslizamiento hacia el mundo de las inquietudes y lo incierto.

Esto es lo que constituye realmente lo fantástico de las novelas artúricas; no las aventuras fabulosas ni las proezas que permiten al héroe demostrar su valor, sino el clima de desasosiego e incertidumbre que en ocasiones se consigue alcanzar, la búsqueda de la interioridad. El mito del Graal entra así de lleno en la categoría de lo fantástico y Tristán anuncia ya lo fantástico del romanticismo, no sólo por su culto a la noche sino sobre todo por su exaltación de la pasión mortal.

Para comprender el sentido de lo fantástico y lo maravilloso, que irrumpe con particular fuerza en la cultura erudita de los siglos XII y XIII, no hay que olvidar la tesis de Köhler sobre la literatura caballeresca como intento de *imaginación* literaria para superar la crisis que una clase social, la mediana nobleza, la caballería, vive en la realidad. El *roman courtois* surge como una defensa idealizada de esta realidad. No es casual, pues, que lo maravilloso desempeñe un papel tan importante en la novela artúrica. Está profundamente integrado, como señala Le Goff, en esa búsqueda de la identidad individual y colectiva del caballero idealizado. La misma *aventura*, la *proeza*, las pruebas que entrañan maravillas que ayudan al caballero o que éste debe superar en busca de su identidad en el mundo cortesano es, según Köhler, ella misma una maravilla.

En la época del gótico la Iglesia es más permisible con lo maravilloso. Fuerza compensadora de la trivialidad de lo cotidiano, lo maravilloso es también "forma de resistencia a la ideología oficial del cristianismo", según Le Goff. Asistimos a una deshumanización del universo que se encamina hacia un mundo animalista de monstruos y marcada simbología animal. Como dice H. Focillon la época románica es "épica y teratológica". Los animales son característicos de la escultura y pueblan numerosas obras medievales. En el gótico, sin embargo, lo fantástico ya no es aceptado como en la canción de gesta, sino "gustado simbólicamente como ficción poética".

Junto a lo "maravilloso cotidiano", que ocurre sin que el orden se perturbe, Le Goff coloca un "maravilloso simbólico y moralizante" y un "maravilloso político" que actúa sobre todo a nivel de los orígenes míticos. Surgen así figuras como la *Melusina* de Jean d'Arras o las variantes de la *Dama do Pe' de Cabra* o *Dona Marinha,* en nuestro ámbito peninsular.

Una Edad Media atormentada, de monstruos y prodigios, se desarrolla en el medievo evangélico y humanista. Sus sobresaltos e inquietudes pervivirán, agigantados, hasta su ocaso. En su fondo sobrenatural encontramos la teratología de los siglos anteriores y todas las obsesiones y fantasmagorías de la imaginación. La Edad Media supo imprimir siempre a todas estas formas su propio carácter, trasladando las leyendas y visiones, como ocurre en el terreno arquitectónico con las figuras, al mundo del pensamiento y la imaginación medieval.

Si estas obras son capaces de crear mitos y conservar su fértil aliento de vida, que puede desafiar al tiempo, es gracias precisamente a la inagotable riqueza de su mundo de fantasía.

Juan Paredes Núñez

El viaje al más allá y la literatura artúrica

Carlos Alvar

El *Perceval* o *Cuento del Grial* de Chrétien de Troyes quedó inacabado por razones que se ignoran, aunque es posible que la interrupción se debiera a la muerte del propio autor. La última aventura narrada en este libro relata la presencia de Gauvain en el castillo de Ygerne: en su búsqueda de la lanza que gotea sangre, el sobrino del rey Arturo se encuentra con una doncella de extraordinaria belleza, pero tan perversa como hermosa, que le impulsa a las más arriesgadas e inútiles hazañas: es la Orgullosa de Logres. La aventura le lleva a orillas de un río, donde lucha contra un caballero al que derrota. Concluído el combate, Gauvain ve llegar una barca con su timonel, que recoge al caballero malherido y se lo lleva a la otra orilla; Gauvain también entra en la barca, en busca de nuevas aventuras. El barquero les da alojamiento en su albergue, desde donde Gauvain contempla un castillo construido sobre el acantilado; nadie sabe a quién pertenece aquella fortaleza. En ella hay una reina de famoso linaje, acompañada por damas y doncellas desvalidas, que fueron privadas de sus bienes al morir sus maridos o sus padres; todas ellas esperan la llegada de un caballero que las proteja y que ponga fin a las extrañas aventuras que se repiten en el castillo.

Acompañado por el barquero, Gauvain entra en el palacio y contempla riquezas inimaginables: muros pintados con los colores más preciados, cuatrocientas ventanas cerradas y cien abiertas, y una cama de oro y plata —el Lecho de la Maravilla— del que nadie se puede levantar vivo y sano. Al sentarse en él, Gauvain provoca una gran tempestad, una lluvia de flechas y el ataque de un león hambriento. Superadas estas pruebas, los habitantes del castillo quedan libres de hechizos y se disponen a servir al valiente caballero. Gauvain, feliz por haber culminado tan fácilmente la peligrosa aventura, contempla el país que rodea al castillo, y se sorprende por la abundancia de bosque y caza, de ríos y praderas. Entonces exclama que le gustaría quedarse a vivir allí, a lo que el barquero le advierte que el que llegue a ser señor de aquel lugar no podrá salir nunca del palacio, debiendo permanecer día y noche dentro del mismo. La tristeza que estas palabras causan a

Gauvain sólo se aplaca con la llegada de la reina, dama anciana, de largas trenzas blancas, que hace un sinfín de preguntas al caballero acerca de la vida en la corte, y de los nobles que en ella se encuentran, incluyendo al rey Arturo, que todavía es un niño, pues no ha cumplido los cien años.

La estancia de nuestro héroe en el castillo se interrumpe con un nuevo combate ocasionado por la presencia de la perversa doncella: el acompañante de la Orgullosa de Logres es vencido, entregado al barquero, que en ningún momento se ha alejado del lado de Gauvain. La odiosa joven pone otra prueba más al héroe y las damas y doncellas que habitan el castillo maldicen la hora en que nació tan perversa mujer, pues se lleva al caballero que debía ser su señor "al lugar del que nadie regresa". La prueba consiste en pasar el Vado Peligroso que hay entre dos escarpadas orillas, a la sombra de un árbol grande y frondoso. Evidentemente, Gauvain consigue pasar al ribazo del otro lado, aunque con problemas. Al punto encuentra a un nuevo caballero, Guiromelant, que le da cabal noticia de cuanto le pregunta. Uno a uno van apareciendo los nombres de la doncella perversa, el caballero herido, ciudades y castillos. Es entonces cuando Gauvain interroga a su compañero: "Y, ¿cómo se llama a ese castillo tan alto, bueno y bello que hay al otro lado, del que vengo hoy y en el que anoche comí y bebí?"

"Al oír esto, Guiromelant se demudó como hombre transtornado y empezó a retirarse". Las súplicas y ruegos de Gauvain hacen que el caballero se quede pensando que el que acaba de saltar el Vado Peligroso es un juglar o un narrador embustero. Convencido de la verdad de cuanto le ha dicho, Guiromelant le explica al héroe que la reina de las trenzas blancas es la madre del rey Arturo, aunque hacía por lo menos sesenta años que éste no tenía madre; la otra reina es la mujer del rey Lot, madre del mismo Gauvain, que fue a vivir allí hacía por lo menos veinte años, cuando estaba embarazada de una joven doncella de las que sirvieron al valiente caballero, que no es otra, pues, sino la hermana de Gauvain.

El mismo Guiromelant confiesa al caballero que odia a muerte a Gauvain, pues su padre el rey Lot mató al de Guiromelant, y Gauvain acabó con uno de los primos del caballero. Cuando el héroe le descubre su nombre, es retado a combate singular en presencia de toda la corte. Luego, Gauvain regresa al castillo de la roca de Champguín y envía a un paje a la ciudad de Orcania para que informe al rey Arturo de los plazos que se han fijado para la celebración del combate... Y aquí termina el texto de Chrétien de Troyes.

El episodio que acabo de resumir está incompleto pues la obra de Chrétien se interrumpe con la llegada del paje a la corte. Ocupa unos 2.000 versos en el original, casi una cuarta parte del texto conservado:

es evidente que debemos conceder una gran importancia a esta aventura.

Desde los tiempos más antiguos, el hombre ha pensado en la existencia de Otro Mundo, tierra en la que se da la realización perfecta de todo lo que aquí conocemos con forma imperfecta. En unos casos se tratará del Paraíso, del Edén o de la Ciudad de Dios; pero en otras ocasiones será la morada de los muertos o de sus almas. La preocupación es siempre la misma: cómo llegar a ese mundo y, sobre todo, quién podrá regresar de él para contar al resto de los hombres lo que ha visto. Es evidente que sólo aquella persona que se diferencie de sus semejantes podrá llevar a cabo tan singular experiencia; es decir, sólo los semidioses y los héroes tienen al alcance de la mano el visitar el Otro Mundo. No se trata de una alternativa en los quehaceres míticos, es una obligación que tienen que afrontar prácticamente todos los héroes, y no les está permitido esquivarla.

Ya en algunos textos del III[er] milenio a. J.C. encontramos la visita del héroe al Más Allá: así ocurre en el mito sumerio de la *Marcha de Inanna al Averno* o en la epopeya babilónica de Gilgamesh. Y a partir de este momento los viajes al mundo de los muertos se multiplican sin cesar; los egipcios recogen la idea en el *Libro de los muertos* (s. XVI a. J.C.) y en el *Mito de Osiris,* recogido por Plutarco (II d. J.C.) y que recuerda en algún momento las leyendas medievales: Osiris fue un rey legendario, que murió a manos de su hermano Seth. Isis —mujer de Osiris— quedó encinta de éste después de muerto; el niño que nació, Horus, haría valer sus derechos y se vengaría de su tío, aunque la lucha le cuesta perder un ojo, órgano que —una vez recuperado— devolvería la vida a Osiris; para ello, Horus tiene que bajar al país de los muertos, atravesar el Nilo en una barca y rescatar a su padre, que a partir de este momento será portador de la fecundidad a los campos.

Los ejemplos se pueden multiplicar gracias a textos tan antiguos como la *Odisea* (s. VIII a. J.C.), aunque en este caso concreto Ulises no llega a descender al Hades, sino que las almas son las que suben a la superficie gracias al sacrificio que ofrece y que le permite hablar con Tiresias, con su propia madre y con varios héroes de la guerra de Troya.

No menos conocido es el descenso de Eneas (30-19 a. J.C.) al Orco: a instancias de su padre Anquises, se decide a acometer la empresa: la Sibila de Cumas, en la entrada, le predice el futuro. Luego, con la rama de oro del árbol sagrado de Juno, entra en el Hades, visita el Tártaro y el Elíseo, y habla con Anquises.

Junto a estos testimonios clásicos podemos añadir una larga lista, en la que no faltarían el recuerdo de Platón, las burlas del cínico

Luciano de Samósata, la nobleza de Jasón o el infructuoso descenso de
Orfeo; y, a su lado, otros conocidos viajes, entre los que no se olvidará
el de Cristo.

La frecuencia con que los héroes visitan el Más Allá, y la puntual
referencia que hacen los poetas cuando esos viajes se producen, no son
más que una clara prueba de la preocupación que el tema ha suscitado
desde que existe la Literatura y —sin duda— desde mucho antes.

Por otra parte, el carácter universal del motivo recomienda una
cauta utilización de los materiales existentes, a la vez que advierte del
peligro que puede suponer el llegar a unas conclusiones que podrían
considerarse válidas, basadas en una filiación dudosa o discutible por
su mismo carácter general. Hay que tener en cuenta que en el *Motif-
Index* o "Indice de motivos de la Literatura Folklórica", de S.
Thompson, que ocupa seis extensos volúmenes, el Viaje al Más Allá,
con la correspondiente fenomenología, se desarrolla a lo largo de 200
entradas (F 0-F199), que afectan a las tradiciones irlandesas,
hawaianas, maoríes, siberianas, esquimales, árabes, melanesias, pa-
púes, judías, etc. Naturalmente, el motivo introduce abundantes variaciones según los lugares y épocas, con lo que la riqueza aumenta con-
siderablemente.

El Más Allá, el mundo de los muertos, tiende a identificarse con el
Infierno cristiano, pero éste es un aspecto parcial y tardío. Generalmente, las interpretaciones son más ricas e incluyen otras formas, entre las
que no faltan visiones más optimistas, lugares llenos de delicias con
recompensas no siempre místicas. Pero a pesar de las walkirias, del
Edén y de las llanuras llenas de caza, no por eso deja de ser el mundo
en el que viven los muertos, hecho a medida de los ideales de los vivos.

A partir del siglo VI a. J.C. la figura de Orfeo ocupa un lugar destacado entre los héroes que visitan el Más Allá. En efecto, el mito de
Orfeo suele recordarse sobre todo por un descenso al Infierno, y se olvida su participación en la expedición de los argonautas. Plutón y Perséfone conmovidos por la música de Orfeo, acceden a dejar libre a
Eurídice, que había llegado al Infierno tras morir a consecuencia de la
mordedura de una serpiente. Sin embargo, el viaje de Orfeo fracasa,
pues se vuelve demasiado pronto a contemplar a su esposa recién rescatada. El desconsuelo del músico no encontrará reposo, hasta que
muera despedazado por las Ménades: su cabeza y su lira serán
arrastradas por el agua del río, yendo a detenerse en las playas de Les-
bos, dando lugar a la lírica eólica.

Es cierto que la prohibición de mirar hacia atrás también causa la
desgracia de Sara, mujer de Lot, que queda convertida en estatua de sal
y a otros muchos personajes y, por tanto, podrá considerarse un tópico

de la literatura folklórica. Quizás por eso Platón en el *Banquete* afirma que el fracaso de Orfeo se debió a que era un músico pusilánime que intentaba llegar vivo al Hades, en vez de haber procurado ir al encuentro de Eurídice de la única manera posible; es decir, muerto.

Platón no consiguió destruir el mito, y Dante le reserva un puesto a Orfeo en el Infierno, entre los espíritus destacados y animosos de la Antigüedad, al lado de Empédocles, Heráclito y Zenón, filósofos presocráticos, y junto al médico Dioscórides y a los escritores Cicerón y Séneca, entre otros muchos personajes históricos. Pero antes de Dante varios autores medievales habían recordado al músico; uno de los primeros fue Boecio, que da una interpretación nueva del mito, de acuerdo con ciertas tendencias exegéticas; el asunto es narrado sin grandes divergencias:

"Con dulces plegarias imploró el perdón del Rey de las sombras. Conmovido por aquella jamás oída melodía, queda estupefacto e inmóvil el carcelero de tres cabezas; lágrimas de ternura y compasión fluyen a torrentes de los ojos de las diosas vengadoras que hostigan con el terror a las almas culpables; la cabeza de Ixión ya no es arrastrada por la rueda veloz; Tántalo, de penosa y larga sed atormentado, desdeña las aguas de los ríos; y arrebatado por aquella música divina, ya no devora el buitre el hígado de Tityo". El rey del Hades concede el retorno de Eurídice, a condición de que Orfeo no la mire hasta que sea de noche, "mas ¿quién puede poner leyes a los amantes? El amor es su ley suprema. En las mismas fronteras de la noche, Orfeo miró a su Eurídice: la vio, la perdió, le dio la muerte".

Hasta aquí, Boecio ha seguido fundamentalmente a Ovidio. Ahora, comenta: "Esta fábula parece forjada para vosotros los que tratáis de elevar vuestro espíritu hacia la luz de los cielos; porque el que se deja vencer y vuelve los ojos a los antros del Tártaro, pierde los bienes superiores precisamente por el hecho de mirar a los infiernos".

Boecio fue uno de los fundadores del pensamiento medieval. Sus palabras constituyen una seria advertencia de los peligros que acechan a quienes se salen del camino marcado.

Sin embargo, la fortuna del Orfeo medieval no cesa, reapareciendo en el *Roman de la Rose* de Jean de Meung, en Boccaccio, Machaut, Villon y otros muchos, hasta culminar en el *Sir Orfeo* inglés (1370) o en la *Festa di Orfeo* (hacia 1470) de Poliziano. Después, óperas y dramas, imitaciones y parodias. De este modo Orfeo se convertirá en el símbolo del amor, de la poesía y de la música, que todo lo vence, según las versiones.

Nos interesan especialmente los 580 pareados del *Sir Orfeo* inglés, pues unen dos tradiciones diferentes, la cásica y la artúrica. Todo ocurre según es habitual, aunque con cambio de escenario; ahora estamos en Bretaña; Eurídice se llama Herodís y ya ha muerto. "Un día pasa el *Rey de las Hadas* ante Orfeo, que reconoce a su mujer entre las damas de su séquito; no logra hablar con ella, pero nuestro héroe sigue a la comitiva con el arpa en la mano. Cruza por el interior de una roca y llega a una verde pradera en la que hay un castillo magnífico, "claro y brillante como el cristal"; entra en él. El patio de armas estaba lleno de gente que yacía dentro del muro, algunos estaban decapitados; otros, descuartizados y otros revelaban en su aspecto el modo en que habían muerto. En medio del espectáculo descubre a su esposa, dormida como la última vez que la vio. Orfeo se presenta al rey del lugar que se queda sorprendido al verlo llegar, pues es la primera ocasión que acude alguien sin haber sido convocado por el rey mismo. Emocionado por la maravillosa música del héroe, accede a concederle el favor que le pida, en recompensa por el deleite que le ha procurado. Orfeo aprovecha la ocasión y, a pesar de los hábitos del castillo, consigue recuperar a su esposa, con la que regresa a Inglaterra, culminando su feliz viaje".

Las alteraciones son notables y revelan de qué modo es tratado el material clásico por los autores medievales: en nuestro propósito, ya estamos muy cerca de las leyendas bretonas y artúricas.

El caso de Orfeo no es único. Ya Fulgencio, a finales del siglo V, había aludido al descenso de Eneas al Hades, interpretándolo de una forma tan peculiar como Boecio:

"Así pues, Eneas baja a los infiernos y allí, meditando sobre las penas de los pecadores y sobre el premio de los justos y sobre los tristes errores de los enamorados, atentamente observa los testimonios. Entonces, transportado por el barquero Caronte, atraviesa el Aqueronte. Este río representa las hirvientes gargantas de los actos juveniles, a la vez que sus aguas son turbias porque los jóvenes no poseen una voluntad templada y limpia. De hecho, Aqueronte significa en griego 'sin tiempo'; y por eso lo llaman hijo de Polidegmón: tal nombre equivale para los griegos a "de gran ciencia". Por tanto, el hombre, antes de llegar al tiempo de la verdadera sabiduría, debe pasar las olas fangosas de la vida y a través de las impurezas de las costumbres.

Después, Eneas adormece al trifauces Cerbero con hogazas de miel; pero ya hemos expuesto antes el significado de esto, como representación de las lides y de las disputas jurídicas [...] Pero el furor escandaloso queda endulzado con la miel de la sabiduría. Así pues, admitido a consideraciones más secretas, Eneas contempla las imágenes de grandes hombres, esto es, medita sobre los altos signos y testimonios de la virtud. [...] Allí aparece también Dido, casi como la sombra exangüe de la antigua pasión amorosa. Ciertamente, al final, llegados al lado de la sabiduría, una vez muerta y despreciada la pasión sensual, la volvemos a traer a la memoria con lágrimas de arrepentimiento".

Fulgencio quiere adoctrinarnos y para ello no renuncia a alterar el texto virgiliano. Pero hay que tener presente en todo momento que Fulgencio también fue uno de los autores leídos en las escuelas medievales y, por tanto, su forma de interpretar el descenso de Eneas al Hades fue aprovechada en alguna ocasión.

La alusión a Eneas y a Orfeo, o a Fulgencio y Boecio nos conduce de lleno a los primeros textos artúricos: en efecto, un interesantísimo libro de Walter Map, *De nugis curialium* (hacia 1183), en el que se recogen gran cantidad de leyendas y creencias populares (como el embrión de la Historia de Melusina), alude a un caballero que encontró a su difunta esposa una noche, entre gran multitud de mujeres, al fondo de un desolado valle. Todos los elementos nos hacen pensar en Orfeo, pero es posible que Walter Map se haya limitado a transcribir algún cuento procedente del folklore autóctono, como hace en otras ocasiones, al referirse al rey Herla: este rey visita a los pigmeos cumpliendo de este modo un acuerdo que habían establecido. Atraviesa una caverna oscura y llega a una sala iluminada por lámparas que resplandecían como "el palacio del sol en la descripción de Ovidio". "Al regreso le advierten al rey que ni él ni ninguno de sus acompañantes debe descabalgar hasta que el perro que les han regalado salte de los brazos del hombre que lo lleva. Algunos miembros del cortejo desobedecen y se vuelven polvo. El rey Herla descubre que aunque en apariencia su estancia no había pasado de tres días, en realidad ha estado ahí más de 200 años".

El texto de Walter Map nos ofrece algunos datos curiosos. El primero, se desprende de la presencia de los pigmeos: casi a la vez que Map, otro escritor, Giraldus, aludía en una obra titulada *Itinerarium Cambriae* (hacia 1191) a los enanos que habitaban en el hemisferio inferior: el sacerdote Eliodorus al confesarse al obispo David II le revela una curiosa experiencia de su infancia. Un día que estaba jugando en la ribera del río, se le aparecieron dos enanos pigmeos que le invitaron a que los acompañara a una tierra llena de delicias. El niño siguió a los hombrecillos a través de un túnel oscuro, hasta que llegaron a un lugar maravilloso, donde el oro abundaba en cantidades insospechadas ...

No menos interesante que la de Walter Map es la obra de Gervais de Tilbury, cuyos *Otia Imperialia* (hacia 1211?) constituyen una fuente de extraordinaria riqueza en cuanto a elementos folklóricos. Como Giraldus y como Walter Map, Gervais de Tilbury situa el reino de los pigmeos en el otro hemisferio, en la tierra de los Antípodas, de acuerdo con las doctrinas expresadas por Marciano Capella (siglo IV d. J.C.), que a su vez se había inspirado en Crates de Mallos (autor griego del siglo II a.J.C.).

Pero ni Marciano Capella, ni Crates son una excepción. En el mundo clásico son muchos los escritores que identifican a los Antípodas con la tierra que hay al otro lado del ecuador: en los dos hemisferios las estaciones son las contrarias, de forma que cuando en uno es verano, en el otro es invierno. Macrobio —el comentarista del ciceroniano *Sueño de Escipión*— pensaba que la región de los antípodas estaba deshabitada, pero son otros muchos los que sitúan allí el reino de los pigmeos. Evidentemente, si el otro hemisferio se caracteriza por ser la versión negativa de éste como demuestra el cambio de las estaciones, o el hecho de que en nuestro hemisferio habiten personas normales, mientras que en el otro los hombres son mucho más pequeños debido a las causas más variadas, nada tendría de particular que —del mismo modo— los dos hemisferios se consideraran mundos simétricos, con la única diferencia de que en uno viven los vivos, mientras que en el otro viven los muertos: bastará que pasen el túnel para poder visitar sin grandes problemas cualquiera de ambos mundos.

No quiero seguir por este camino. Por ahora, bastará recordar que el Más Allá de Walter Map y de otros autores se sitúa en las Antípodas, reino deshabitado, reino de los pigmeos o de los muertos: la preocupación que manifiestan San Isidoro y San Agustín negando insistentemente la existencia de los antípodas, debe interpretarse como una clara muestra del profundo arraigo que había adquirido la idea de un mundo igual al nuestro pero de signo contrario ... Es posible que tal creencia estuviera ya a punto de desaparecer cuando Chrétien cita entre los asistentes a las bodas de Erec y Enid a un personaje llamado Bilis, señor de los enanos, rey de los Antípodas. Por otra parte, la localización del Más Allá al otro lado de un túnel o una gruta, nos hace pensar en *El purgatorio de San Patricio, El Paraíso de la reina Sibila,* en la leyenda de *Tannhäuser* o en el cuento de Aladino. María de Francia (en lai de *Yonec*), Béroul, Geoffroi de París, los dominicos Esteban de Borbón y Uberto de Romans se hacen eco de leyendas similares; en la corte de Alfonso X se reelabora el *Purgatorio* de San Patricio y fr. Ramón Ros de Tárrega y Ramón de Perellós se ocuparon de la misma obra en catalán del siglo XIV, por no contar la riquísima descendencia posterior en la que se mezclan obras de teatro y composiciones musicales. Nada de extraño tiene, pues, la cueva de Montesinos a la que desciende don Quijote (siguiendo la historia de Guarino Mezquino), y la misma idea de que el Infierno está en el centro de la tierra no puede proceder de otro sitio.

El segundo dato curioso que se desprende del texto de Walter Map es el transcurso anómalo del tiempo, aspecto que ha sido estudiado en diversas ocasiones, y que se presenta con insistencia en narraciones folklóricas: basta recordar el caso de la Bella Durmiente del bosque, o el de San Brandán. Pero ahora nos interesa otro aspecto de la cuestión. Son muchas las leyendas escatológicas que expresan la felicidad y el gozo del Más Allá a través del paso fugaz del tiempo: el deleite puede ser místico, gracias a la contemplación de Dios, como le ocurre al fraile de la Cantiga CIII de Alfonso X, pero puede revestir otros aspectos. Así, en el lay de *Guingamor* el sobrino del rey participa en la caza del jabalí blanco, pero en la persecución del animal se pierde en medio del bosque; llega a orillas de un río, cerca de un castillo maravilloso. Bajo un olivo, en una fuente se está bañando una doncella, a la que le arrebata las vestiduras y sólo se las devuelve a condición de que lo saque del bosque. La joven lo lleva a una corte encantada, donde el protagonista —Guingamor— pasa tres días, que en realidad son 300 años. La doncella —es evidente que se trata de una hada—, le advierte que no debe comer ni beber cuando vuelva al mundo normal. La transgresión de este precepto provocará la súbita muerte del caballero ... Por haber comido el fruto del jardín de los muertos Perséfone no pudo abandonar el Hades. El participar de los manjares de los vivos lleva a la desaparición de quienes visitaron el Más Allá. La historia de Guingamor y la del rey Herla tienen no pocos puntos de contacto.

Y de mano de Guingamor llegamos ante otro aspecto notable del Viaje al Más Allá. En el texto de Walter Map veíamos que para llegar al reino de los Antípodas era necesario atravesar un largo túnel, al fin del cual nos podíamos encontrar con un mundo completamente distinto. Guingamor, en su aventura sobrenatural, persigue a un jabalí blanco, entra en un bosque, atraviesa un río o el mar en un barco y llega a un castillo maravilloso. Es el mismo itinerario que tiene que recorrer el joven Guigemar del *lai* de María de Francia: Guigemar dispara su arco contra una enorme cierva blanca. Su flecha alcanza al animal en medio de la frente, derribándolo al punto. Pero surge la maravilla: la saeta vuelve hacia atrás y alcanza en el muslo al cazador con tal fuerza que su punta llega hasta el caballo, dando con Guigemar en tierra. La cierva malherida maldice a su cazador. Este se aleja a través del bosque, divisa una llanura; al fondo, una escarpada montaña sobre el mar. Abajo corre el agua y hay un pequeño puerto. En el puerto, una nave espera al caballero herido y se lo lleva a alta mar, surcando las olas libremente. De este modo llega a una tierra desconocida, en la que encuentra a la que será su amada, objeto del resto de la narración.

Ya tenemos aquí prácticamente todos los elementos que veíamos al comienzo, al referirnos al *Perceval* de Chrétien. En efecto, en el último epidosio del *Cuento del Grial* teníamos un río, una barca con timonel, un castillo sobre un acantilado. Las damas que habitan en el castillo, un riquísimo paisaje con abundancia de caza, ríos y praderas, un gran árbol que crece junto al vado peligroso y algunos otros motivos de menor importancia para nuestro propósito.

Hay una novedad significativa, la presencia de la cierva blanca o del jabalí del mismo color, animales que, por si fuera poco, tienen la capacidad de tomar la palabra para lamentarse de su destino y maldecir al caballero. Recordemos que en el *Perceval* era la Orgullosa de Logres la que guiaba al héroe hacia un final inevitable. Es posible que Chrétien sustituyera el animal —portador de valores positivos, y de ventura para el héroe— por la perversa doncella, que debía procurar la muerte de Gauvain. En cualquier caso, el motivo de la caza del ciervo o del jabalí se encuentra en muchos textos artúricos: en el *Erec y Enid*, en el lay de *Graelent*, en el *Tiolet*, en el *Partonopeus de Blois*, en los lais citados de *Guingamor* y *Guigemar*, etc.

Como en otras muchas ocasiones, se desconoce el lugar de origen de este motivo, pues su difusión en todas las culturas y la heterogeneidad de los testimonios impide establecer las vías de penetración y el itinerario recorrido; el hecho cierto es que gracias a la literatura artúrica se extendió el motivo en el occidente europeo, logrando una rápida y temprana aclimatación: así, por ejemplo, la historia de Melusina comienza con la persecución del jabalí. Es cierto que Jean d'Arras es en gran medida deudor de Walter Map y de Gervais de Tilbury en cuanto a los elementos folklóricos que recoge, pero no es menos cierto que presenta su *Melusina* como si se tratara de la verdadera historia de la casa de Lusignan y —como tal— es recibida por el duque de Berry. Si a Remondín, marido de Melusina, le sobrevinieron tan portentosas aventuras cuando perseguía a un jabalí, nada de extraño tendrá que otros valientes hombres se sorprendan al intentar cazar a una cierva. Estoy pensando concretamente en una anécdota narrada por fray Pedro de Aguado en su *Historia de Santa Marta*:

"En el páramo de este valle de Sto. Domingo, sucedió una cosa muy de notar, y por parecerme tal, la quise escribir aquí. Dos soldados, hombres de bien, y de fe y de crédito, llamados Juan del Rincón y Juan de Maya, subieron a lo alto del páramo a cazar o matar venados con los arcabuces, donde, después de algo cansados del camino que habían llevado, se les puso delante una cierva a tiro de arcabuz y aun a tiro de ballesta, y tan cerca que claramente vían dar las balas en ella; y aunque le dieron muchos arcabuzazos, no sólo no la mataron, pero ni aún parecía haberle herido, antes por momentos se les hacía invisible y visible, donde los soldados vinieron a conjeturar no ser aquélla cierva, sino algún maligno espíritu que, transformado en la figura de aquel animal, se les había puesto delante y estando ellos en esta confusión y consideración, oyeron dar grandes voces desde lo alto de un cerro que cerca de sí tenían: en lengua española o castellana llamaban a estos dos soldados por sus nombres, y cobrando doblado espanto de oír las voces desde un lugar que era imposible haber subido españoles a él, dejaron la caza y, espantados y admirados de lo que habían visto y oído, se volvieron a donde su capitán estaba alojado".

Se trata de una cierva de origen artúrico, hecho que no debe llamarnos demasiado la atención, habida cuenta del profundo interés que sentían los conquistadores —y la población en general— por los libros de caballerías. Luego, no faltarán ciervas habladoras, como la corza blanca de la leyenda de Bécquer.

El animal salvaje es un simple mensajero o guía hacia el Más Allá, y así lo han interpretado esos dos soldados fidedignos, Juan del Rincón y Juan de Maya.

Es curiosa —por otra parte— la descripción del Más Allá que surge en numerosas ocasiones: Gauvain contempla una rica llanura, con abundante caza, regada por caudalosos ríos y poblada por frondosos bosques; Erec entra en un jardín rodeado por un especie de muralla de aire: durante todo el verano y todo el invierno había allí flores y fruta madura; la fruta tenía tal condición que se dejaba comer allí dentro, pero era difícil sacarla fuera, pues cuando alguien quería llevársela, no lo podía hacer sin que a la salida la fruta volviera a su lugar. No hay pájaro que vuele bajo el cielo, de agradable canto, del que no se pudieran oír allí varios de cada clase. Y la tierra en toda su extensión no tiene especia o planta medicinal, que no estuviera plantada allí y de la que no hubiera gran abundancia.

La fruta que no se puede sacar del jardín parece ser la transformación de algunas prohibiciones hechas a los héroes que visitan el Más Allá: Orfeo no puede mirar a Eurídice, Guingamor no debe comer ni beber al regresar a este mundo, etc. Por lo demás, el vergel descrito es una clara muestra del *locus amoenus* que aparece con una enorme frecuencia en la literatura medieval cuando se pretende situarnos en un mundo especial en el que puede ocurrir cualquier prodigio. Ya desde Virgilio se encuentran descripciones de este tipo, y los preceptistas medievales de Retórica lo incluyen en sus obras como un recurso más; no se debe olvidar que ya en el *Génesis* tenemos un Paraíso Terrenal, y que los autores recordarían en más de una ocasión el Paraíso Perdido. Nada de extraño tiene, pues, que el Más Allá se conciba como un lugar fecundísimo, rico y apacible. Tampoco tiene nada de extraño que los alegoristas recurran a la misma imagen cada vez que quieren describir el mundo superior o ideal: desde Guillaume de Lorris a Dante, pasando por el Berceo de Prólogo de los *Milagros de Nuestra Señora*, todos siguen el mismo modelo.

El jardín de Maboagraín, en el episodio de la Alegría de la Corte del *Erec y Enid*, o el Castillo de las Damas del *Perceval*, o las

numerosas islas —como Avalón— que se encuentran en todas las narraciones artúricas, suelen presentar ciertas dificultades que impiden el
acceso a una tierra poco común: será la barrera de aire en un caso, o un
río violento, o un puente estrecho como el filo de una espada o será la
necesidad de navegar por un mar desconocido, en una barca que —por
lo general— va a la deriva, sin que el héroe pueda hacer otra cosa que
dormirse al entrar en ella. Evidentemente en todos estos casos se trata
de un mismo obstáculo que tiene como función esencial dar la impresión de aislamiento del mundo que se visita, mundo al que no se puede
llegar en cualquier momento, y del que se pierde cualquier huella
cuando se abandona... Sólo los escogidos acuden al Más Allá, pero
esto les ocurre al cabalgar errantes, en busca de aventuras.

Alejandro entre la historia y el mito

Carlos García Gual.

"Solaz nos faz ' antiquitas
que tot non sie vanitas."
Alberico de Besançon,
Roman d'Alexandre, vs. 7-8

El propósito de estas líneas es muy modesto: tan sólo invitarles a leer o a releer un libro estupendo de nuestro medievo, considerado como un extraordinario relato fantástico. Es un texto famoso en el que lo histórico se combina con lo fabuloso y lo maravilloso de modo tal que transitamos de uno a otro dominio sin barreras ni aduanas, entre lindes borrosas. Este libro, de temática singularmente atractiva y prestigiosa, de un género literario de dudosa precisión, es el *Libro d'Alexandre*, compuesto a comienzos del siglo XIII.

Es un largo poema, desde luego, con más de diez mil versos —10.700 exactamente ó 2675 cuartetas monorrimas— enlazados en el esforzado y docto sistema métrico de la "cuaderna vía", que puede leerse, tanto es su atractivo, de un tirón. Con el *Libro d'Alexandre*, sabido es, se estrena en Castilla el "mester de clerecía", que, tanto por su forma misma, la "cuaderna vía" "de sílabas contadas", como por su contenido y doctrina, supone un contraste con el arte narrativo de los juglares. A ello alude paladinamente el poeta en sus primeras estrofas. El relato adopta un tono propio, correspondiente a la intención docta del mester clerical; es más culto y distante que el estilo del cantar de gesta. Si en éste encontramos el vehículo más adecuado al canto épico nacional, el *Libro* presenta una materia distinta, que viene de un prestigioso pasado supranacional, y que el poeta saca de otros, leyendo otras escrituras.

"quiero leer un livro d' un noble rey, pagano,
que fue de gran esfuerzo, de coracon loçano,
conquiso todo el mundo metiólo so su mano;
tenérm, si lo cumpliere, por non mal escrivano".

(cuarteta 5)

El autor es, ante todo, un lector y, de resultas, un comentador. *"Quiero leer un libro"* es frase muy significativa de su programa. De un libro saca la trama; su saber es sobre todo libresco; la autoridad y el prestigio de lo narrado viene de esa lectura que el buen clérigo sabe hacer y luego transmitir. No será mal escribano, no, si cumple con su empeño y nos da, poniéndolo en castellano y en curso rimado con gran maestría, con "mester sin pecado", asunto tan prestigioso.

Cuando, al final del poema, al cabo de más de diez mil versos alejandrinos, se despide, lo hace con unas notas de modestia un tanto tópica; está, sin duda, contento de la labor cumplida. Espero que ningún lector le regatee la soldada que en su humildad solicita: un Padrenuestro (Algo más barato aún que el "vaso de bon vino", que pide Berceo):

> "Quiérome vos con tanto, señores, espedir;
> gradéscovoslo mucho quem quisiestes oïr;
> si fallecí en algo, devedes me parcir
> só de poca ciencia, devedes me sofrir.
> Pero pedir vos quiero cerca de la finada,
> —quiero demi servicio de vos prender soldada—
> dezid el Paternoster por mí una vegada;
> a mí faredes pro, vos non perdredes nada". (cs. 2673-4)

(La cuarteta siguiente, la última, nombra a un autor, con divergencia según los dos manuscritos: *O* nombra a "Johan Lorenzo ... natural de Astorga"; *P* a "Gonzalo de Berceo ... natural de Madrid, en Sant Mylian Criado". Es probable que Jean Lorenzo fuera el copista del texto *O*, y no el poeta; y resulta poco verosímil que Gonzalo de Berceo escribiera este poema. Prefiero hablar de un autor anónimo).

No creamos, pues, que se trata de un clérigo de "poca ciencia". No sólo romancea gran parte de la *Alexandreis* de Gautier de Chatillon (que concluyó su espléndida epopeya latina hacia 1184) y recoge trozos del largo *Roman d'Alexandre* francés, sino que toma materia para otros episodios de la *Historia de Preliis* (versión latina del texto griego del Pseudo Calístenes), de la *Ilias Latina*, de las obras sobre Alejandro de Quinto Curcio y Flavio Josefo, de las *Etimologías* de San Isidoro. Su narración se fundan en otros libros, en otras "escrituras", anteriores y de un secular prestigio. La lección de esas historias antiguas y prestigiosas es ejemplar, y, por ello mismo, se presta a una glosa actualizadora y moralizante, que es lo que pretende también, junto al placer de narrar y entretener, el lector que rescribe la historia del gran rey de la Grecia antigua. Sin duda el poeta castellano hubiera aprobado la sentencia del primer poeta francés del *Roman d'Alexandre*: "Solaz nos faz'antiquitas que tot non sie vanitas". El tema de la vanidad de "la gloria de este mundo" se reitera en algunos de sus versos, sobre todo al final del poema.

Ahora no vamos a analizar el texto en detalle ni a detenernos con afán erudito en destacar sus fuentes y su originalidad en algunos motivos. Hay excelentes estudios sobre esto, como los admirables libros de R.S. Willis y J. Michael, entre otros. A ellos remito, y a la amplia lista bibliográfica que F. Marcos Marín ha presentado en su reciente edición de nuestro *Libro*. Como él señala, "la extensión del texto, que supera los diez mil versos, la relevancia de las fuentes y de los asuntos tratados, la enorme erudición que en él se muestra y la internacionalidad de la intención hacen de este libro tal vez el más interesante de los medievales españoles" (o.c., pág. 12). Como dice J. Cañas, el *Libro d'Alexandre* es "un auténtico lujo" en la literatura medieval española.

Numerosas bazas juegan a favor del texto: el contenido mismo, que es la historia de un monarca antiguo, elevado por sus proezas a emperador de Oriente y Occidente; el escenario de sus hazañas en el Oriente fabuloso, en Persia, la India y la misteriosa Babilonia; los relatos intercalados, como el de la Guerra de Troya y una visita a los Infiernos, como de propina; y, por otro lado, para compensar el distanciamiento y la elevación que tal materia suscitaba, el poeta introduce sus toques realistas y anacrónicos, sus observaciones y detalles pintorescos, sus giros coloquiales y sus notas irónicas, y su moralismo ingenuo, para acercar lo narrado a su público castellano; desliza sobre la monotonía de la rima monocorde del tetrástrofo el colorido de su léxico variopinto y los quiebros de su humor literario. Como si a una vieja estampa se le añadieran nuevos colores, un tanto chillones, y algunos trazos frescos para destacar los perfiles de las figuras a fin de atraer y retener la atención del observador y aclararle el dibujo, algo así hace para notrosos este sagaz clérigo en su lectura de una fascinante biografía novelesca.

La trama se construyó con hilos refinados y sacados de otros tapices, pero no vamos a analizarla aquí en detalle; tan sólo sugerimos una excursión de lectores atentos a lo fantástico por ese ámbito medieval. (Difícil es precisar la noción de lo fantástico. T. Todorov señaló como lo esencial una cierta vacilación psicológica entre lo admitido como real y lo maravilloso; y entre lo uno y lo otro se mueve la gesta aventurera de Alejandro, convertido ya en caballero medieval o intemporal, héroe de siempre que aquí se viste a la usanza del Medievo). El nuevo relator de la gloriosa biografía no es ni un juglar ni un historiador; trae su docta lección al castellano de su "mester fermoso" y "sin pecado", con plena conciencia de su intención y notable maestría en el arte narrativo.

Resulta ahora muy fácil encontrar una buena edición del *Libro de Alejandro*. En los últimos diez años han aparecido cuatro; cada una de ellas tiene sus propias virtudes y pueden contrastarse muy cómodamente. La primera, en formato de bolsillo, fue la de Jesús Casa Murillo, en la benemérita "Editora Nacional" en 1978; con un texto cuidado, con buena introducción y selectas y claras notas, es un excelente trabajo, de atractivo manejo. La segunda es la edicción crítica hecha por Dana Arthur Nelson, en la editorial Gredos, en 1980; Nelson cree en la autoría de Gonzalo de Berceo y en la crítica textual cede a sus propias ideas sobre el original, en muchos puntos muy discutibles; pero realiza un meritorio trabajo de conjunto y muchas de sus notas son instructivas. La edición de Elena Catena, en la colección "Odres Nuevos" de Editorial Castalia, Madrid 1985, es una versión modernizada, modificando gran parte del léxico para facilitar la lectura, junto con una buena introducción de conjunto.

Finalmente, la reciente edición de Francisco Marcos Marín, en Alianza Editorial, Madrid 1987, presenta un buen prólogo y una nota bibliográfica bastante completa (con 231 títulos), y un texto compuesto con ayuda de un ordenador que refunde los dos manuscritos existentes (O y P) presentándonos una versión que destaca a la vez las variantes de los dos códices, pero que difiere de lo que entendemos por una edición crítica; es un experimento interesante.

Conviene reseñar aquí la publicación del texto latino de la *Historia de Preliis* acompañado de la traducción del mismo que hizo Alfonso X en la parte cuarta de la *General Estoria*. *La historia novelada de Alejandro Magno, edición acompañada del original latino de la Historia de preliis (recensión J)*, ha sido editada en la Universidad Complutense, Madrid 1982, por Tomás Ganzález Rolán y Pilar Saquero, con esmero ejemplar. Es muy interesante tener a mano ese texto y esa versión, indirecta, en prosa castellana, pero notablemente fiel, de la *Vida de Alejandro* del Pseudo Calístenes, hecha algunos decenios después de nuestro poema, para calibrar la distancia que media entre la visión épica del poema del mester de clerecía y el relato de la *General Estoria*. (Volveremos luego sobre el tema).

La figura de Alejandro gozó durante la Edad Media de un enorme y singular prestigio, aunque sometida a diversas interpretaciones, como puede verse en el ameno libro de George Cary, *The Medieval Alexander*, Cambridge 1956 y en el de Chiara Frugoni, *La fortuna de Alessandro dall'Antichita al Medioevo*, florencia 1978. Sus huellas en las artes plásticas son muy notables, ya que se prestaba a una variada iconografía (cfr. D.J.A. Ross, *Alexander Historiatus*: A *Guide to medieval illustrated Alexander Literature*, Londres, 1963). Para sus huellas en la literatura española véase especialmente el artículo de Mª Rosa Lida "La leyenda de Alejandro en la literatura medieval", recogido ahora en M.R. Lida, *La tradición clásica en España*, Barcelona 1975, págs. 165-98; y de la misma autora, *La idea de la fama en la Edad Media castellana*, México, FCE, 1952, págs. 167-197.

Probablemente el autor de este *Libro d'Alexandre*, clérigo de notoria cultura y al tanto de las modas europeas, quiso redactar un *speculum pincipum* en romance castellano, uniendo un empeño épico a un didactismo moral bien ilustrado. La narración es tan ágil como abigarrada. Como apunta Angel del Río, en su *Historia de la Leteratura Española*, 1948, —reed. Barcelona, I, 1985, págs. 136-7,—: "El héroe, más que como un personaje de la antigüedad, está tratado como un personaje caballeresco. Representa, por tanto, el poema un cruce interesante de actitudes y motivos: religiosos y paganos, caballerescos y ascéticos, novelescos o, en otro sentido, de preocupaciones de cultura y conocimiento. A veces el libro adquiere carácter casi enciclopédico al hablar, por ejemplo, de la educación del protagonista, o en diversos pasajes geográficos e históricos".

Pero tanto los personajes como los paisajes evocan un ámbito un tanto imaginario y situado en un pasado impreciso, en un tiempo lejano y presente a la par, del mismo modo como en el *mapa mundi* pintado por Apeles en la gran tienda de Alejandro están representadas las principales ciudades de Europa junto a las gestas de Alejandro y hazañas de los héroes míticos griegos. Para encomiar la belleza de la reina de las amazonas el poeta dice que aventaja a la "Filomena" de Ovidio, y en su oferta en el mítico juicio de Paris, la propia diosa Hera (aquí "Doña Juno") alega que su esplendor lo atestiguó el poeta latino (3680c: "esto yaz en el libro que escribió Nasón" dice la diosa a Paris).

Ese cruce de tiempos y la evocación de países lejanos ayuda a la creación de una atmósfera tan fabulosa como la de los libros de caballerías. El oriente maravilloso podía ser tan pródigo en monstruos y lances de aventura como el nebuloso occidente de las sagas célticas o las novelas artúricas. Como apuntó Manuel de Montoliu —citado por J.L. Alborg y J. Cañas— "En su conjunto, el *Poema d'Alexandre* viene a ser el primer precursor de los libros de caballería en la literatura española. Alejandro, en efecto, está en él pintado en figura del perfecto caballero medieval, y espiritualmente emparentado con los héroes carolingios y aún más con los caballeros de la corte del rey Artús; el ambiente poético y maravilloso que le rodea es el mismo del mundo fantástico en que más tarde habían de respirar los Lanzarotes y Amadises". Como ya señaló R.R. Bezzola, y luego A. Roncaglia y otros, en el alborear de las novelas europeas, y primero francesas, desempeña la figura de Alejandro un papel de precursor de Arturo, al lado de un Carlomagno embellecido por la leyenda. (Cf. mi libro *Primeras novelas europeas*, Madrid, 1974, págs. 108 y ss.).

La estructura básica del *Libro* está formada por la atención a un esquema biográfico, con sus apartados correspondientes. Viene primero la infancia y el nacimiento del rey, con sus presagios, se perfila luego su carácter heroico, manifiesto desde sus primeros hechos de armas, continúa con las batallas en la guerra con Persia, hasta la muerte de Darío, y luego la campaña contra el rey Poro y sus elefantes en la India; exploraciones orientales y encuentros exóticos, con los monstruos y los seres prodigiosos, con los árboles parlantes y las amazonas, y, al final, la brusca muerte a traición por veneno. Alejandro es el monarca de un desaforado imperio, conquistador audaz, soberano del universo a quien todos rinden vasallaje, emperador casi cósmico, invicto guerrero al que nada detiene, explorador de los confines del mundo, excursionista temerario del fondo de los mares y de los altos cielos (baja en una bola de vidrio o asciende en una cesta tirada por grifos), exponente máximo de la arrogancia humana y mártir de esa misma condición humana, es decir, limitada y mortal.

La Fortuna lo encumbró en su inconstante rueda para precipitarlo luego, en su palacio de Babilonia, envenenado a traición por uno de sus íntimos, a los treinta y tres años el gran conquistador se eclipsa, de acuerdo con los datos históricos. Pero el poema nos explica la profunda motivación de su final. La propia Naturaleza estaba tan espantada de su osadía que, con la anuencia del Dios, receloso también, fue a los infiernos a solicitar la ayuda del diablo para acabar con él, puesto que en la tierra no había ningún oponente de su talla. Es una versión moralizada, en la que Alejandro encuentra la muerte como un castigo a su desenfrenada audacia y a su afán de investigar lo más oculto. Esta glosa añade un elemento nuevo al relato helénico original explicando la muerte del joven monarca por un designio trascendente. Lo que no deja de ser fantástico, a su manera.

El *libro d'Alexandre* nos presenta una versión romanceada según las pautas de la época, es decir, interpretada desde la visión cristiana medieval del mundo. La medievalización y el moralismo de época colorean anacrónicamente muchos motivos, no por descuido ni ignorancia, sino de acuerdo con la intención del autor, que no pretende un relato arqueológico. Como ya J. Seznec mostró a propósito de los dioses y los héroes antiguos, en la edad Media perviven disfrazados con ropas de la época. De algún modo bajo esa vestimenta y esos hábitos anacrónicos se insinúa lo perenne de su ejemplaridad mítica.

El relato de la vida de Alejandro tiene, como decíamos, una pauta básica en el biografía, pero se inclina hacia una epopeya heroica (de ahí la inclusión de la leyenda troyana en un pie de igualdad con el resto del relato y las descripciones de batallas y combates) al tiempo que se percibe su cercanía a los primeros *romans courtois*. Recordemos que en Francia el primer *roman d'Alexandre* precede a los *romans* de la tríada clásica (*Roman de Troie, Roman de Thébes, Roman d'Eneas*, pero en su forma más completa, el *Roman d'Alexandre* de Lambert de Tort y Alexandre de Bernay, con cerca de mil versos, se concluye hacia

1180, después de aparecer los primeros *romans courtois*. R.R. Bezzola ha dicho de él que era un auténtico *roman courtois*, aunque sin uso de sus elementos: el amoroso. Alejandro, émulo de Aquiles y de Eneas, superior a uno y otro por su capacidad aventurera, es una imagen del emperador magnánimo e invicto conquistador, un rival novelesco del buen Carlomagno (también Alejandro creará sus doce pares, colocando entre estos a su maestro Aristóteles) y del cortés rey Arturo.

La *Alexandreis* de Gautier de Chatillon (el "Gualter" citado en nuestro poema) está más cercana a la épica culta que a la novela caballeresca; el poema latino es más arcaizante que los poemas en lenguas romances, como era de esperar no sólo por su autor, sino también por su público, mucho más docto y clerical, capaz de apreciar la poesía latina.

Pero, antes de proseguir con el tema de la construcción del poema, querría detenerme un momento en comentar la anbigüedad genérica del *Libro d'Alexandre*, y qué sentido tiene hablar de lo "novelesco" en relación con él.

Recordemos que es un tanto usual referirse al texto griego del Pseudo Calístenes, *Vida y hazañas de Alejandro Magno*, de comienzos del siglo III de nuestra era, como la "novela de Alejandro". (cf. mi traducción e introducción, Madrid, 1977, "Biblioteca Clásica Gredos") Aunque yo mismo, siguiendo la convención, he utilizado esa denominación, diré que me parece un tanto erróneo y desorientador calificar esa biografía de "novela". Ni entra dentro de los esquemas del género novelístico griego por entonces en boga (un género ignorado de las preceptivas literarias antiguas y sin un nombre propio griego), ni su autor, un misterioso escritorzuelo alejandrino, pretendió escribir una ficción novelesca. Para él era Alejandro un héroe del pasado helénico, aureolado de un inmeso prestigio tradicional, y situado en un contexto histórico lejano, a más de cinco siglos de distancia. Pseudo Calístenes recoge materiales muy varios para construir su obra, titulada *Bíos Kai práxeis Alexándrcu toû Makedónos*, una biografía a la que su aire fabuloso y variopinto distancia de otras más austeras, como la que escribiera Plutarco. A este pseudohistoriador tardío le interesa ante todo lo característico, lo que defina el *éthos* y el *páthos* del protagonista de la *vida*, no el marco histórico por sí mismo. Sólo que es mucho más fantasioso e ignorante que Plutarco o Quinto Curcio, por citar otro biógrafo retórico y tardío.

La estatura heroica de Alejandro y la tradición mitificadora de su gesta y figura, de origen popular tal vez, desviaron la biografía hacia lo fabuloso, dejando en sombra aspectos históricos que interesaban menos al público al que la obra iba destinada. El éxito sorprendente de esta narración indica cómo acertó el autor en su perspectiva, que sólo por su derivación hacia lo mítico y fantástico puede calificarse de "novelesca".

Aunque "novela" sirve para traducir el término francés "*roman*", conviene recordar que, al hablar del *roman d'Alexandre*, la significación del vocablo francés no es aún la del género literario, sino la más amplia y primitiva de "relato en lengua romance". En ese sentido no se opone todavía a la "*Chanson de geste*". Si bien "en el ciclo de Alejandro las inspiraciones épica y cortés se alían para hacer del héroe el modelo ideal de toda caballería", no puede, sin embargo, definirse el poema como una narración novelesca en oposición a los cantares épicos. (cf. A. Roncaglia, "*L'Alexandre* d'Alberic et la séparation entre chanson de geste et roman", en *Chanson de Geste und höfischer Roman*, Heidelberg, 1963, págs. 37-52).

Lo mismo puede decirse del *Libro d'Alexandre*: pertenece a un género narrativo arcaico a la vez épico y novelesco. Incluso una distinción como la de género épico mitológico y relato histórico antiguo aparece borrosa en esta obra del alto medievo. El largo relato de la guerra de Troya no se distingue formalmente de las gestas, de base histórica, de Alejandro. Historia y relato mítico vienen a converger, pues, en una imagen sintetizada, en la que un lector medieval no podía distinguir lo uno y lo otro. En la pintura del héroe antiguo, Alejandro es un nuevo Aquiles o un Eneas, con otro escenario bélico. Al público no le interesaba su impronta histórica, sino su aspecto ejemplar. Cuanto contribuía a magnificar su imagen heroica fue admitido en las mallas de este entramado, mientras que los testimonios reales del Alejandro histórico se difuminaban. La prestancia simbólica del héroe es lo esencial, y sobre ella se monta la glosa moralizante y se perfilan nuevos episodios que resaltan esa ejemplaridad y grandeza.

Una vez dicho esto, queda claro por qué resulta conveniente evitar la palabra "novela" al referirnos a este *Libro*, en cuanto que el término "novela" parece implicar la idea de una ficción consciente y voluntaria. En nigún momento el autor medieval —ni siquiera el Pseudo Calístenes unos diez siglos antes— piensa escribir una historia ficticia; mientras que los novelistas griegos eran bien conscientes de que escribían ficciones, *plásmata*, de aventuras y amores apurados. El gran prestigio de que goza la materia antigua está ligado al de ese pasado "veraz" y ejemplar, aleccionador y susceptible de una lección ejemplar y moral. La fé en lo escrito como testimonio de un pasado brillante está en el impulso de estos clérigos romanceadores como un dato más en la recreación de ese universo épico e "histórico".

De algún modo puede decirse que los textos antiguos le ofrecen su mitología, y que la actitud del poeta medieval ante ésta no carece de una cierta ambigüedad, si bien con matices (por ejemplo, ante los

relatos sobre los dioses) y con un distanciamiento irónico. Pero sí podemos seguir calificando de mitos esos relatos recuperados en la versión romance o la recreación latina más docta, en cuanto que son
"relatos memorables, tradicionales y paradigmáticos, de un tiempo
pasado y lejano, pero ejemplar", con una definición como la que he
dado en otro lugar para cualquier mito. (cf. mi libro *La mitología*, Barcelona 1987).

En la época clásica, la de Grecia y Roma, los mitos ofrecieron la
materia del relato; algo parecido vuelve a suceder en esta época con
materia antigua en la Edad Media; pero junto a mitos genuinos, como
los de Troya, se mezclan gestas históricas, como las de Alejandro.

Sin duda, uno de los méritos fundamentales del *Libro d'Alexandre*
está en la estructura del conjunto narrativo, que J. Cañas ha analizado
muy atinadamente como una composición en tres partes, resaltando
cómo esa estructura tripartita está en todo el poema dominando la narración (cf. o.c., págs.27-34). Pero no voy a repetir aquí ese análisis interno, de líneas claras, que el lector puede encontrar en el libro citado.

Para nuestro propósito actual podemos recordar las secciones que
Elena Catena, en su edición citada, reconoce: I. Nacimiento, educación
y adolescencia del rey; II. Inicio de la campaña contra Darío; III. La
guerra de Troya (largo relato hecho por el mismo Alejandro, estr. 333 a
762, con más de mil quinientos versos); IV. Guerra contra Darío y
conquista de Persia (estr. 763-1831); V. Alejandro decide continuar la
campaña en Asia; VI. Enfrentamiento con el rey Poro en la India; VII.
La soberbia de Alejandro. Gloria humana y muerte.

Esta relación nos da una idea de la marcha general del relato. En él
son muy interesantes las digresiones menores, que alguna vez son muy
extensas, como es el caso de relato de la guerra de Troya ya mencionado. Otras son la descripción de Babilonia (e. 1460-1553) con su
alusión a la torres de Babel (estr. 1505-12); el maravilloso palacio de
Poro (2118-2141) con su decoro fastuoso y su viña de pedrerías y su
árbol cantor; la visión del infierno (2325-2458); y la de la gran tienda
de Alejandro decorada por las pinturas de Apeles, que incluyen un
calendario (2554-2566) y un curiosísimo *mapamundi* (2576-2586).
Todos estos añadidos son de especial relieve en su apertura hacia lo
fantástico (cf. E. Catena, c c., págs. XII-VII).

Lo que unifica todo ese abigarrado poema es la figura central de
Alejandro como protagonista, héroe excepcional que surca un escenario no menos extraordinario. En el poema se cita a Aquiles y a
Eneas y Ulises, y también, de pasada, a Carlomagno y Artús. Hay
episodios muy cargados de simbolismo para la mentalidad de la época,
como la llegada de Alejandro a Jerusalén y su encuentro con el gran
sacerdote, visto como un obispo (estr. 1131-1165) o el encierro de las

extrañas gentes de las Puertas Caspias (2101-2115) que, si ya están en algunos manuscritos griegos de la tradición textual del Ps. Calístenes, cobran aquí un relieve especial. El diálogo del rey con los árboles parlantes del sol y la luna (2483-2494) y los monstruosos animales de la India (2155-2183) pertenecen también a esa misma tradición. Especialmente pintorescas son las noticias que nos da el poeta acerca de los elefantes indios (1975 y ss.) que nos evocan alguna pintura de esa época medieval. Al narrador le interesan mucho los elefantes con sus enormes torres sobre el lomo, y cómo se los puede cazar, aprovechando que duermen de pie; en cambio, no siente el menor interés por "los acéfalos, la gent descabeçada, que traen entre los pechos la cara enformada" (2495 b-c).

A nuestro poeta le gusta describir algunas maravillas, como la de esa viña labrada con piedras preciosas o el árbol cantor en el palacio del rey Poro; pero otros prodigios los menciona muy deprisa. Es mucho más pródigo en monstruos el texto de Alfonso X, donde el avance por los confines de la India con sus selvas extrañas y su bestias malignas cobra el misterioso aire que ya tenía en el Pseudo Calístenes. A nuestro poeta le interesan más los espectáculos vistosos, los hechos de armas y caballerías, lo lujoso y, de otro lado, lo alegórico.

Hay en el *Libro* una búsqueda de lo prodigioso que es, sin duda, uno de los atractivos del texto, aunque bien puede ser que nuestro sentido de lo fantástico y lo fabuloso no coincida con el que tenía un lector o autor medieval. Así, por ejemplo, el viaje submarino de Alejandro, metido en su bola de cristal (y acompañado, como corresponde a su dignidad real, de dos fieles criados) le parece al narrador increible, y lo cuenta echando sobre su fuente escrita toda la responsabilidad del episodio (cf. estrofa•2305), mientras que el episodio, a continuación, de la entrada de la Naturaleza en los infiernos y su entrevista allí con Belcebú no suscita su asombro.

Ya algo hemos dicho sobre los anacronismos consecuentes a la medievalización del relato. Los numerosos lances de guerra, las armaduras, los hábitos, e incluso las figuras, están presentados, como sucede en las representaciones plásticas de la época, con traza medieval, no en veste anticuaria. Tanto Alejandro como Héctor de Troya se arman como caballeros medievales, y las batallas son como las de la época contemporánea; abundan los torneos y las fieras cabalgadas. La descripción de la figura de Alejandro (estr. 149 y ss.) es curiosa: conserva trazos antiguos, como la estatura mediana y el cabello como melena leonina, y un ojo de cada color, pero se resalta su tremenda musculatura:

> "Non es grant cavallero, mas ha buenas fechuras,
> los miembros ha bien fechos fieras las cojunturas,

> los braços ha muy luengos, las presas mucho duras,
> non vi a cavallero tales cambas yo nuncas.
> El un ojo ha verde e el otro vermejo,
> semeja osso viejo cuando echa el cejo,
> ha un muy grant tavlero en el su pestorejo,
> com fortigas majadas atal es su pellejo.
> Atales ha los pelos como faz d'un león;
> la voz como tronido, quexoso'l corazón;
> sabe de clerezía cuantas artes y son,
> de franqueza de'esfuerco más que otro barón.
> Cuand'entra en fazienda assí es adonado
> que quien a él s'allega luego es delivrado;
> e qui es una vez de su mano colpado,
> sil pesa o sil plaze, luego es aquedado".

Una versión muy diversa es la que encontramos en la prosa de Alfonso X, donde (en el cap. XCVI = *Hist. Pr.* cap. 130) se dice: "Alexandre el grand fue de estado mediano, la barva luenga, los ojos alegres, las mexielas nobles e coloradas pora pagar-se de su vista los onmes; otrossí los otros miembros dell cuerpo con una majestad de fermosura. Vencedor fue de todos los omnes, mas él fue vençudo d'una poca de poçon". También aquí hay una clara medievalización de su aspecto, en lo de la "barba luenga", pues la barba bien poblada es una nota general del guerrero medieval (que contrasta con el rostro lampiño del monarca macedonio). Es el traductor castellano el que ha introducido aquí ese rasgo, que no está en el texto latino del *De proeliis* — que sólo habla de un cuello alto, *cervice longa*, signo de distinción—; y que ya no recoge ni la melena leonina ni la variación de color en los ojos (rasgo antiguo, aunque luego el colorido se haya acentuado en nuestro *Libro*). el texto latino dice: *"Fuit Alexander statura brevi, cervice longa, letis oculis illustribus malis ad gratiam rubescentibus, reliquis menbris corporis non sine maistatis decore; victor omnium videbatur, sed vino et ira victus est"*. (Esta descripción está al final del texto, muy al contrario que en el *Libro*; también eso es interesante).

Es suficiente una breve comparación puntual para advertir como el texto poético —dependiente de la *Alexandreis* y el *Roman d'Alexandre*— ofrece una visión mucho más cortés y también más épica que la traducción en prosa del texto latino que depende del redactado por el Pseudo Calístenes.

Quisiera destacar algunos pasajes que son altamente característicos del poema, no sólo por la medievalización de motivos, sino por toda la presentación y el estilo poético en que se exponen. Tanto la educación de Alejandro por Aristóteles, el maestro de clerecía por excelencia, como su bagaje como caballero resultan de una admirable novedad.

Véase la conversación entre el príncipe y su preceptor, en estrofas 32 y siguientes, y las prendas de que se reviste el joven para emprender su primera salida caballeresca (estr. 89 a 125, junto con la descripción del fiero Bucéfalo, un caballo antropófago).

En cuanto a la cortesía de Alejandro, no aparece en nuestro poema un verso tan significativo como el del *Roman* francés; que dice que Alejandro aprendió la cortesía de moda:

"Parler od dames corteisament d'amors".

(Véase el comentario de R.R. Bezzola, en *Les origines et la formation de la littérature courtoise en Occident*, II, 2, París 1960, págs 520 y ss.). Pero la gallardía y cortesía con que sabe tratar a las damas queda manifiesta en su encuentro con la reina de las amazonas, un episodio de singular delicadeza (estrs. 1872-1888).

Una tercera escena para calibrar la prestancia literaria del poema es todo el episodio de la bajada de dama Natura a los infiernos (estrs. 2325 y ss; un largo pasaje en el que yo destacaría el comienzo y el parlamento de la Naturaleza y Satanás, pero realmente admirable en su conjunto).

Respecto a la "medievalización" de la temática que el *Libro d'Alexandre* despliega tan alegremente, no se funda tanto en una falta de conciencia histórica, cuanto en un esfuerzo por aproximarse al mundo antiguo poniéndolo más vivaz y coloreado al alcance del público castellano, como ha destacado Jan Michael. Resume muy bien J. Cañas esta conclusión, al decir: "La causa general de la medievalización —y utilizamos ahora la terminología más exacta empleada por Michael— pudo ser un intento de nacionalizar los temas procedentes de la antigüedad clásica, de otorgar, con ello, un mayor prestigio a la naciente literatura en lengua romance. La causa más inmediata —y ahora me refiero concretamente al *Libro d'Alexandre*— es la finalidad didáctica con que la obra está escrita, su significado. Mediante ella —Jan Michael dice algo similar—, se evita el distanciamiento que el paso del tiempo puede producir, la narración llega de modo más directo a los lectores y paralelamente la enseñanza por ella transmitida. La intencionalidad didáctica explica la transformación medieralizante de la narracción clásica" (c.c., pág. 71).

Es, desde luego, mucho más marcada que en el relato alfonsí, donde también existe, aunque en grado menor. (Recuérde la "barba luenga" de Alejandro, o compárense las descripciones de torneos y batallas).

Un tema como el de la educación de Alejandro por Aristóteles, que le ha instruido en todos los saberes y artes de clerecía, tal como lo proclama Alejandro (en las estrofas 38-46), carece de paralelo en la versión latina del *De preliis* y en el texto alfonsino; del mismo modo que tampoco hay paralelo para los consejos que da al príncipe su tutor, el "bien letrado" Aristóteles (estrofas 51 y sigs.). La unión de caballería y clerecía en Alejandro es un tema medieval destacado en este *Espejo de príncipes* primerizo.

Las cuartetas que describen cómo Alejandro se viste sus lujosas ropas y arreos de caballero son de vistoso color. El poeta no acierta a justificar tan ricas y maravillosas vestimentas, ni sabe cómo encarecer la mágica virtud de sus armas.

> "El diziembre exido, entrante el jenero,
> en tal día naciera e era día santero,
> el infant venturado, de don Mars compañero,
> quiso ceñir espada por seer cavallero.
>
> Allí fueron aduchos adobos de grant guisa:
> bien valié tres mil marcos o demás la camisa,
> el brial non serié bien comprado por Pisa,
> non sé al manto dar precio por nula guisa.
>
> La cinta fue obrada a muy grant maestría,
> obróla con sus manos doña Filosofía;
> más valía la hoja que toda Lombardía.
>
> Más vale, según creo, un poco que la mía,
> (estr. 89-91).

Sigue el poeta ensalzando el enorme valor de los zapatos, las calzas, y las lúas (los guantes). De la espada (que colgaría del tahalí bordado por doña Filosofía), dice que "la fizo don Vulcán" y tenía grandes virtudes, como encantada que era; las espuelas se las envió una abuela de allende los mares; el escudo, pintado por Apeles, tenía en su centro un fogoso león, —y luego, en estr. 106, contará que está hecho "de costilla de un pescado corpudo"—; la camisa de Alejandro la hicieron "dos fadas so la mar" y quien la viste no cederá jamás a la lujuria; y una tercera hada tejió su brial y le dió otras propiedades no menos mágicas: mantiene la lealtad y guarda de frío y calentura a quien lo viste. Pero, dejando aparte otros arreos menores, lo más estupendo es la descripción del caballo Bucéfalo, feroz monstruo devorador de hombres, un prodigio bestial, no en vano hijo de un elefante y una dromedaria.

Así dicen las estrofas 112 y 113 encareciendo a Bucéfalo:

> "Fízol'un elefante, como diz la scriptura,
> en una dromedaria por muy grant aventura;
> viníel de la madre ligerez por natura,
> de la parte del padre, fortalez e fechura.
>
> Cuando havié el rey a justiciar ladrón,
> dávalo al cavallo en lugar de prisión;
> ant lo havié comido, tanto era glotón,
> que veint 'e cuatro lobos comerién un motón".

Alejandro domeña pronto su caballo, y, tras hacer sus oraciones y encomendarse a Dios, parte en pos de aventuras, con pocos compañeros, más como cualquier caballero andante que como rey:

"Cavalgó su cavallo e salió al trebejo;
el cavallo con él fazié gozo sobejo;
viniénlo sobre sí veer cada conçejo,
dizien todos: "Criador nos ha dado consejo" (125).

"Non quisso essa vida el caboso durar
fue buscar aventuras, su esfuerço provar;
non quiso cavalleros sinon pocos llevar,
lo que valíe con pocos se querié ensayar" (127).

Este afán de aventuras queda patente en su encuentro con el temido rey Nicolao (según *De preliis*, rey de Lacedemonia; aquí no se dice de dónde). A la pregunta del rey sobre su destino, Alejandro le responde, como un caballero andante:

"Andamos por las tierras los corpos delectando,
por yermos e poblados aventuras buscando,
a los unos parciendo a los otros robando;
qui a nos trebejo busca, non va dello gabando" (132).

El resultado es tópico. El joven caballero y el fiero rey combaten en sangriento torneo. Alejandro vencedor, tras dar muerte a Nicolao, se queda con su reino, ganado en la aventura.

Los encuentros bélicos tienen siempre un claro aspecto medieval, ya sean las luchas cuerpo a cuerpo, o las batallas, donde luego los elefantes de Poro pondrán alguna nota exótica. Muy interesante es también cómo se arma Héctor para salir al campo frente a Troya, en estr. 455-58.

Abundan los anacronismos en ese relato troyano, hecho por Alejandro. Pintoresco nos resulta que Aquiles, para evitar ir a la guerra, fuera ocultado por su madre en un convento de monjas (est. 410 y ss.), en vez de en el palacio del rey Licomedes en Esciros. También la muerte del caudillo aqueo, flechado no en el fatídico talón, sino en la planta de un pié, resulta curiosa. Paris le acierta cuando Aquiles se halla rezando, de rodillas evidentemente. (cf. estr. 724-6). El asedio de la ciudad de Troya obliga a renovar los signos de piedad:

"Las madronas de Troya fizieron luego çirios,
vistieron todas sacos e asperos cilicios;
ornaron los altares de rosas e de lirios;
pora pagar los santos todos cantavan quirios... "
(568).

No insisto más sobre este punto. Tan sólo quiero recordar un episodio que alcanza en el poema una gracia singular. Es el encuentro de Alejandro con Talestris, la reina de las amazonas. En el Pseudo Calístenes encontramos un intercambio epistolar, que concluye con la sumisión de las indómitas guerreras al macedonio, a quien saludan de lejos. Aquí el encuentro del rey griego y la misteriosa reina ha cobrado mucho mayor interés. La joven y bella reina de las doncellas belicosas viene a pedirle a Alejandro un favor muy personal: que engendre en ella un hijo o una hija. Si es niño, se lo enviará, si es niña heredará su reino. Toda la escena está descrita con una singular elegancia y delicadeza, en sus veinticinco estrofas (1863-188).

Alejandro se porta con una ejemplar cortesía, tanto al recibir a la reina, desmontando y tomando de las riendas su corcel, besándola luego en los hombros y preguntándole discretamente, después de la merienda, por su deseo. También la reina se muestra refinada al exponer su petición, comenzando por descartar cualquier ganancia material (1884b: "non vin ganar averes, ca non só juglaresa") y hablando luego decidida y precisa. El poeta abrevia el cumplimiento de tan femenino apremio:

"Dixo el rey: "Plazme, esto faré de grado".
Dio salto en la selva, cortió bien el venado,
recabdó bien la reina ricament su mandado,
alegre e pagada tornó al su regnado" (1888).

Pocas veces una escena erótica se habrá contado con tanta presurosa delicadeza como este lance amatorio alejandrino.

No quisiera, con todo, dejar de evocar la descripción que se nos hace de la reina Talestris, en uno de los primeros retratos poéticos femeninos de nuestra literatura castellana, —en estr. 1872 y sigs—. Entra, azor en el puño, con sus trescientas doncellas detrás.

"Veníe apuestament Talestris la reina,
vistié preciosos paños, todos de seda fina,
un açor en su mano, que fue de la marina,
—seríe a lo de menos de siet mudas aína—.
    Havíe muy buen cuerpo, era bien estilada,
correa de tres plamos la ceñía doblada,
nunca fue en este mundo cara tan bien tajada,
non podrié por nul precio seer más mejorada.
    La fruent'havié muy blanca, alegre e serena,
plus clara quela luna cuando es düodena,
non habié cerca della nul precio Filomena,
de la que diz Ovidio una grant cantilena.
    Havié las sobrecejas como listas de seda,
eguales, bien abiertas, de la nariz hereda;
fazié una sombriella tan mansa e tan queda
que non seré comprada por ninguna moneda.

> La beltat de los ojos era fiera nobleza,
> las pestañas iguales, de comunal grandeza,
> cuando bien las abrié era fiera fadeza,
> a cristiano perfecto tolríe toda pereza.
> Tan havié la nariz a razón afeitada
> que nom podrié Apelles reprenderla en nada;
> los labros abenidos, la boca mesurada.
> Los dientes bien iguales, blancos como cuajada.
> Blanca era la dueña, de muy fresca color,
> havié y grant entrega a un emperador;
> la rosa del espino, que es tan gentil flor,
> al matín al rocío non pareçrié mejor.
> De la su fermosura non quiero más contar,
> temo de voluntad fer alguno pecar;
> los sus enseñamientos non los sabría fablar
> Orfeus el que fizo los árboles cantar".

No era, desde luego, la especialidad del tracio Orfeo el pintar en sus hechiceros versos la belleza de una dama. En efecto, le habría sido difícil rivalizar con nuestro autor y su retrato: cutis blanco y labios perfectos, nariz clara y cejas altas y bien dibujadas, airoso talle y una mirada encantadora —"de fiera fadeza, a cristiano perfecto tolríe toda pereza"— y una gracia singular en torno a su figura adornan a Talestris, que cruza por el poema dejando un aroma misterioso y de un feminismo novelesco. ¡Lástima que Alejandro estuviera atento tan sólo a otras conquistas!

Al confrontar el *Libro* con la versión alfonsí del *De preliis* se ve bien cómo nuestro poeta ha censurado algún episodio, como el de Nectanebo, padre de Alejandro según el relato "milesio" acogido por el Pseudo Calístenes, y que la prosa de Alfonso X retoma detalladamente. Ya el *Roman* francés polemiza contra ese episodio, verdaderamente escandaloso para un clérigo admirador del héroe griego, que sería convertido en un bastardo y soberano ilegítimo de admitir tal enredo. Sin embargo, el poeta ha guardado en dos estrofas el testimonio de la turbia leyenda:

> "Por su sotil engeño que tant'apoderava
> a maestre Nectanabo dizién que semejava,
> e que su fijo era grant roído andava,
> si lo era o non, tod'el pueblo pecava.
> El infant el roído non sel pudo encobrir;
> pesól de coracón, non lo pudo sofrir;
> despeñól d'una torre ond'hovo a morir.
> "Fijo", —dixo su padre—, "Dios te dexe vevir"

(estrofas 19 y 20; otras alusiones en estr. 27 y 1063-4).

Mientras que en nuestro *Libro* las escenas de batalla son muchas y largas, con un colorido épico, la versión en prosa atiende más a los prodigios, a los monstruos y seres fabulosos en la India, que en el *Libro* se cuentan abreviadamente. El contraste en el modo de relatar el ·viaje submarino y el celeste es sintomático de la perspectiva diversa en uno y otro texto; sin duda el verso empuja la narración hacia lo épico, y la prosa facilita un tratamiento más novelesco. La moralización que se da en el *Libro* falta en la traducción en prosa, que se limita a seguir el texto latino con algunas amplificaciones en sus frases, como bien han notado sus editores recientes.

Es curioso observar cómo, a propósito del viaje submarino, el autor del poema está atento al simbolismo y a la actitud moral y desdeña los aspectos dramáticos de un lance que, por otro lado, encuentra inverosímil. No alude a los peligros que corre el rey en su incursión en batiscafo ni a las maravillas que vio en el fondo del mar. Lo que Alejandro reflexiona ante el espectáculo submarino es que los peces mayores se comen a los más chicos, como en el mundo humano, y poco más. Pero ese viaje a lo encubierto revela el afán investigador sin límites del explorador principesco, y suscita la condena de Dios y la Naturaleza; es el detonante para que los poderes celestes tomen cartas en el asunto, aliándose con los infernales para detener al macedonio de inusitada audacia. Ni el viaje aéreo ni los encuentros con seres mostruosos y maravillosos, como los acéfalos o los árboles parlantes, tienen tanto peso para su condena como esa penetración en las aguas marinas. Si Alejandro ha ido hasta allí, piensa dama Natura, podría bien llegarse hasta los mismos Infiernos y desvelar los más íntimos secretos del mundo natural. No son los prodigios técnicos y mágicos que le permitieron hundirse en su bola de vidrio, o ascender en su cesta tirada por grifos, lo que impresiona a los poderes divinos; sino la arrogancia ilimitada del joven explorador, que desafía así los límites impuestos al conocimiento de los humanos, eso es lo que irrita a la Naturaleza y la subleva.

En la estrofa 2304 cita el poeta a Ulises como otro ejemplo de monarca aventurero. Alejandro lo anula y lo supera. ¿Cómo no recordar aquí que Dante envió al Infierno al rey de Itaca que, por su afán de saber y explorar los confines del mundo, penetró con su nave en el *mare ignotum* y allí fue tragado, con sus compañeros, por el abismo marino?

En el espléndido discurso que Alejandro dirige a sus camaradas de armas —como también Ulises habló a sus suyos en el pasaje dantesco— se expresa bien su afán de aventuras sin límites, lo que para la mentalidad medieval es "soberbia". La estrofa 2288 es famosa, la cito acompañada de la siguiente; dice pues Alejandro, en medio de su arenga:

"Non conto yo mi vida por años nin por días,
mas por buenas faziendas e por cavallerías;
non escrivió Homero en sus alegorías
los meses de Aquiles, mas sus barraganías.
Dizen las escripturas, —yo leí el tratado—,
que siete son los mundos que Dios hovo dado;
de los siete el uno apenas es domado,
por esto yo non conto que nada he ganado".

Conserva Alejandro las características esenciales del héroe griego: el amor a la gloria (acompañado magnánimamente de una generosidad imperial y un desdén principesco hacia las riquezas y el botín), el anhelo de lo desconocido (lo que los griegos denominaban *póthos*), y una desmesura trágica en sus afanes y gestos (esa *hybris*, que es la nota decisiva que empuja al héroe hacia la catástrofe).

Al acercarse al final de su *Libro*, el poeta expresa su admiración por la magnanimidad y el "buen precio" de su protagonista; de otro lado, de acuerdo con el tópico clerical y cristiano, reafirma su menosprecio por "la gloria de este mundo". (estrofas 2670-2). Y se despide del lector, sin informarle a qué lugar remitiría al alma de Alejandro. Podemos pensar que, puesto que era pagano, ese destino futuro no estaba claro. Pero es lícito interrogarse si, condenado por su afán de saber más y más, el impetuoso Alejandro merecería figurar en el Infierno como un compañero del Ulises dantesco, o si, por piedad hacia su héroe, el poeta le hubiera reservado, de tener espacio para ello, un destino mejor, como corresponde a su grandeza humana y a su ejemplaridad heroica.

A tal respecto difieren las opiniones. R.S. Willis y María Rosa Lida (en su *Idea de la fama en la Edad Media castellana*, México 1952, págs 167 y ss.) piensan que prevalece la admiración del autor hacia el paladín griego; mientras que J. Michael (en "Interpretation of the *Libro d'Alexandre*. The Author's Attitude towards his Hero's Death" en *BHS* XXXVII, 1960, págs 205-14) opina que el poeta censura la desmesurada soberbia de su héroe y resalta lo ejemplar de su castigo final.

Ambas opciones tienen apoyo en el texto. La actitud desaforada de Alejandro es un impulso soberbio que apesadumbra a Dios y enfurece a la Naturaleza; al final tan gran rey acaba, como cualquier mortal, en una limitada fosa,derribado a traición por una copa de veneno. El Diablo ha actuado en ello ; el poeta no oculta su odio hacia los regicidas; pero la Naturaleza y Dios lo habían aprobado y premeditado. A lo largo del poema se ha mostrado, en uno y otro episodio, la espléndida talla humana del joven monarca, magnánimo como ninguno, caballero impecable en su trato con amigos y enemigos, con damas y guerreros, audaz y alegre en las gestas de combate y en los discursos sabio.

Como los héroes de la épica sucumbe Alejandro arrastrado por su propia grandeza; ella le precipita a la catástrofe trágica. Viene a morir en plena gloria y juventud en la misteriosa Babilonia, como un guerrero invicto vencido sólo por el veneno traidor. Como el rey Arturo, sucumbe por traición de un familiar; como Lanzarote es condenado por un pecado que va unido a su gloria más íntima. No es el amor lo que le mueve, sino el deseo de aventuras. En su contexto medieval el Alejandro de nuestro *Libro* es un auténtico héroe trágico.

Es hora de concluir estas reflexiones. La mejor manera de hacerlo tal vez sea citando unos cuantas cuartetas finales. Dos que rememoran la grandeza de Alejandro, cuyo sepulcro se alzó en Alejandría.

"Non podría Alexandría tal tesoro ganar,
por otro nin por plata non lo podrié comprar;
si non fuesse pagano, de vida tan seglar,
devíelo ir el mundo todo a adorar.

Si murieron las carnes que lo han por natura,
non murió el buen precio, que hoy encara dura;
qui muere en buen precio, es en buena ventura,
que lo meten los sabios luego en escriptura" (2667-8)

Dos que advierten cuán vana es la gloria mundana:
"La gloria desde mundo, quien bien quiere asmar,
más que la flor del campo non la deve preciar,
ca cuando home cuida más seguro estar,
échalo de cabeza en el peor lugar.

Alexandre que era rey de grant poder,
que en mares nin tierra non podré caber
en una foya hovo en cavo a caer
que non pudo de término doze piedes tener" (2671-2)

Y una postrera (ya citada) en que el autor lamena sus limitaciones, y que un comentarista podría también adjudicarse:
"Quiérome vos con tanto, señores, espedir
gradéscovoslo mucho quem quisiestes oir;
si fallecí en algo, devedes me parçir,
só de poca ciencia, devedes me sofrir"
(2673)

Ideología y fantasía en el *roman* en verso del siglo XIII

Fernando Carmona

Ideología y *fantasía* se presentan como términos que hacen referencia a realidades bien distintas y, hasta cierto punto, contrapuestas: *fantasía* nos remite a la facultad creativa del mundo de ficción, o al reino de las imágenes en el que se mueve la literatura; la *ideología*, en cambio, al mundo frío de las ideas y de la sociedad, el de la filosofía y la sociología.

Si la palabra fantasía alude a una importante producción crítica que la ha tomado por objeto; la ideología, a su vez, ha ocupado a gran número de pensadores dando lugar a copioso número de publicaciones, alguna, incluso, bastante voluminosa.[1] Pero, tanto la corriente que se extiende de Marx y Engels a Habermas o Althusser como otra más culturalista en la que colocaríamos a Weber, Mannhein o Parsons, atienden primordialmente a la sociedad industrial; de manera semejante los sociólogos de la literatura, de Lukács a Goldmann, se han dirigido a la literatura pero especialmente a partir del siglo XVII. No han faltado, sin embargo, estudios críticos o sociológicos aplicados a la literatura medieval,[2] aunque han privilegiado los cantares de gesta, algunos aspectos de la lírica trovadoresca y los *romans* de Chrétien de Troyes;[3] en cambio, no ha ocurrido así con la narrativa en verso del siglo XIII que vamos a considerar, especialmente, a continuación.

El término ideología resulta vago y ambiguo por la variedad de usos —se utiliza a veces peyorativamente— y por su cambio de sig-

---

1 Como la voluminosa obra de F. Châtelet, *Historia de las ideologías,* 3 vls., Madrid, 1978.

2 Sin olvidar la obra de E. Auerbach, D. Poirion o R. Bezzola, entre otros; para el tema que nos ocupa tiene especial interés el ya clásico trabajo de Köhler, *L'aventure chévaleresque. Idéal et réalité dans le roman courtois* (París, 1974); para mayor documentación cf, A. Limentani, "Les nouvelles méthodes de la critique et l'étude des chansons de geste" en *Charlemagne et l'épopée romane,* (París, 1978, págs. 295-334) y mi "Crítica sociológica y literatura románica" en *Estudios Románicos* (v. I, Murcia, 1978, págs. 107-127).

3 Cf. A. Limentani, o. c., págs. 331-333.

nificación en el transcurso del pensamiento contemporáneo.[4] El concepto lo entendemos en un sentido amplio; es decir, no reduciéndolo a las condiciones del sistema económico de producción ni a estrictos intereses de clase, aunque tampoco pretendemos confundirlo con el de *mentalidad* o *creencia*. La *ideología* supone la interiorización individualizadora en el creador de la obra literaria y su público de la mentalidad y sistema de creencias de una sociedad en un momento determinado. Las ideologías nos permiten comprender la interrelación establecida en la creación literaria entre la sociedad y su sistema de creencias; así, la ideología se sitúa en la encrucijada de las estructuras sociales, de las mentalidades y de la poética de la obra literaria.

El concepto de ideología, al mirar a la creación artística, se mueve, para nosotros, en una dialéctica de singularidad y universalidad. Así podría sernos útil inicialmente el de L. Althusser al entenderla como "un sistema (con su lógica y rigor propios)de representaciones (imágenes, mitos, ideas o conceptos según los casos) dotado de una existencia y un papel histórico en el seno de una sociedad dada". Lo que nos interesa sobre todo de Althusser es la concepción de la ideología como una vivencia antes que una abstracción. "La ideología —dice el mismo autor— (como sistema de representaciones de masa) es indispensable a toda sociedad para formar a los hombres, transformarlos y ponerlos en estado de responder a las exigencias de sus condiciones de existencia".[5] Así la ideología es "relación vivida" entre los hombres y su mundo y no meramente un sistema de creencias. Los individuos se convierten en sujetos sometidos a unas funciones dentro de una estructura, al mismo tiempo que la ideología les oculta su papel dentro de la estructura. Aquélla convierte a los individuos en sujetos *de* la estructura social, con funciones en ella; como tal la ideología es necesariamente una representación ilusoria del mundo. Así, en ella "la relación real está inevitablemente investida en la relación imaginaria, relación que expresa más una voluntad..., una esperanza o una nostalgia, que la descripción de una realidad".[6]

La ideología así entendida es una realidad trasfigurada de manera que nos sitúa en una ambigüedad análoga a la de la obra literaria en cuanto que nos enmascara la realidad a la vez que nos la revela. Un his-

---

4 "Es algo generalmente admitido que el término "ideología" ha suscitado más dificultades conceptuales y analíticas que cualquier otro en las ciencias sociales. El término ha sufrido muchas demoliciones y reconstrucciones". N. Abercrombie y otros, *La tesis de la ideología dominante*, Madrid, 1987, págs. 213; este libro de reciente aparición en español ofrece una consideración del concepto de ideología en filósofos y sociólogos a partir de Marx.

5 Cit. por Abercrombie, o. c., p. 26.

6 Sigo a Abercrombie en su resumen del pensamiento de Althusser, id., págs. 25-28.

toriador propone la investigación de las ideologías en dos etapas: la primera, considerándolas "como la interpretación de una situación concreta"; y la segunda debe llevar a los historiadores a "criticar los sitemas coherentes que constituyen las ideologías del pasado, a desmitificarlas a posteriori haciendo ver, en cada momento de la evolución histórica, cómo los rasgos que pueden vislumbrarse de las condiciones materiales de la vida social se encuentran más o menos disfrazados en el seno de las imágenes mentales".[7]

Si el estudioso de la historia social centra su atención en la ideología como reguladora de las correspondientes conductas individuales y colectivas; el estudioso de la literatura se orienta, a su vez, a descubrir el modelo ideológico que penetra y se oculta en el mundo de ficción; es decir, a revelar la simbiosis, —y éste es el objeto de nuestra reflexión— entre fantasía e ideología.

Si ideología es un término usado de forma vaga y ambigua, fantasía como rasgo caracterizador de la producción literaria no es menos complejo y difícil. Por nuestra parte, antes que proseguir en un discurso que puede hacerse cada vez más abstracto, vamos aplicarnos a la consideración de un momento de la historia literaria.

Tanto la lírica trovadoresca como el *roman courtois* desarrollan un camino de armonización y equilibrio de elementos de cultura y sociales que en la narración literaria consiguen su trasposición artística. Toda acción narrativa es generalmente inconcebible sin la afirmación de individuos, supuestamente libres, en unas relaciones eróticas y de poder; es decir, en toda obra de ficción encontraremos personajes situados en una encrucijada de amor y poder, libertad y sociedad. Es la sociedad histórica la que somete a un código la interrelación de estos conceptos y establece los valores que sustentan su armonización.

Así, el amor de los trovadores, como es sabido, es un erotismo feudal. Las relaciones amorosas se convierten en trasunto de las relaciones de dependencia feudales: amar es *servir*; la amada es convertida en *midons* y el amante trovador en *om*, vasallo.[8] La *fin'amors* trovadoresca no es sólo la expresión sentimental de un poeta que recurre al lenguaje feudal; es mucho más, se trata de la creación de un código que abraza totalmente el comportamiento social del individuo permitiéndole, por el ejercicio de un "arte de amar" específico, su afirmación en un orden social ilusorio —*fantástico*, si quieren— pero en estrecha correspondencia con los valores de la sociedad aristocrática y caballeresca del sur de Francia en el siglo XII. Podría hablarse de

---

7 G. Duby, "Historia social e ideologías de las sociedades" en *Hacer la Historia. v.I. Nuevos problemas* (dir. J. Le Goff). Barcelona, 1974, pág. 168.

8 Cf. las páginas que bajo el epígrafe "Poesía feudal" M. de Riquer dedica al tema en *Los Trovadores. Historia literaria y textos* (v.I. Barcelona, 1975, págs. 77-96).

poetización sentimental de la ideología de clase. El enamorado se afirma socialmente interiorizando sentimentalmente un código de valores sociales —largueza, mesura, proeza, valor, joven, solatz, donar, pretz, paratge, etc.— cuyo ejercicio la realidad histórica del momento le dificulta en extremo. Dificultades debidas, según algún historiador, al sistema hereditario que, para mantener la concetración de la propiedad feudal, casaba sólo al hijo mayor. Se incrementaba, así, el número de segundones, de "jóvenes" solteros que no podían casarse por no tener derecho a las tierras de la familia.[9] No hay que olvidar el crecimiento demográfico del siglo XII y su repercusión en la clase nobiliaria; la nobleza baja de valvasores se empobrece a la vez que se incrementa la producción de bienes y el comercio y, por tanto, el consumo. El poder económico se reparte entre un número menor y más poderoso de la alta nobleza y la incipiente *burguesía* (de *burgo*) artesana, comercial y financiera.

Se puede pensar que la *fin'amors* trovadoresca, al fundir la concepción amorosa con la del poder feudal, responde a una ideología de clase que soluciona idealmente, en la fantasía literaria, su crisis histórica. Sería demasiado fácil. Los lectores de esta poesía sabemos que antes que solucionar reproduce constantemente una crisis. La satisfacción amorosa queda situada en una *lejanía* geográfica, social o moral; el poeta es arrastrado al dolor y la ansiedad, la nostalgia y la esperanza. La crisis sentimental manifiesta la crisis social del grupo en el que se difunde.

La innovación de la concepción poética trovadoresca, que se prolonga en la narrativa de su siglo y del siguiente y se mantiene con las correspondientes transformaciones en la literatura posterior, es la fusión de *amor* y *poder*, según una forma determinada de civilización (sociedad feudal del siglo XII), convertida en fundamento de un orden de valores éticos y sociales, en una forma de integración en la estructura social y en principio totalizador del comportamiento sentimental y social.

En el *roman courtois*, y en particular en la producción narrativa de Chrétien de Troyes, observamos el desarrollo de esta concepción erótica. El amor trovadoresco armonizaba perfectamente libertad, amor y poder, pero se conseguía violentando la institución matrimonial por su carácter adúltero. Los narradores franceses perciben inmediatamente la disfuncionalidad del adulterio en su modelo ideológico. Así Chrétien de Troyes aplica su arte narrativo en restablecer una nueva armonía

---

9 G. Duby, "Los *jóvenes* en la sociedas aristocrática de la Francia del noroeste en el siglo XII" en *Hombres y estructuras de la Edad Media*. Madrid, 1978, págs. 132-147.

entre el *poder*, ahora convertido en *aventura* caballeresca, y el *amor*. Si en la dama occitana, convertida en *midons*, se confundían ambos elementos, en el *roman* están separados y la acción narrativa tendrá por objeto su armonización. El amor —afirma Köhler, refiriéndose a Chrétien— "es la clave de un orden social; es lo que debe llevar al caballero a la perfección que le hará digno de este nombre, es lo que impulsa a asumir los deberes que le ligan a la colectividad y en los que se fundan sus exigencias de dominio. El amor es, pues, al mismo tiempo expresión de la individualidad y lazo del individuo con la sociedad; en él se resume el desarrollo de las contradicciones internas de la nobleza".[10]

El matrimonio se convierte en elemento central de dos narraciones de Chrétien —*Erec* e *Yvain*—; en las dos, el matrimonio cerrará la primera mitad del relato y, por él, el caballero conseguirá el equilibrio de aventura y erotismo. No es extraño, por tanto, que la leyenda de Tristán e Iseo que se funda en relaciones amorosas adúlteras se convierta en mito amenazante y perturbador de la ideología del amor cortés.

Cuando a los tres años pasa el efecto del filtro en la versión de Béroul, Tristán e Iseo lamentan haber olvidado los deberes a que están obligados por su *status* social: "He olvidado la caballería —exclama Tristán—, la vida de corte y a los barones. Estoy desterrado del país. Lo he perdido todo, veros y grises, y ya no estoy en la corte de los caballeros. (...) ¡Ay Dios, qué desdicha! Ahora debería estar en corte de rey rodeado de cien donceles que me sirvieran para recibir armas y ofrecerme su servicio. «Por su parte Iseo se lamenta: "A las doncellas de los feudos, a las hijas de los nobles valvasores, debería tener ahora conmigo, en mis cámaras, para que me sirvieran y yo casarlas y entregarlas para bien a los señores".[11]

La leyenda de Tristán, desestabilizadora de la ideología cortés. obsesiona a buen número de autores que no dejan de aludir a ella.[12] El mismo Chrétien intenta *domesticarla* en su *Cligés*; funda su relato en el mismo esquema argumental de la leyenda tristaniana manteniendo el triángulo amoroso pero evitando el adulterio.

En el desarrollo del *roman* en verso —sobre todo en la primera mitad del siglo XIII— hay dos formas de funcionamiento de la leyenda por las alusiones de los relatos: por una parte, Tristán e Iseo, con Píramo y Tisbe y Paris y Helena —parejas que aparecen con frecuencia

10 "Les Romans de Chrétien de Troyes" en *Revue de l'Institut de Sociologie*, 1963-2, Bruxelles, pág. 227.
11 Béroul. *Tristán e Iseo*. Traducc. de V. Cirlot. Barcelona, 1968, págs. 112-113.
12 L. Sudre, "Les alussions à la legende de Tristan", *Romania*, v. 15, 1886.

ligadas a la primera— representan el destino trágico motivado por la señalada ruptura de *amor* y *poder*, debida sobre todo a la violación del código social al que deben someterse. El desenlace trágico es inseparable de cierto sentido de penalización por incumplimiento de la norma. Es el caso de Tristán e Iseo, como serán los de Romeo y Julieta, Calixto y Melibea, Mme. Bovary, la Regenta, Ana Karenina, etc. Por otra parte, aparecen como modelo de comportamiento amoroso en relatos felices e idílicos y son elevados a un mundo mítico y simbólico, como ocurre en *Floire et Blancheflor* o *L'Escoufle* de Jean Renart.[13] En todo caso, las insistentes alusiones a las leyendas trágicas reflejan la pervivencia de la crisis de la concepción erótica en la narrativa del siglo XIII.

El objeto de este discurso, como prometía al empezar, es la ideología literaria cortés en la narrativa no artúrica del siglo XIII. Jean Renart, posterior unas décadas a Chrétien de Troyes, es el autor más importante del *roman* en verso no artúrico de este siglo.

Si en los *romans* de Chrétien encontramos la idealización de las aspiraciones y valores de la nobleza amenazada por el cambio histórico y social, este proceso se lleva a cabo eliminando de la acción narrativa al grupo social amenazador: los *villanos*. Los términos *cortés* y *villano* aparecen contrapuestos desde las primeras manifestaciones de la lírica trovadoresca; designan no sólo un espacio geográfico y social diferenciado sino un orden de valores antitéticos. El villano sin embargo, no dejaba de ser aludido; en el prólogo de *Yvain* o *El Caballero del León*, señala Chrétien que la decadencia del presente en relación al mundo artúrico se debe a la sustitución de la villanía por la cortesía, afirmando que "más vale un cortés muerto que un villano vivo".[14] El villano, en esta obra, es un ser monstruoso y deforme e incapaz de comprender el ideal caballeresco. El comportamiento del villano puede ser asumido por el caballero pero conlleva su degradación como tal. Es el caso del senescal Keu; su función administrativa le aleja de valores éticos, como la *largueza*, y figura como trasposición literaria de un grupo social de funcionarios de origen humilde que detenta el poder administrativo en la monarquía capeta. Frente a *Largueza* o *Larguetat* que es el valor supremo de la nobleza —*generosus* significaba

---

13 En la copa por la que es vendida Blancaflor aparecen grabados los amores de París y
    Helena; en la primera parte de *L'Escoufle*, el padre de nuestro protagonista lleva otra
    copa a Tierra Santa en la que se representan grabados los amores de Tristán e Iseo.
    El simbolismo de las copas y grabaciones de las leyendas tienen una significación
    similar; en ambas el desenlace trágico está ausente y, como en el caso señalado de
    Cligés, se pretende *domesticar* ideológicamente la leyenda.

14 T.B.W. Reid, *Chrestien de Troyes. Yvain*. Manchester, 1942, vv. 31-32.

"noble"— aparecía, ya en la lírica provenzal *avareza* (avaricia) y *escarsetat* (mezquindad).[15]

Jean Renart no sitúa sus relatos en el mundo mítico artúrico sino en un tiempo histórico cercano al del autor; por tanto, la presencia de los villanos, como fuerza social y política que amenaza a la nobleza, se hace inevitablemente presente. En *L'Escoufle*, al conde Ricardo, padre de nuestro protagonista, tras vencer en Tierra Santa a los turcos, enemigos de la Cristiandad, le queda otra misión, la de restablecer el orden en el Imperio Romano. El emperador le confiesa, lamentándolo, haber comotido el error de elevar a los siervos y villanos sobre sus nobles y barones.[16] Tras vencer a los villanos y poner a cada grupo social en su lugar, se despedirá del emperador aconsejándole que no vuelva a deshonrarse ni envilecerse volviendo a dar el poder a los villanos, sino que, al contrario, gobierne con la nobleza sobre comunas y villanos y con aquella repartir las riquezas y los bienes. El consejo no cae en oídos sordos y el emperador se compromete, con un juramento, a seguirlo.[17]

En su otro *roman*, el *Guillaume de Dole*, Renart nos presenta al emperador Conrado que responde a un modelo ideal de comportamiento monárquico; se gana, por su larqueza y sus dones, el corazón de sus súbditos, rechaza a los que delegan su poder en villanos y da, en cambio el poder a sus valvasores.[18] A los villanos y burgueses sólo les reconoce capacidad económica para incrementar bienes que acabarían por llegar al emperador al despertar la generosidad de aquellos antes que por la imposición de una política fiscal.[19]

Gracias a que el emperador encarna la larqueza en su más alto grado, consigue convertir su corte en un lugar de equilibrio social y armonía feliz a semejanza de la mítica corte artúrica. Por su especial interés nos vamos a detener en esta narración de Renart.

Se inicia el relato con la presentación del emperador, modelo de virtudes corteses y, sobre todo, de larqueza y generosidad: "Cuando sabía que un viejo valvasor —escribe Renart— o una dama sufrían pobreza, les abría sus manos dándoles vestidos y riquezas. La única

---

15 "Recordemos que en latín medieval *largitas* asume los valores de "donación, autorización", y *largitio* designa la "carta de donación" en los documentos feudales. Es su sinónimo el *donars.* "Riquer, o. c., pág. 89.

16 Edic. F. Sweetser, Paris-Genève, 1974, vv. 1488-1503.

17 O.c., vv. 1624-1659. Al final de la narración, Guillermo, hijo del conde y sucesor en el imperio, recibirá semejantes consejos recordándosele la señalada hazaña de su padre (vv. 8400-8413).

18 Edic. F. Lecoy, *Le Roman de la Rose ou de Guillaume de Dole.* París, 1969, vv. 565-592.

19 o.c., vv. 593-510.

fortuna que pretendía era rodearse de numerosos caballeros a los que prodigaba regalos, vestimentas de seda y caballos de batalla. (...) No dejaba pasar por sus tierrras caballero que no retuviese a su servicio o diese , según su valía, su tierra o castillos".[20] A continuación, a modo de obertura, narra como trascurría una jornada del emperador: llegada la primavera, abandona la residencia habitual y acampa en plena naturaleza; pasa el día, con su séquito, entre cacerías, juegos eróticos, banquetes y canciones. Las jornadas felices acaban en una apoteosis de largueza y generosidad que protagoniza el emperador. Entonces "llegó el momento —escribe Renart— de los ricos regalos, bellos presentes y joyas que dió a cada uno y a cada una. No hubo dama ni joven que no recibiese algún don y las honró de tal manera que se ganó la gracia y el amor de ellas. Es digno de su reino el rey que así sabe tener y conquistar el amor y el corazón de sus súbditos".

A continuación señala el contraste entre el emperador Conrado y los reyes y poderosos de su tiempo. "No era —prosigue el narrador— como estos reyes y barones que dan a sus lacayos rentas y prebostazgos ocasionando así la ruina de sus tierras y la propia, quedando deshonrados y el mundo envilecido. Se rebaja al noble para dignificar al malvado. Mal hace el príncipe que da poder al villano; el villano, por más señorío que obtenga, no dejará de ser villano. Nuestro emperador, por su nobleza, no dejó nunca de rechazarlos designando sus bailes entre valvasores que aman a Dios y temen la deshonra".[21]

Nuestro emperador prefería, según el autor, que villanos y burgueses se aplicasen a la multiplicación de las riquezas para poder disponer de ellas en caso de necesidad. En realidad, provocaba tal generosidad que le resultaba más provechoso que la aplicación de impuestos.[22]

Renart cierra este primer episodio de su narración resumiendo y ejemplificando en el comportamiento de Conrado un manifiesto doctrinal sobre el que deben fundar su gobierno los príncipes de su tiempo. Y lo apostilla en los versos con los que cierra el episodio: "Bien vive y reina el alto príncipe/que tan sábiamente gobierna su reino" (vv. 619-620).

Tras esta especie de preludio, el relato acaece en una sucesión de cuadros cuyo esquema puede facilitar la comprensión:

---

20 o.c., vv. 89-95 y 100-103.
21 vv. 561-590.
22 "Mout li fesoient plus d'onor / cil present que s'il les taillast". vv. 609-610.

PROLOGO (vv. 1-30).

OBERTURA: UNA JORNADA IDÍLICA.

1. Presentación del emperador. Su *largueza*. La cacería fingida. Canciones (31-333).
2. Banquete, canciones. *Dones* y *largueza* del emperador (334-620).

PRIMERA PARTE: EL EMPERADOR ENAMORADO

1. Viaje. Amor por "oir decir". *Dones*. Canción. (621-852).
2. Castillo. Preparativos. Despertar del enamorado. Canción (853-930).
3. Mansión del valvasor. Llegada del mensajero. *Dones*. Canciones. *Dones*. (931-1.284).
4. Regreso a la corte. Canciones. Diálogo. Canción (1.285-1.469).
5. Guillermo en la corte. Diálogo.*Dones*. Canción. (1.470-1.584).
6. Recibimiento del emperador. Diálogo. *Dones*. Banquete. Canción (1.585-1.776).
7. Final de velada. *Dones*. *Largueza* de Guillermo. Canción (1.777-1.851). *Largueza* del emperador (1.852-1.923).

SEGUNDA PARTE: EL TORNEO

1. Preparativos. Canción. Llegada de caballeros. Fiesta y alegría colectiva. Canciones y *dones*. (1.924-2.421).
2. Torneo y combates. Comitiva. Canción. Guillermo admirado. *Largueza* de Guillermo y del emperador. (2.422-2.967).

TERCERA PARTE: LA DOBLE INTRIGA

A. *La intriga del senescal:*

1. Viaje. Conrado comunica a Guillermo su proyecto de matrimonio. Canción. El senescal. Canción. (2.968-3.195).
2. Intriga del senescal. Viaje. *Dones*. El emperador enamorado. Canciones (3.196-3.459).
3. El emperador y el senescal. El engaño. Tristeza del emperador. Canción (3.460-3.631).
4. El emperador y Guillermo. Tristeza de Guillermo. Canción.

B. *La intriga de Leonor:*

1. Conocimiento de la intriga anterior y preparativos del viaje de Leonor. Guillermo abatido. Canción. (3.908-4.142).
2. La corte reunida. Leonor en la ciudad. *Dones* (4.143-4.386).
3. El senescal engañado. *Don* (4.387-4.482).

4. Salida de Leonor hacia palacio. *Dones*. La comitiva. Canciones. Llegada a la corte. Canciones (4.483-4.659).
5. Leonor ante el emperador. El senescal desenmascarado. Reconocimiento. Canción. (4.660-5.116).
6. Asamblea. Fiesta colectiva. Canciones. Boda. *Dones:* exaltación de la *largueza y generosidad.* (5.117-5.655).

Observamos que la narración se estructura en un sucesión de escenas o marcos que se caracterizan por la repetición de dos temas preferentes: el de los dones, como manifestación de la largueza de los personajes, y las canciones líricas que suelen cerrar las escenas. La composición lírica señala el punto elevado de emotividad y marca la separación entre un cuadro y el siguiente.

La primera parte narra el enamoramiento del emperador de una dama descrita por su juglar; sobre todo, cuando conoce su nombre — Leonor—; lo que provoca la generosidad del emperador. La entrega de dones no es sólo una forma de manifestación de la nobleza sino de interrelación natural de todos los personajes en el relato; es el vínculo que da cohesión a todos los miembros de un grupo social y a los distintos grupos entre sí. A continuación, el anamorado emperador envía un mensajero a la mansión del valvasor Guillermo, hermano de Leonor. Esta y su madre son presentadas cantando *chansons de toile* mientras bordan para hacer donaciones a las iglesias pobres; es decir, canciones y largueza, los dos elementos sobre los que se estructura el relato. El mensajero regresará con Guillermo pero no sin haber recibido obsequios y dones de ambas mujeres. En la corte el encuentro de los personajes protagonista irá ligado de nuevo al intercambio de dones. El autor destaca el yelmo que recibe nuestro caballero del emperador. La primera parte acaba con las manifestaciones de generosidad de Guillermo y Conrado.

En la segunda parte, consagrada al torneo, la jornada gloriosa de nuestro héroe culminará con una exhibición de generosidad y largueza por parte del emperador que "envió a sus senescales —escribe Renart— con caballos cargados con plata y dinero a uno y otro lado del campo para rescatar a los vencidos" (vv. 2845-2849). Pero la generosidad de Guillermo no es menor; vuelve sin nada ya que ha entregado su copioso botín a sus heraldos, regresando sólo con su gloria (vv. 2875-2881); prefiere su honor fundado en la liberalidad a cualquier ganancia procedente de rescate. La jornada acaba con la entrega de dones y regalos a los burgueses que le habían hospedado.

La tercera y última parte está consagrada al relato que da el título a la narración —*Roman de la Rosa*—. La subdividimos, a su vez , en dos partes: la primera narra la determinación del emperador de contraer matrimonio con Leonor y la intriga calumniosa del senescal que se lo impide; y la segunda parte, en la que Leonor urde, a su vez otra intriga para desenmascarar al pérfido senescal finalizando felizmente nuestra historia.

Resumidamente esta doble intriga se desarrolla así: el senescal de carácter mezquino y, sobre todo, celoso por la estimación e influencia que Guillermo adquiere sobre el emperador, decide conspirar contra un matrimonio que afirmaría el poder del valvasor en la corte. El senescal se desplaza a Dole; se gana la confianza de la madre de Leonor por su actitud aparentemente generosa. La obsequia con un anillo y obtiene el secreto de la señal de nacimiento de la joven: la rosa dibujada en un lugar oculto de su cuerpo. Servirá al senescal, cuando el emperador le comunique sus intenciones matrimoniales, como prueba de que la joven ya ha sido deshonrada. Mientras que el emperador Conrado y Guillermo caen en el mayor e inactivo desconsuelo, Leonor toma la decisión de presentarse en la corte y probar públicamente el engaño y la maquinación del senescal.

El tema de los dones sigue estando presente y regulando el comportamiento de nuestro personaje: hace comprar ricas vestimentas para los caballeros que la acompañan (vv. 4341-4349) y cuando, ya ataviada y con su comitiva, se dispone a salir hacia el palacio, no olvida ejercer su largueza con la burguesa que la ha alojado, haciéndole un obsequio extraordinario. Como había hecho el senescal en su intriga, también ella inicia la suya con un don: le envía con un criado unas prendas haciéndole creer que pertenecen a una dama a la que aquél corteja y que desea que lleve consigo. Cuando Leonor se presenta ante el emperador, acusa al senescal de haberla deshonrado, lo que niega éste afirmando que nunca la ha visto ni tocado. Ella lo desmiente alegando como prueba las prendas personales que aquél lleva consigo. Por el juicio de Dios, que tiene lugar a continuación, queda manifiesta la inocencia del senescal de la acusación de la joven; pero se convierte también en prueba de su virtud y de haber sido víctima de la intriga de aquél, cuando ella, ante la sorpresa de todos, revela su identidad.

La fiesta que celebra las bodas y el final feliz de los enamorados está protagonizada por la enumeración de regalos y obsequios que recibe el emperador de sus barones y los no menos generosos de aquél a éstos.

Observamos que el relato se divide en tres partes de similar importancia narrativa: la primera de carácter lírico amoroso; la segunda caballeresca, el torneo, que nos refiere al *roman courtois*; y la tercera, con la doble intriga, que nos sitúa en un relato más novelesco.

El título de la obra —*Roman de la Rosa*— y su inclusión en el *ciclo de apuesta* por Gastón Paris[23] ha hecho olvidar a buen número de es-

---

23 "Le cycle de la gageure", *Romania*, XXXII, 1903, págs. 481-551.

tudiosos que esta última parte, aunque tenga un carácter narrativo más cercano al gusto moderno, no debe dejar de ser considerada como parte inseparable de la totalidad del relato.

La obra se sitúa en la misma dialéctica temática que caracteriza los *roman courtois* de Chrétien de Troyes, creador y autor más representativo de esta modalidad narrativa. Se representa, pues, el amor tal como es concebido y se expresa (colocación de canciones) en la tradición lírica provenzal (primera parte); la aventura cortés que es una hazaña o proeza por la que el caballero consigue poder y fortuna y reconocimiento social, dignificando así su sentimiento erótico (segunda parte); por último la amenaza de intrigantes y *lausengiers* que obstaculiza las relaciones de los amantes pervive en la traición del senescal.

El torneo tiene una significación de especial importancia; no triunfa el caballero para hacerse merecedor de su dama, sino que Guillermo lo hace para elevar a su hermana a la dignidad imperial. Las palabras con las que revela su identidad al emperador y su corte son significativas de la función señalada de la segunda parte del relato: "yo soy —dice— la doncella de la rosa, la hermana de Guillermo, cuya proeza me ha conseguido el honor de vuestro reino".[24] Es decir, por la "proeza" de su hermano se ha hecho merecedora de la dignidad real; es, por tanto, la hazaña caballeresca lo que permite el restablecimiento de la crisis abierta entre la monarquía y la nobleza. La elevación de la hermana del valvasor a la dignidad real por el matrimonio, representa la recuperación por parte de la baja nobleza de su dignidad perdida y el restablecimiento del orden social a la vez que la victoria sobre las fuerzas extrañas representadas por el senescal.

No olvidemos cuán distinta es la realidad histórica en el momento en que Renart escribe. Las rebeliones de la nobleza contra Felipe Augusto rebrotaron con especial violencia a su muerte. Al iniciar la regencia Blanca de Castilla, se organiza una coalición contra ella en el invierno de 1226-1227. Al año siguiente -1228- se escribe este *roman* según la datación de F. Lecoy. [25]

Felipe Augusto había conseguido afirmar la monarquía con una administración de justicia y financiera y la creación de un cuerpo de

---

24 "Je sui la pucele a la rose, / la suer a mon segnor Guillame, / qui l'onor de vostre roiaune / m'avoit quise par sa proëce" (vv. 5040-5043).

25 "Sur le date de *Guillaume de Dole*", *Romania*, LXXXII, 1961, págs. 379-402. R. Lejeune señala una fecha anterior, 1212-1213, pero ligando al autor a un mismo clima político; en concreto a Renaut de Boulogne "que acababa de combatir con éxito a Felipe Augusto y que es aliado del conde de Hainaut a quien ha dedicado el *roman". L'oeuvre de Jean Renart. Contribution à l'étude du genre romanesque au Moyen Age*. Liège-Paris, 1935, pág. 355.

funcionarios, los *bailes*; al frente de los nuevos señoríos incorporados a la corona, designaba ministros de origen muy humilde, prebostes, reclutando en burgos y villas los agentes y funcionarios de su administración. Una de sus funciones más importantes era recaudar dinero para la hacienda real originando el sistema impositivo fiscal moderno.[26]

La obsesión de Renart por devolver a la nobleza el poder usurpado por los villanos; la exaltación de la larguesa como valor tradicional frente a la recaudación de impuestos; el hecho de convertir en protagonista a un emperador alemán, de un sistema monárquico que se mantiene feudal, y con el nombre de Conrado, —uno de los de este nombre favoreció extraordinariamente a la nobleza en el siglo XI—; en fin, elementos todos que suponen un rechazo radical, en el mundo de ficción, de la transformación sociopolítica que tiene lugar en ese mismo momento histórico.[27]

Si la repetición del tema de la larguesa la convierte en principio ético, jurídico y social de interrelación entre individuos y grupos sociales, a la vez que principio ideológico que garantiza los intereses de clase de la baja nobleza; observamos, por otra parte, que la sucesión de cuadros en que acaece el relato se cierra con canciones líricas, cuando no hace con el tema de los dones.

En otra ocasión he estudiado la importancia de la inserción de poesías líricas en esta narración que responde, antes que a iniciar la moda de intercalar poesías, como han visto algunos estudiosos, a la voluntad del autor a generar el *roman lírico*, especie narrativa nueva y peculiar. Pero ahora lo que importa es señalar qué función desempeñan en el relato las canciones, en cuanto que el autor las coloca ligadas al tema de los dones que estamos estudiando. La consideración de los poemas en uno de los momentos más relevantes del relato puede darnos la respuesta: se tratas del pasaje de medio millar de versos que se extiende desde la salida de Leonor hacia el palacio imperial hasta la revelación de su identidad ante la corte.

Leonor, tras hacer manifestación pública de su generosidad, sube a caballo ante la mirada de unas cien personas que se congregan contemplándola a ella y a su comitiva. Conforme avanza por las calles de la ciudad el público y la admiración van en aumento. Los viandantes

---

26 Ch. Petit-Dutaillis, *La monarquía feudal en Francia y en Inglaterra (siglos X a XIII)*. México, 1961, pág. 208.

27 El manejo ideológico de "los tres órdenes" tiene una curiosa innovación en los textos literarios contemporáneos a la obra de J. Renart; en el *Lancelot* de la *Vulgata* (1215-1225), frente a la concepción tradicional de la subordinación al clero de reyes y caballeros, ahora "todos deben obedecer al caballero". Cf. G. Duby, *Los tres órdenes o lo imaginario del feudalismo*. Barcelona, 1983, págs. 416-418.

quedan tan embobados que pueden ser víctimas fáciles de los rateros; las nobles damas se agolpan en lo balcones, y todos la aclaman como la más digna esposa que puede tomar el emperador. En la ciudad se alzan canciones y melodías celebrando la primavera y la llegada del árbol del primero de mayo. La alegría colectiva que expresan las canciones contrasta con la tristeza de nuestro afligidos protagonistas. Una de las canciones hace referencia a las penas de amor, penas que no dejan de reflejarse en el rostro de Conrado. Leonor que, a su vez, está siendo rodeada de una multitud mayor con la alegría más desbordante, no puede contener sus sentimientos al entrar al palacio: los suspiros le hacen inclinar la cabeza y las lágrimas bañan su rostro. La canción que cierra este cuadro de la llegada de la joven al palacio acentúa el patetismo de su dolor en contraste con la alegría colectiva que la rodea.

En contraposición a lo anterior, el final del cuadro siguiente es una apoteosis de alegría. Desenmascarado el senescal y puesta en pública evidencia su traición, Leonor revela su identidad, Conrado se adelanta hacía ella, la abraza y besa, y, trasportado por su alegría, entona una canción breve, expresión directa de sus sentimientos; a su canto se unen todos los presentes formando un coro que el autor designa como "Te Deum" (vv. 5104-5116).

La canción señalada es muy significativa. En boca de nuestros protagonistas, y sobre todo en Conrado, son puestas las canciones de registro aristocratizante y trovadoresco que expresan sus sentimientos personales; mientras que las pertenecientes a un lirismo popularizante y objetivo —pastorelas, *chansons de toile*, etc.— están puestas en boca de personajes ocasionales expresando sentimientos de un grupo o una colectividad. sin embargo, en este momento del encuentro de los enamorados, nuestro emperador entona por primera vez una canción popular, no cortés; así, la fusión de la voz del emperador con la de la colectividad no sólo se materializa al unirse los presentes en un coro lírico, sino que al entonar un género popular intensifica literariamente esta fusión. Las composiciones líricas posteriores y finales de la narración manifiestan la apoteosis de la felicidad colectiva; se suceden estrofas que corresponden a canciones corteses, a una *chanson de toile* y a una canción de danza; ésta que es la última del relato es cantada por el emperador.

Si la ideología caballeresca fuerza la armonización de elementos temáticos —amor y poder, individuo y sociedad— en función de un orden de valores sustentado en los intereses de un grupo social, en este *roman* la armonización alcanza también a los generos lírico y narrativo; incluso dentro del género lírico la variedad de registros —popular y aristocratizante— quedan finalmente fundidos en la expresión de la felicidad de una sociedad en total armonía. La ideología caballeresca alcanza a la concepción poética misma y estético literaria. Difícilmente se puede llegar a una síntesis más armónica y total de elementos ideológicos y artísticos en la ficción literaria.

Con Jean Renart culmina la narrativa en verso ofreciéndonos una *summa* de la tradición literaria anterior y anticipo de otras que van a jalonar el siglo —la de Guillaume de Lorris y Jean de Meun, la de Tomás de Aquino o la de Dante—. Cuando la sociedad feudal y caballeresca entra en su definitiva crisis, se escribe el compendio ideal de una sociedad modélica y de un arte literario que el cambio histórico hace ya imposible.

Realidad y ficción en los libros de viajes medievales

Eugenia Popeanga

La literatura románica medieval se suele considerar y estudiar como "literatura de orígenes", sintagma conceptual que implica la idea de continuidad de las estructuras, formas y géneros propios en etapas posteriores que corresponden ya al desarrollo de las literaturas nacionales en lenguas romances. H.R. Jauss, propone la investigación de la producción cultural de la Edad Media entendida como un sistema autónomo, cerrado sobre sí mismo. Sin embargo, esta estructura cultural se puede convertir en un eslabón en la evolución de una literatura en particular sólo y únicamente si la literatura medieval se enfoca como: "un commencement signifiant par lui même".

Entendemos que el medievalista (filólogo, historiador, especialista en arte) no debe obviar el conocimiento del proyecto existencial del hombre medieval, inmerso en un mundo lejano para nosotros, aunque acuse ausencia de eslabones en los códigos de actualización que se podría suplir siempre con cierta dosis de imaginación. Jacques Le Goff alude también a esta forma de trabajo:

"... hay que resignarse a no saberlo todo, a no saberlo nunca todo de la Edad Media. Sería peligroso que se llenen los vacíos, hacer hablar sin método a las lagunas. Pero entre una Antigüedad en la que los silencios de la historia dejan quizá la parte más bella a la hipótesis y los Tiempos Modernos abrumados hoy por el peso de los documentos, la Edad Media puede ser el tiempo del feliz equilibrio, de la fructuosa colaboración de una documentación bien utilizada y de una imaginación bien fundada". (J. Le Goff, *Tiempo, trabajo y cultura en el Occidente medieval*, Taurus, 1983, p. 41-42)

Hoy en día el estudio del mundo medieval se nos presenta como una investigación compleja de códigos histórico-culturales que se relacionan según normas sintácticas específicas, formando una red o estructura que se actualiza mediante una labor de tipo interdisciplinar y comparativo. El nudo fundamental, el enlace básico que organiza esta estructura (podríamos llamarla el macrotexto medieval) se observa en la encrucijada entre los códigos de "lo profano" (códigos de tipo histórico, ideológico, económicos, sociales) y los códigos que representan "lo sagrado" (lo míticoreligioso). Los sistemas semióticos, representados por estos códigos pueden agruparse en una jerarquía única (el supercódigo) o pueden existir en una simbiósis de actos independientes. Yuri Lotmann en la *Semiología de la cultura* indica que cualquier construcción de un modelo social presupone la división de la realidad que nos rodea en un mundo de hechos y en un mundo de signos en la sucesiva puntualización de sus relaciones mútuas (semánticas, totales, existenciales, según el aspecto que nos interese).

"De todos modos un fenómeno puede convertirse en portador de un significado (signo) sólo a condición de que entre a formar parte de un sistema y, por tanto, establezca una relación con un no-signo o con otro signo. La primera relación —de sustitución— genera el significado semántico, y la otra —de conjunción— el sintagmático" (Yuri, M. Lotman y Escuela de Tartu, *Semiótica de la Cultura*, Ed. Cátedra, S.A. Madrid, *1979, p. 43*).

Si bien el acercamiento a esta red de sistemas semióticos es importante, no nos permite ver más allá de la relación sintáctica que se establece entre los códigos. Hay sistemas culturales en que esta relación sintáctica prevalece, pero en la cultura medieval se manifiesta con fuerza la tendencia a entender y asimilar la realidad objetiva como si fuese un texto que encerrara un mensaje semantizado que se configurase en un trasfondo mítico-legendario único y que aflorara en el código religioso cuyo Creador fuese el mismo Dios. La principal actividad del hombre medieval se centraba en la traducción e interpretación de este mensaje primordial, puesto que dividía el mundo en dos partes —la que significaba y la que carecía de significado. Lo significativo medieval iba desde el mito histórico (Carlomagno, Alejandro, etc...) hacia lo mítico-mitológico de origen bíblico o de referencia greco-latina, hasta lo mítico primordial, teniendo como eje un continuo proceso de simbolización. Los contenidos de este gran texto llamado cultura medieval giran en torno a la historia convertida en mito, al mito que evoluciona hacia lo histórico y en torno al texto sagrado-mítico que, a través del rito repetido, pierde sustancia semántica y pasa a ser, a veces, un código de enlace contextual. En cuanto al problema de los nuevos significados, se nos revela que la posibilidad de crear nuevos textos que encierren "la verdad", esto es, lo significativo, está fuera de la *Weltanschaunng* del hombre medieval, puesto que el texto *nuevo* es para él uno *antiguo,* redescubierto, revalorizado o resimbolizado.

Vemos, pues, cómo tanto para el estudio de la dimensión lineal como para el establecimiento de los paradigmas simbólicos, la perspectiva intertextual puede resultar rentable siempre que se entienda el texto medieval como "una encrucijada de textos" donde subyacen textos o fragmentos de textos que se reconocen como fuentes, citas, alusiones, glosas o parodias. Puesto que la cultura medieval no había desarrollado de una forma preponderante el concepto de originalidad, el texto se construye tomando como fuente de inspiración la realidad textual ya codificada y cargada de significado. El texto se entiende raras veces como un producto terminado e irrepetible, y, por lo tanto, la transmisión de lo oral y de lo escrito se realiza con interpretaciones, añadidos, deformaciones, etc.

A la vista de lo dicho anteriormente, creemos que la investigación de la cultura medieval, considerada como un gran texto edificado a su vez sobre otros —en relación sintagmática o paradigmática—, se distingue de la metodología de la "escuela filológica", asentada sobre la veracidad del documento y la erudición, escuela formada a la luz del positivismo, a finales del siglo pasado y desarrollada notablemente en las primeras décadas de éste. Bien es verdad que la segunda parte de nuestro siglo experimenta una vuelta hacia lo que Le Goff llama el "ataque cuantitativo".

"Está bien que las estadísticas, las curvas, los gráficos se multipliquen en el trabajo de los medievalistas y que el monstruo ordenador, como el Leviatán de los tiempos góticos pueda seguir nutriéndose cada vez más de una Edad Media en fichas, en programas, que a diferencia de la otra, restituya sus profundidades: de este modo el medievalista tendría a su disposición las bases más seguras de una Edad Media más verdadera. Pero debe saber que no tendrá todavía más que un cadáver entre las manos. Todavía faltará, y siempre, un "resucitador". (*Op. cit.,* p. 41).

Dentro del sistema cultural medieval románico se da un tipo de texto que se presta al estudio de índole semiótica, puesto que funciona tanto al nivel sintáctico como al semántico y de recepción. Se trata de los así llamados "libros de viajes" que de una forma u otra se han producido en todas las épocas y culturas. No obstante, dentro de la historia de una literatura determinada, o incluso dentro de la "literatura general o universal", ocupan un lugar marginal. Los textos que relatan un viaje han formado, casi siempre, el objeto de estudio del historiador que ha extraído de ellos una información de tipo histórico-geográfico, utilizada a su vez por el antropólogo, el historiador del arte y, en escasas ocasiones, por el lingüista. Si partimos, en nuestra investigación, de la idea del escritor consciente de su función, que desarrolla su labor creativa desde una perspectiva estética, que codifica su experiencia vital en unos códigos expresamente literarios y se dirige a un público restringido, este tipo de textos poco tiene que ver con la literatura. Sin embargo, en el mundo medieval el artista produce, en la mayoría de los casos, por impulso o con fines no ya estéticos sino *ético-religiosos de carácter circunstancial.* Se pretende enseñar a reconocer los significados que dan coherencia al mundo y sitúan en él al individuo. Raras veces nos encontramos con autores cuya intencionalidad explícita fuera la de producir una obra que sólo *deleitase* al público.

La epopeya medieval convierte la historia circunstancial en mito; con una finalidad ética, "le roman" intenta dar un significado, y codifica, según la enciclopedia medieval, una materia popular de índole mítica; las formas líricas tienden a la alegoría y la simbolización. Queda una gran parte de la literatura medieval —la llamada "literatura didáctica"— en la que "lo literario", tal y como se entiende hoy en día, es cuestionable. Habría que tener en cuenta, sin embargo, que los que escribían en la época medieval no establecían tampoco barreras entre la literatura científico-didáctica y la literatura de ficción. El relato medieval de viajes y el discurso histórico medieval están muy próximos; algunas veces aparecen mezclados y, por lo tanto, si nadie duda de la importancia de las crónicas como obras literarias, tampoco se deben considerar los libros de viajes como textos poco interesantes para la literatura. Acerca de este problema recordemos a Roland Barthes: "... la narración de los hechos históricos, sometida por lo general en nuestra cultura, a partir de los griegos, a la sanción de la "ciencia" histórica, colocada bajo la imperiosa garantía de lo "real", justificada por principios de expresión "racional", ¿difiere realmente, por algún rasgo específico, por una indudable pertinencia, de la narración imaginaria tal como se la encuentra en la epopeya, la novela o el drama? (Roland Barthes, *Discurso de la historia* en *Estructuralismo y literatura*, Ed. Nueva Visión, Buenos Aires, 1970, p. 37). La aceptación pasiva de las etiquetas que sistematizan desde hace tiempo la literatura románica medieval, nos llevaría a considerar los libros de viajes como formas textuales heterogéneas, de difícil catalogación y, por lo tanto, a dejarlos en manos del historiador. Ahora bien, si entendemos el sistema cultural medieval (especialmente el románico) como un sistema semiótico y lo tratamos como tal, la importancia de los libros de viajes se pone de manifiesto —sobre todo, en una primera investigación— en lo que concierne al nivel de la recepción. Estos libros que cuentan un viaje, real o imaginario constituyen una de las lecturas preferidas del hombre medieval a partir del siglo XIII y alcanzan su mayor éxito en el XIV y comienzos del XV, hecho comprobado por la gran cantidad de manuscritos de esta índole que ha llegado hasta nosotros, algunos de ellos de gran valor por sus características artísticas.

La difusión y aceptación por parte de un público amplio de relatos como el de Marco Polo, Odorico de Pordenone (que cuentan viajes reales) y también el *Libro de las Maravillas* de Mandeville (viajes imaginarios) prueban que estos textos, conocidos directamente, leídos u oídos, han gozado de éxito y su público no se ha limitado a un puñado de letrados y científicos. Estos libros no prefiguran, en el momento de su creación, la imagen de un "lector modelo", sino que pretenden contar una aventura, con más o menos acierto literario (y éste es un juicio de valor hecho desde el punto de vista actual), despertar la curiosidad y el interés de todos los que leyeren u oyeren "las maravillas" halladas en la búsqueda de un espacio desconocido. Los relatos de los viajeros y peregrinos medievales se pueden considerar como un fermento potenciador de la capacidad imaginativa del hombre y del creador medievales, propensos ya a moverse sin demasiadas barreras, utilizando un idioma común, y a convertirse en lo que Le Goff llama *homo viator*. También estos textos sirven como "modelo textual" para la creación de otros textos similares, aunque ya en otras épocas.

El libro de viajes contiene el relato de una experiencia personal, de una serie de aventuras, algunas veces de descubrimiento de una realidad que se prefiguraba como "imaginada" de unas tierras "míticas", pobladas por "seres extraordinarios". Pero a diferencia del "roman" caballeresco, que raras veces encierra imprevistos —en lo que concierne al contenido, tanto narrativo como simbólico de las aventuras—, el libro de viajes es, en cierto modo, un manojo de sorpresas. A menudo se nos presenta bajo la forma de un diario-itinerario donde el autor mezcla la aventura personal con la información que ha adquirido antes de emprender el viaje y que considera digna de comunicar, a su vez, a su lector. Muchos de estos relatos tienen, por lo tanto, una finalidad concreta, inmediata —esto es, de servir de guía para los futuros viajeros—. En esta categoría entran la mayoría de los itinerarios que, salvo excepción, no pasan de ser una enumeración de lugares, de espacios significativos (dignos de ver) que se ordenan dentro del código religioso, y de indicaciones de tipo concreto y puntual (clima, hospedaje, etc.).

Los itinerarios de peregrinación (por ej., a Santiago de Compostela o a Jerusalén) se suelen construir sobre un modelo libresco previo, codificado, y por lo tanto no dan opción a la inserción de la experiencia personal. Este tipo de textos sirve, sin duda alguna, como material de trabajo para el historiador o el filólogo, pero carece de interés para el investigador de la literatura.[1]

Jean Richard, en "Les récits de voyages et de pélérinage, Typologie des sources de Moyen Age Occidental", intenta establecer una tipología de los relatos de viajes y peregrinaje destacando las guías de peregrinación, los relatos de peregrinaje, los relatos de las cruzadas y de las expediciones lejanas, las relaciones de embajadores y misioneros, los relatos de exploradores y aventureros, las guías comerciales y los relatos de viajes imaginarios. Como historiador que es, determina las características de los autores, según el código-estamento al que pertenecen, ha-

---

1 Véase en este sentido también el artículo "Estudio literario de los libros de viajes medievales" de Miguel Angel Pérez Priego en EPOS, UNED, I, 1984, p. 217-239.

blándonos de clérigos, caballeros, juglares, comerciantes o aventureros, puntualizando que "L'auteur du récit s'interpose parfois entre le voyageur et le texte qui nous est parvenu". (*Op. cit.*, p. 38) y relacionando la condición social de los autores con la estructura del relato, en cuanto a la libertad o a la obligación de imitar un "modelo" libresco. Aún así Richard destaca una gran variedad dentro del género: "La manque d'unité de la littérature de voyages se répércute dans l'économie des oeuvres qui la composent: une narration de croisade ne se bâtit pas sur le même plan qu'une description du monde, ni un récit autobiographique sur le même modéle qu'un guide de pélérinage. (Les récits de voyages et de pélérinage, Typologie des sources du Moyen Age Occidental, Fasc. 38, A-I-7, Brepols, Turnhout, Belgium, 1981, p. 46).

Si bien el historiador puede considerar este tipo de "literatura" como bastante heterogéneo, desde el punto de vista del investigador semiólogo, podemos distinguir dos módulos: el que incluye el viaje en una descripción del mundo, como pretexto para ofrecer una concepción cosmográfica, enciclopédica y con una finalidad didáctica, y el módulo concebido como diario que describe lo visto y lo vivido conforme a una cronología espacio-temporal. En este último caso, prima la experiencia existencial del viajero-aventurero, que, una vez "contada", codificada y dada a conocer, se convierte en un "relato" de viaje que, a nuestro entender, contiene más elementos literarios que el módulo de carácter didáctico. Sin embargo, estas dos estructuras, que se transparentan en el género que nos ocupa y que, en principio, están concebidas para públicos distintos, se mezclan en el caso de un verdadero libro de viajes. El primer módulo estaba destinado a un público culto, capaz de descodificar conocimientos ofrecidos por una estructura enciclopédica, a través de las analogías y las referencias a otros textos, mientras que el segundo se dirigía a un público no diferenciado, culto o no, curioso de oir o leer, (escuchar) historias sobre "tierras y gentes desconocidas y maravillosas". Los "libros de viajes" —denominación que podría abarcar de forma general la pormenorizada lista de Richard— son en la Edad Media libros populares, en parte por su contenido perteneciente a un trasfondo cultural común, por su forma de transmisión y por el público que los recibe. Incluso en el caso de los textos de autor conocido y reconocido, el lector los maneja, en ocasiones, como si fuesen anónimos, acortándolos o alargándolos, insertando un texto anterior en el más reciente; en definitiva, los manipula como un material textual no terminado, no finito y, por lo tanto, abierto a todo tipo de cambio.

Este proceso se produce sólo en los textos que mezclan los dos módulos, puesto que el módulo de tipo enciclopédico, cuando se da, aparece como un módulo circular, que encierra en una forma espacial textual, espacios y tiempos distintos que forman a su vez círculos concén-

tricos. (Es en realidad el módulo que utiliza Dante en la Divina Comedia). El módulo de tipo diario-itinerario es lineal y permite un enlace
secuencial de códigos, ya que recoge una experiencia codificable (por
implicar la repetición, esto es, servir de guía). En el caso de los itinerarios
de peregrinaje, la incitación a repetir el viaje deja entrever el carácter
ritual y simbólico del acto, y algunas de las guías medievales se consideran hoy como guías itinerarios de viajes iniciáticos o para iniciados. Al
mismo tiempo, en secuencias determinadas identificamos tramos donde
prima el nivel semántico y que se articulan como incisos paradigmáticos.
Jean Richard afirma que la descripción del viaje, formalizada como un
itinerario concreto emprendido por una persona que lo cuenta, representa
la nota fundamental ..." c'est ce qui permet de distinguer la littérature
de voyages de celle qui est pûrement géografique" (*idem*, p.47).

Vemos que el historiador francés no hace ninguna distinción entre
"libros de viajes" y "literatura de viaje" —distinción necesaria a la hora
de entender la evolución del género—, aunque sí distingue entre viajes
reales e imaginarios. Pensamos que el libro de viajes (testimonio de un
viaje real), concebido y escrito como relato de una experiencia directa y
personal (suele estar escrito en primera persona), representa una de las
formas textuales más interesantes del mundo cultural medieval. Dejando
de lado completamente los viajes imaginarios que, a nuestro modo de ver
constituyen el núcleo de la literatura de viaje, vemos cómo los libros de
viajes funcionan en dos planos, el de la realidad vivida y el de la realidad
libresca. En el primero, lo novedoso es la aventura heróica en la mayoría
de los casos. En el segundo plano se busca la confirmación de lo
"extraordinario" vivido, en lo textos incorporados a la conciencia cultural medieval, en la "auctoritas". El viajero que cuenta su viaje establece
en todo momento la analogía con lo *escrito* anteriormente para dar
veracidad a su relato ante un público conocedor y confiado en el poder de
la palabra de un Herodoto, San Isidoro, o de un Solino. Así pues, se
mezclan lo histórico inmediato con lo histórico extratemporal —el intento de "contar" a la manera medieval con lo ya "narrado" y textualizado—
. Para el público medieval, la exploración de lo desconocido y el relato
posterior constituía lo atractivo, siempre que se pudiera codificar o
descodificar por analogía con la herencia cultural libresca. Para el lector
moderno, el interés reside en la mezcla de estos dos planos, dado que un
libro de viajes del tipo diario-itinerario pretende enseñar, pero también
divertir; la sucesión de aventuras en un mundo desconocido es entendida
o leída muchas veces como una gran aventura imaginaria. En la comparación y la analogía de las aventuras personales del viajero con lo sagrado
de los textos "clásicos", reside para el hombre medieval lo significativo
de un libro de viaje, mientras que para el lector, hoy en día, la moderni-

dad de los libros de viaje está precisamente en el enlace secuencial abierto de aventuras-experiencias contadas.

En el caso de los textos-relatos de viajes, habría que tener en cuenta dos aspectos estructurales, referentes a los módulos básicos. Los autores que elaboran itinerarios o guías de viaje con el objeto de enseñar al lector, que quizá reproduzca el viaje, ofrecen a éste un *metatexto* (o código glosado, esto es, una suma de reglas, organizadas sintácticamente) que priman sobre el significado de lo contado. La carga simbólica del acto de emprender el viaje no se explicita, y suponemos que, de alguna manera, el hombre medieval lo podría captar. La estructura semántico-simbólica (en algunos casos) de estas guías se percibe mejor, hoy en día, cando la analizamos dentro del modelo cultural medieval entendido como sistema semiótico. Los relatos que comprenden una experiencia o aventura personal, *verosimilizada* por el andamio libresco, proponen al lector un texto nuevo (un *metatexto*), siendo ese nuevo texto una propuesta para establecer un módulo nuevo. (Los tres módulos —el enciclopédico circular, el lineal-secuencial y el mixto— se convertirán también en tres modelos estructurales). En el proceso de la lectura se advierten grados diferentes de recepción de los relatos mixtos; se recibían mejor los metatextos, lo que llevaba al autor a abreviar la parte personal, convirtiéndola algunas veces en un apéndice apenas relevante. (Este es el caso de Juan de Pian Carpino). El autor tendía a organizar su imagen del mundo "desconocido" según el modelo enciclopédico de las "Imago Mundi", siendo regla de oro de la estructura del relato la analogía. En este sentido, se pueden considerar architextos la *Historia de las Tártaros* de Juan Pian Carpino, la de Simon de Saint Quentin, el relato del príncipe Hayton...; también de esta forma está concebido el libro de Marco Polo.

A su vez, estos relatos se incorporan en nuestras enciclopedias, como ocurre con Simon de Saint Quentin y Juan de Pian Carpino respecto a la enciclopedia de Vincent de Beauvais. Los autores-viajeros más tributarios del modelo enciclopédico pertenecen, por lo general, al estamento de "clérigo", siendo la mayoría de ellos franciscanos de la Orden de los Frailes Menores (la lista detallada de nombres y fragmentos de sus relatos se encuentra en P. Girolamo Golubovich O.F.M., *Biblioteca Biobibliografica della Terra Santa e dell'Oriente francescano*, t. 1-3, Firenze, 1903). Esta Orden envía varias misiones a Oriente, que tienen en primer lugar fines religiosos y misioneros, pero que sirven algunas veces a determinados intereses político-diplomáticos solapados, y sólo como última finalidad se da la de relatar aventuras y experiencias personales, relacionadas con las tierras y gentes "desconocidas". Habría que tener en cuenta que la palabra Oriente ejercía un poder mágico sobre la imaginación del hombre medieval, que primero se lanzó a descubrir el Cercano Oriente, la Tierra Santa, con todo lo que implicaban las "cruzadas" de viaje iniciático y de conquista. Pero ya en el siglo XIII empieza la gran aventura de "descubrimiento" e intento de conquista religiosa del Lejano Oriente —tierra mítica del Preste Juan, de la India y de la China.[2] Uno de los primeros relatos es el de Juan de Pian Carpino que, después de haber emprendido el viaje, lo cuenta dando testimonio de su experiencia.[3] El autor pretende aleccionar a sus contemporáneos sobre la dificultades del viaje y describir los países y las gentes que allí había visto. La parte descriptiva es la más extensa y la más importante dentro de la historia del mundo medieval —entrando como tal dentro de los conocimientos enciclopédicos—.[4]

Destaca en el siglo XIII —aparte del libro de Marco Polo, del que trataremos más adelante— el relato del fraile Guillermo de Rubruck, enviado a la Corte del Gran Khan por el rey Luis de Francia. La misión es más bien diplomática que religiosa, ya que la cristiandad occidental creía en la existencia de un Príncipe Cristiano poderoso (el mítico Preste Juan) que reinaba en las tierras del Lejano Oriente y que podría ayudar en la lucha contra los musulmanes. Por otra parte, se intentaba llevar la fe a aquellas tribus nómadas y tener de esta manera un aliado para la causa cristiana. Los relatos de Giovanni de Pian Carpino y Guillermo de Rubruck, muy próximos uno al otro, cronológicamente, igual que sus viajes (fray Guillermo sale de Constantinopla el 7 de mayo de 1253 y vuelve a Chipre el 16 de junio de 1255) se distinguen por su estructura y estilo, tal y como se distinguían sus autores también entre sí. "Plancarpin était un letré, fort disert; peut-être avait-il en sa jeunesse appartenu au milieu chevaleresque; devenu moine, il avait gouverné plusieurs provinces franciscaines, circulé de la Scandinavie à l'Espagne; il devait finir évêque, en Dalmatie. [...] Si l'on sait que l'un comme l'autre avaient fréquenté l'université, à la difference de la carrière de Plancarpin, celle de Roubrouck est presque ignoreé. On sait seulement qu'il connaissait bien Paris, avait été reçu à la cour et que c'est à Saint-Jean-d'Acre que Saint Louis lui confie sa mission en Asie dont il rapporta des notes de voyages sous formes d'un itinéraire. A son retour, le voyageur rencontra en Sorbonne à Roger Bacon qui dans son *Opus Magnus* a noté: "J'ai lu attentivement le livre de frère Guillaume et j'ai eu des conversations avec

2 Se conocen libros de viajes o relatos de viajes por estas tierras anteriores a los que estamos tratando, pero o bien los textos se han perdido o bien pertenecen al mundo árabe como el de Abu-Hamid el Granadino.

3 Giovanni di Pian Carpino es enviado por el Papa Inocencio IV, sale de Kiev el 3 de Febrero de 1246 y vuelve en Junio de 1247.

4 Véase Simón de Saint-Quentin, *Histoire des Tartares*, publié por Jean Richard, paris, 1965. Richard reconstruye el texto a través de *Speculum Historiale* de vicent de Beauvais que a su vez se habría servido de los relatos de Pian Carpino y de Saint-Quentin este último, perdido, hoy en día.

l'auteur. (Michel Mollat, *Les explorateurs du XIIIe au XVIe siècle*, J.C. Lattès, Paris, 1984, p. 18).

Guillermo de Rubruck, al parecer flamenco de origen, nos deja un auténtico diario de viaje en que mezcla elementos de su propia experiencia y aventuras, con elementos librescos que no van más allá de lo que hubiera podido ser la enciclopedia cultural común en la época. Se trata de un libro de viajes de estructura o modelo mixto que pone en primer plano la historia de las vivencias del fraile que, a nuestro modo de ver, jamás hubiera podido servir de guía para el que, a su vez, hubiera querido volver a hacer el viaje. Los elementos librescos pesan poco en la estructura del relato y son en realidad tópicos religiosos y culturales. Rubruck se permite incluso, en ocasiones, corregir las afirmaciones de San Isidoro, entendiendo que lo visto con sus propios ojos es digno de creer, a pesar de ser ligeramente distinto de la palabra de una "autoridad".[5] El itinerario del monje flamenco tiene, como era de esperar, un estructura de tipo secuencial, que se da igualmente en la literatura medieval de "ficción". Sólo que en el libro de viajes las secuencias-aventuras las desarrolla el propio autor-héroe, mientras que en la novela caballeresca el autor "imagina" a sus personajes-héroes. La diferencia sustancial reside en narrar lo "imaginado" y narrar "lo real", pero en el mundo medieval, con su peculiar forma de recepción de los textos, el héroe-personaje y el héroe-aventurero pueden llegar a confundirse en la imaginación. Por ejemplo, a poco de haber escrito Rubruck su relato, éste circuló como un discurso informativo entre los dirigentes políticos y eclesiásticos, mientras que un público más amplio que lo oyera, lo convertiría en un discurso narrativo, debido, por un lado, al estilo empleado; por otro, a la materia contenida.

En un latín sin pretensiones, con un gran sentido del humor y una pincelada realista, Rubruck introduce al oyente-lector medieval en un mundo cargado de significación tanto negativa como positiva. La gran diferencia entre la *Historia de los mongoles* de Pian Carpino y el *Itinerario* de Rubruck reside en que el primero presenta su obra al público, mientras que el segundo se *presenta* a sí mismo como héroe de sus aventuras en un mundo real, que bien hubiera podido ser fruto de su imaginación.

De esta manera, nos encontramos con un relato que "desmitifica" las fantasías sobre el mundo oriental, aunque Rubruck sea consciente de ello y se inquiete ante su propia hazaña. La carga mítico-simbólica de las

---

5 "Puede darse la vuelta en cuatro meses, y no es cierto, como dice Isidoro, que sea un golfo formado por un océano" (Itinerario de Fray Guillermo de Rubruck de la Orden de los Frailes Menores a las regiones orientales en el año de gracia MCCLIII, P-216, en A. T'Serstevens, *Los precursores de Marco Polo*, Ediciones Orbis, S.A. Barcelona, 1986.

relaciones de aquellas tierras lejanas y desconocidas se desvanece, puesto que el monje no encuentra las maravillas del reino de Preste Juan, ni se inventa viajes que no ha realizado (como ocurrirá con Marco Polo o con Jourdain de Séverac, por ejemplo), ni tampoco comenta la existencia de seres maravillosos y grotescos, que, al saber de las "autoridades", habitan por allí. Rubruck le proporciona al lector un cuadro realista, salpicado muy de vez en cuando de alguna "maravilla", como la del famoso tinte rojo:

"Un día estaba situado cerca de mí un sacerdote del Catay, cubierto con un tejido de luminoso color rojo. Y le pregunté de dónde procedía dicho color; y me explicó que en las regiones orientales del Catay existen montones de rocas muy elevadas en las cuales habitan unas criaturas que tienen en todo la forma humana, a no ser que tienen las rodillas que no se doblan y que avanzan, ignoro cómo, saltando, y no tienen más que un codo de altura. Su pequeño cuerpo está cubierto de pelos y habitan unas cuevas inaccesibles. Los que van a su caza, van hasta allí llevando consigo cerveza que puede emborracharlos por completo, y hacen huecos en las rocas en forma de copa virtiendo en ellas la cerveza. El Catay, en efecto, no produce vino, pero comienzan a sembrar viñas y hacen una bebida de arroz. Los cazadores se esconden, pues, y dichos seres salen de sus cavernas y prueban este licor, gritando: "¡chin, chin!", grito del que les viene el nombre a que les llama Chin-chin. Acuden, pues, en gran multitud y beben dicha cerveza y se emborrachan y se duermen allí mismo. Entonces acuden los cazadores que les atan las manos y los pies. Después les abren una vena del cuello y les sacan tres o cuatro gotas de sangre, dejándoles luego marchar en libertad. Y su sangre, según me han dicho, es muy apreciada para colorear la púrpura.

Me contaron como cierto, lo cual a pesar de todo no lo creo, que existe una provincia más allá de Catay donde, sea cual fuere la edad de un hombre en el momento en que entra en ella, conserva siempre la misma edad". (Ibidem. *Itinerario...* p. 251).

Observamos cómo Rubruck describe con detalle la forma de atrapar a estas criaturas —humanas o animales— sin demostrar demasiado interés en sus aspectos "maravillosos"; sólo de paso menciona una "supuesta" tierra de la Juventud eterna —tierra que, de una forma u otra, aparece en muchos libros de viajes, relacionada con el Preste Juan, con las leyendas alrededor de la figura de Alejandro Magno y con el mito del Paraíso terrenal. El autor, probablemente por su forma de ser, poco propenso a "maravillarse" ante lo desconocido, se dedica más bien a sopesar lo que ve con sus propios ojos y a contarnos cómo viven los pueblos que va conociendo. Así pues, los tártaros (cuyo nombre decían los medievales que viene de Tártaro = Infierno) o los mogoles o mongoles (que bien podrían haber descendido de los pueblos malditos de Gog y Magog) vistos en su contexto habitual, son seres humanos con virtudes (pocas) y muchos vicios; son perezosos, engañan y se dejan engañar, y le proporcionan a Rubruck una puesta en práctica de una serie de trucos de índole casi picaresca. Por ejemplo "A decir verdad, no nos tomaron nada por la fuerza (pero pedían con inoportunidad e impudicia cuanto veían, y si se les da algo es una auténtica pérdida, porque son unos ingratos. Se creen los amos del mundo y les parece que no debe negárseles nada. Si no se les da nada y luego se necesita de sus servicios lo hacen de mala gana [...].

Por fin les dejamos, y me parecía que me escapaba de entre las manos de los demonios" (*Ibidem, p. 251*).

Nos llama la atención la forma, más moderna, en que este relato mezcla elementos de aventura personal con datos de tipo informativo-enciclopédico. El texto, leído ahora, después de tantos siglos, presenta en nuestra opinión rasgos de oralidad, probablemente debidos a la forma libre en que el monje cuenta su viaje. Además, en algunas secuencias, o bien ya no recuerda o, sencillamente, no encuentra las palabras adecuadas: "Las mujeres construyen para sí mismas bellísimos carros que tan sólo podría describírselos con la pintura, la cual haría si supiera pintar". (*Ibidem, p. 242*).

Para familiarizar al lector con lo que va a contarle más adelante, empieza su relato a la manera de Piancarpinus, intentando dar unos conocimientos de tipo enciclopédico. Los capítulos primeros de su Itinerario (desde el II hasta el XII) hablan de la vida de los tártaros (vivienda, alimentación, formas de preparar los alimentos, vestimenta, ocupaciones de los dos sexos, costumbres de vida y religiosas), si bien es posible que esta parte fuera añadida a posteriori, a la hora de pasar al papel el relato. Fray Guillermo hace probablemente esta concesión al modelo enciclopédico, pero en realidad, en su itinerario, encontramos una mezcla de información y conocimientos adquiridos previamente, insertada en la narración de "su" aventura.

El viaje le aporta al fraile una serie de conocimientos sobre los lugares y las gentes que allí encuentra y su experiencia previa-libresca se ve confrontada con la realidad. Pero lejos de desesperarse ante las vicisitudes, procura resaltar el detalle, muchas veces cómico o grotesco, que permite al lector reconstruir la situación. Estamos ante un gran observador del ser humano, ante un excelente aglutinador; sobre todo, ante un viajero enormemente vital y dispuesto a todo. De ahí su estilo, llamémoslo "realista", muy distinto del de otros enviados que nos hayan relatado su misión o su viaje. Describe Fray Guillermo la fealdad de la mujer de Sçacatay: "creí que le habían cortado la nariz, ya que parecía un mono" (p. 255); cuenta, sin comentarios, el momento de bautizar a un sarraceno: "nos dijo que quería ser bautizado; y cuando nos disponíamos a bautizarlo, saltó de repente sobre su caballo diciendo que regresaba a su casa a pedir consejo a su mujer" (p. 257); se queja de la impertinencia y la grosería de su séquito de tártaros. Pero la relación más dolorosa y cómica a la vez la tiene con su intérprete, que traducía a su antojo, interpretaba o cambiaba las palabras del fraile: "Lo que más me apenaba es que era imposible predicarles lo más mínimo. Mi intérprete me decía: "No me hagáis predicar porque soy incapaz de traducir palabras de este estilo". Y decía verdad, pues más tarde, cuando empecé a comprender un poco su lengua, me di cuenta de que, cuando decía algo, decía completamente otra cosa, según lo que le pasaba, por la cabeza. Viendo entonces el peligro que suponía hablar a través suyo, preferí callarme" (p. 260). Entre historias de este tipo e incisos de tipo geográfico, histórico y lingüístico, se desarrolla la narración del viaje, de forma secuencial, alternado secuencias poco significativas con secuencias donde afloran las lecturas previas en un enlace intertextual. Además, tanto para describir elementos de la naturaleza como a seres humanos recurre a la comparación, pero no con los textos de las autoridades, sino con la misma realidad bien conocida por el autor y por sus lectores. Así pues, compara el río-mar Tanaîs (el mar de Azov) con el Sena a su paso por París, y a Batu (cabecilla tártara) con el custodio del tesoro de Francia: "Batu nos miró con atención y nosotros a él, y me pareció que tenía la misma estatura que el señor Juan de Beaumont, que en paz descanse. Su cara aparecía cubierta de manchas de color de vino". (p. 272).

Este tipo de construcción, que relaciona la "aventura" del viaje con la realidad que forma la enciclopedia del destinatario de la narración, confiere al relato rasgos evidentes de modernidad. Las tierras lejanas, las costumbres insólitas, las gentes; en fin, todo lo que tenía suficiente poder atractivo y un aura legendaria y misteriosa se encuentra al alcance de la mano del lector, que fácilmente se lo puede imaginar, puesto que el término de referencia es la realidad histórica inmediata. Raras veces menciona el fraile flamenco "maravillas" que se le presentan en su camino y, si lo hace, siempre es de "oídas": "He oído decir que en esta región [la gran Catay] hay una ciudad que tiene las murallas de plata y las torres de oro". (p. 286).

Nuestra lectura del itinerario de Fray Guillermo (rápida en este momento, ya que nos proponemos otra más detallada) nos proporciona el encuentro con un muy peculiar libro de viajes del siglo XIII. Dentro de una cultura de carácter simbólico, que pretende encontrar un significado a cualquier accidente de la realidad histórica y cotejarlo con la realidad divina y con la "eterna" realidad textual, la narración de Guillermo de Rubruck destaca por su horizontalidad. Cada secuencia-aventura tiene su significado (de enlace, la mayoría de las veces) en el contexto en que se da, estableciéndose, de esta manera, una relación sintáctica, no siempre apoyada por un "trasfondo" semántico-simbólico.

Los lectores medievales (oyentes) podían creer o no creer en la veracidad de las aventuras del fraile, ya que estaban condicionados por la enciclopedia propia y la "al uso", pero la intención del autor nos parece evidente. Por todo los medios, incluidos los estilísticos, procura acercar la realidad de las "tierras lejanas y míticas" a la realidad del lector medieval de mediados del siglo XIII. Guillermo de Rubruck es consciente de que el espacio visitado por él se conoce más bien a través de los textos "clásicos", emanados de las "autoridades", y para el público culto realiza un sutil proceso de desmitificación de dichos textos. Pero a la vez su itinerario está dirigido a un público nuevo, que se recrea con lo leído u oído sin buscar necesariamente la analogía dentro de una enciclopedia cultural simbólica, poco accesible. La fundamental modernidad de este itinerario reside, en nuestra opinión, en su estructura mixta, que deja entrever la formación de una nueva enciclopedia cultural-histórica y no simbólica, enciclopedia que pertenece a la burguesía, aún incipiente.

El caso más relevante de cruce de dos textos es el libro de Marco Polo, siendo éste también el más complejo en lo que se refiere a la personalidad del autor-narrador de su vida y a la personalidad literaria del narrador Rustichello, el realizador del discurso oral del veneciano. Se trata de un libro concebido en dos partes: la primera, breve, abarca en poco espacio textual el relato de la vida y aventuras "reales" de los hermanos Polo y de Marco, el viaje hacia las tierras del Gran Khan y su estancia allí. La segunda parte, que ocupa un espacio textual extenso, cuenta, siguiendo en su proyecto inicial el modelo circular de la descripción del mundo (Divisement du monde), cómo está constituido el espacio geográfico que recorren los viajeros. Nos cuenta cosas sobre las ciudades, desiertos, montes y mares, con su flora y fauna, vistos y recorridos y, al mismo tiempo, describe la vida, las costumbres y las creencias de los pueblos con los cuales ha topado. A diferencia del relato de Juan de Pian Carpino, Marco Polo se aleja de su propósito de presentar el mundo constituido en varios círculos, según el modelo "divino", e inserta elementos de su propia experiencia, detalles de los viajes, anécdotas y aficiones personales. No es fácil seguir las rutas que hayan cogido los viajeros, pero sí es posible imaginar a los Polo en sus caminos, aunque no se marque el tiempo cronológico, ni la descripción espacial tenga su coherencia geográfica. Más todavía: el final del libro está dedicado a describir la tercera India (véase también Jourdain de Séverac), país mítico "fabuloso", que los venecianos conocen sólo de oídas. Entre los libros de viaje del siglo XIII, el de Marco Polo ocupa un lugar aparte siendo en nuestra opinión el más complejo, tanto en la cantidad de información intrínseca contenida, como en su concepción y transmisión. En comparación con los monjes misioneros, Pian Carpino y Rubruck, el viajero veneciano es un mercader, interesado en ampliar rutas terrestres y obtener con ésto, beneficios inmediatos. La finalidad de su viaje es puramente comercial, y a lo largo de su relato establece una red de códigos operantes en la zona que visita y conoce. De paso, evidentemente se interesa por otros aspectos de carácter general (antropológicos).

Leído sólo en su dimensión horizontal, el libro de Marco Polo se nos presenta rico en información histórico-comercial, amenizado con historias de "milagros" y leyendas religiosas. Si, en un momento determinado, éstas pudieron tener un significado simbólico, tanto para Marco Polo como (probablemente) para su público, después vendrán a ser *enlaces narrativos* (véase la leyenda de la Iglesia construida sobre una piedra que pertenecía a los musulmanes, la leyenda del río-lago con peces sólo en Cuaresma, etc.), destinados a amenizar el relato. Para Marco Polo, narrador de su vida y de sus aventuras, existe solamente su experiencia personal, pero ésta se la cuenta a otra persona, que, a su vez, la escribe. El discurso oral del narrador (véase la teoría de Benedetto sobre si Marco dictó el texto a Rustichello o si éste lo recompuso) se beneficia también, en este caso, de la enciclopedia cultural de un "escritor profesional", ya que sabido es que Rustichello de Pisa era autor de compilaciones al gusto del público, de obras pertenecientes fundamentalmente a la llamada "literatura de imaginación" (véase Pauthier y la edición italiana de Benedetto). En el texto de Marco Polo se mezclan dos discursos: uno "oral", de tipo realista; otro "literario" (el del pisano), que pretendía hacer una labor de recreación con ingredientes culturales que respondiesen el gusto del público, interesado por "lo insólito y lo fantástico" de las aventuras, y también adiestrado para reconocer la organización simbólica del mundo en cualquier signo aislado. "Cuando Marco Polo habla del desierto de Lop dedica casi por completo el oportuno capítulo a anotar las provisiones que previamente ha reunido para su jornada; explica dónde hay agua salobre y agua potable; es en suma un gran realista. Pero el desierto de Lop es el escenario de las maravillas: se oyen voces que llaman por su nombre a las gentes, a las que atraen hacia lugares en que se pierden. Incluso de día se escucha el sonido "de gran número de instrumentos musicales sobre todo tambores" (C. Kappler, *Monstruos, demonios y maravillas a fines de la Edad Media,* Akal, Universitaria, 1986, p.116).

Así pues, nos encontramos con una amalgama de conocimientos y de relatos anecdóticos, engarzados en una red simbólica que intenta dar profundidad, verticalidad a un discurso oral, secuencial en su origen, semejante al de Rubruck. Se cruzan dos enciclopedias; la del viajero-mercader, constituida fundamentalmente por códigos que responden a su estamento (es de suponer que el manejo de la pluma tampoco le fuera demasiado asequible) y la del escritor, recreador o adaptador de textos. El relato cronológico de la aventura del descubrimiento de un mundo desconocido y las vivencias dentro de este mundo se insertan en el modelo circular universal de la organización del mundo, aportado por el adaptador de textos. De esta forma, nos encontramos finalmente ante un texto complejo que da la medida del gusto del público a finales del siglo XIII.

El libro se concibió y se escribió en vulgar (un francés rudimentario, plagado de italianismos) lo que aumentó su capacidad de ser recibido y transmitido con rapidez; tanto es así, que ha llegado de él hasta nosotros un número de manuscritos mayor que de cualquier otro texto medieval. Se copió, se tradujo y se ilustró como ningún otro texto medieval. La extraordinaria aceptación que tuvo, convirtió "Il milione" en un libro legendario, mítico, en un relato modelo que sirvió a Cristóbal Colón de libro de cabecera y guía sagrada. Concebido como una guía comercial, se enriquece con fórmulas narrativas propias de la literatura de evasión y se lee como un libro de deleite, sirve de base para el desarrollo de la cartografía, incita a los espíritus a emprender nuevos viajes, aventuras, tomando como modelo el viaje contado en el "libro de las maravillas del mundo", que, de esta forma, se convierte en una "autoridad".

Ya con la investigación del libro de Marco Polo llegamos a uno de los puntos álgidos de nuestro trabajo; esto es, si este tipo de libros, de textos, se puede incluir dentro de la literatura medieval. Si consideramos el fenómeno literario sólo desde el punto de vista estético, tanto en su intencionalidad (en el actor creador, en su forma) como en su recepción, evidentemente estos libros (Pian Carpino, Rubruck, Marco Polo, en el siglo XIII, Odorico, Jourdain de Séverac, Ibn Battuta, en el XIV y, finalmente, la Embajada a Tarmelán, el libro de Pero Tafur, o el relato de Nicola Conti, en el XV) poco tienen que ver con lo literario. Es cierto que participan de un estilo descriptivo, que en algunos momentos puede formalizarse estéticamente, pero estos momentos son aislados. Entendemos, pues, que nuestros criterios axiológicos, en estos casos, deben ser históricos y, más todavía, deben considerar el valor cultural de una obra medieval en estrecha relación con la recepción de esta obra en la época y con el público al cual estaba destinada; porque, si no, toda la "literatura didáctica" medieval se vería relegada a la categoría de textos exentos de valor "literario-estético". La literatura de viajes viene a reemplazar, en una mezcla de realidad y mito, a la literatura del siglo anterior —heróica o de pura evasión—: la llamada de *la materia de Bretaña*.

Si bien el libro de Marco Polo conoció una enorme difusión, el relato de Odorico de Pordenone (1318) es el que nos aparece como una auténtica fuente de inspiración para convertirse en un texto modelo a seguir, imitar y plagiar. Como el concepto de originalidad no estaba asentado con precisión dentro del sistema cultural medieval, en la práctica literaria se utilizaba la alusión o la cita si se trataba de autoridades, o directamente la inserción de pasajes de un autor —dentro de la obra de otro—, lo que convierte muchas veces el texto medieval en una estructura intertextual compleja. Eso es lo que ocurre con el relato de Odorico, que se conoce algunas veces más por la identificación con otros textos que como texto en sí. También es verdad que goza de una amplia difusión; por ejemplo, es de los primeros relatos de viaje que penetra en la Península Ibérica. Ya Odorico empieza a apartarse del modelo secuencial, que va de aventura en aventura, primando la experiencia personal. La visión crítica, realista, de Rubruck empieza a perderse ante la intención de dar una descripción de lo desconocido, entendido como una "maravilla". Odorico aporta poco en lo que se refiere a su persona y sus vivencias personales, considerando quizás que éstas eran lo que menos interesaban al lector. Construye su relato bajo el signo de la admiración —empezando a hacer acopio de elementos maravillosos, mágicos y fantásticos. Le sigue Jourdan de Séverac —religioso que llegó a ser obispo de Ceylán—, que emprende dos viajes a Oriente y cuyas experiencias personales afloran en las cartas que dirige a la cabeza de la Iglesia Católica. Su relato, titulado *Mirabilia,* tiene muy poco de relato de viajes, pues, según su título, es más bien una descripción, localizada en un espacio geográfico revisable, de las cosas maravillosas con las cuales se habría encontrado en sus viajes. Pero en la estructura de su libro de las maravillas hay dos partes: una, en que describe lo visto y lo oído (pero digno de creerse) y otra (la descripción de la tercera India), que es, en realidad, la representación de un espacio imaginario, constituido según dos modelos importantes para el mundo medieval: el modelo mítico-sagrado del Paraíso terrenal y el de la India de Alejandro el Grande, modelo éste que aflora en apócrifos de la Alta Edad Media (la carta del emperador a Aristóteles).

Entre el texto de Odorico y el de Jourdain de Séverac hay sólo una diferencia de dos años lo que demuestra que el público estaba preparado para recibir relatos donde la mezcla de lo real y de lo imaginario se hacía más evidente. La Península Ibérica —muy parca en relatos de viajes en los siglos XII y XIII, a menos que consideremos el de Benjamín de Tudela y los fragmentos de Abu-Hamid el Granadino— aporta, al mundo medieval románico, uno cuyo autor es un "monje franciscano", titulado "El libro del conocimiento...". Los especialistas lo consideran como un libro del tipo "viaje imaginario", pues parece que el autor no se haya movido de su celda. Con este texto (1350) y con el *Libro de las Maravillas* de Juan de Mandeville (1357), entramos ya en lo que deja de ser un libro que relata un viaje real para convertirse en un libro que funciona a partir de otro libro o que, incluso, imagina el viaje. Distinguimos, pues, como Jean Richard entre los libros de viajes propiamente dichos, y los imaginarios; pero entendemos que textos como el del franciscano o el de Mandeville se convierten asimismo en *literatura de viaje* —entendido el término como resultado de la intencionalidad del autor de crear un texto conforme a un modelo existente—. Los relatos de viajes anteriores eran el resultado de una experiencia literaria deliberada, que parte de la "imitatio" como principio del acto creativo medieval. No obstante, para muchos investigadores, el estilo de Rubruck aparece como algo más vivo, más cómico que el de Mandeville —esto es, que el lector moderno lo recibe de otra manera—. Son textos que, en su época, circulaban sin que nadie se plantease si lo que contaban era o no real, o si producía o no placer estético. Porque tal vez el gusto se cifraba más bien en textos que despertaban la imaginación, que permitían conocer y vivir "lo extraordinario", aunque esto estuviese mejor o peor disfrazado.

El lector-oyente medieval estaba más interesado, probablemente, por los contenidos que por la forma, la cual llegaba apenas como tal a un público amplio. El *cómo se cuenta una historia* es para nosotros un enfoque moderno en la investigación literaria; en cambio, para el hombre medieval, importaba el contenido y sus significados, el despliegue semántico que se le podía dar. Contar historias con significación, tenía mucho más interés que *contar bien* historias. Y lo que sobre todo interesaba era oír o leer historias nuevas que, a través de su significado, enlazaran, en la memoria colectiva, con historias conocidas. *El libro de las maravillas* de Mandeville tiene un éxito enorme en todo el mundo occidental —románico y germánico— y conoce múltiples traducciones, lo cual quiere decir que su lectura era la propia de un texto literario. A partir del siglo XV, el Occidente empieza a perder su interés por lo exótico del Oriente, hecho tal vez debido, entre otras cosas, a una red de factores político-económicos, que lo hacen de muy difícil acceso. Eso no impide que Clavijo realice su embajada a Tamerlán, dejándonos escrito el relato de su misión diplomática, ni tampoco que sigan apareciendo itinerarios —o relatos de viajes— fundamentalmente a Tierra Santa. Pero lo que es de apuntar para esta época es que aparece un tipo nuevo de viajero: el que viaja por placer y que escribe su relato también para agradar a los demás, aunque no se trate de una intencionalidad estética expresa. Este es el caso, en el siglo XIV de Ibn Battuta, y, a mediados del XV, de Pero Tafur. Pero ya el centro de gravedad en estos tiempos se desplaza hacia el Occidente y se desarrollan las rutas marítimas, más rápidas y menos peligrosas que las terrestres. La idea de encontrar un nuevo camino hacia las Indias es lo que mueve a los viajeros de la segunda mitad del siglo XV, que culmina con las expediciones de Colón y Vasco de Gama.

Sobre la fantasía ibérica medieval y sus posibles rasgos autóctonos

Andrés Soria

Estas palabras que van a seguirse, proceden en buena parte de meditaciones amplias sobre el espíritu de la Edad Media y a pesar de ciertas pretensiones *teóricas*, se refieren a la realidad concreta de un período bien determinado, tan vario como extenso.

La actualidad de lo medieval es obvia, como lo demuestra el interés suscitado por el mero anuncio de este ciclo. No voy a insistir demasiado sobre ella. Pero sí quisiera subrayar que la aproximación a esta época es hoy, con toda certeza, muy distinta a la realizada hace alrededor de cuarenta años. Y es difícil conjugar en ella, la visión general, dedicada a todos y la especializada, dirigida a minorías. Mejor dicho, no resulta fácil desprenderse de lo relativo al especialismo (su lenguaje, consignas, familiaridad de conceptos compartidos y matices, muy diversos a veces, de las corrientes que se agitan en el seno de su unidad) a la hora del acercamiento.

Me resisto, sin embargo, a penetrar *ex abrupto* en mi tema. Tras un contacto intencional, en la actualidad, los medios de comunicación de masas difunden largamente fragmentos pintorescos de la Edad Media, que son unas muestras más del pasado. Pero cuando se traspasan estos condensadas, superficiales por lo general, la cultura medieval es discutida en bloque en su irregular contorno histórico. Al fervor de otros días ha sucedido el escepticismo.

Hay, pues, que señalar elementos negativos y positivos, presentes en la actitud de hoy al encararnos con los fenómenos medievales, enumerándolos someramente, sin adentrarnos en sus posibles causas.

Los factores *negativos*, esto es, los que contribuyen a aumentar la distancia entre nosotros y el medioevo, a aislarlo, rompiendo en cierto modo alguno de los lazos tradicionales de continuidad, han proliferado. Uno de los más difundidos de estos elementos la desacralización —con sus repetidos embates— se ha precipitado por la transformación de la Liturgia y la pérdida de la *poesía litúrgica,* p.ej., unida a la de su vehículo formal, el latín. O la presencia de otros rasgos sintomáticos —el conocimiento creciente de otras culturas, cuya edad media es poco conocida (Extremo Oriente, China, la India) o se cono-

cen mal (Islam no mediterráneo, medioevo greco-eslavo), sin mencionar las civilizaciones amerindias o algunas africanas ...—. La Edad
Media parece tan propia de nuestro pasado europeo y mediterráneo, en
sus orillas tricontinentales —europea, africana, asiática— que nos
cuesta trabajo imaginar "otras edades medias", coétaneas de la nuestra
y tan reales como ella en cuanto a "pasado patrimonial vivido". Pero
estos ejercicios de "rehabilitación cronológica" para enfocar un milenio
histórico, son de alguna manera indispensables al pretender introducir-
nos en la esfera de los conocimientos especiales, que, claro está, no van
a ser pormenorizados aquí, aunque hagamos hincapié en unos cuantos
puntos relativos a la *literatura medieval.* Son éstos: 1º: Asimilación, en
su campo específico, de toda novedad crítica literaria. En muchos
casos, como una simple aplicación de métodos. En otros, como
transposiciones o combinaciones interdisciplinarias. (Ultimamente, la
música, con su estudio intensificado se ha agregado a la conocida cor-
relación entre las letras y las artes plásticas). 2º: Búsqueda de la *clave
medieval* para las lecturas de textos medievales. Esta dirección tan fértil, ha obtenido en los últimos años la difusión de nuevas actitudes, más
cercanas y más profundas respecto a manifestaciones de esta época: la
oralidad de gran parte de la literatura, con sus insospechadas consecuencias. 3º: Por último —para no alargar más este muestrario— las
influencias vecinas de la historiografía medieval, sobre todo francesa,
de estos años (el gran Marc Bloch, Duby, Le Goff, Le Roy Ladurier,
etc.) y su interés por la captación del "espíritu cotidiano", por la
demografía, el impulso creativo o el espíritu de revuelta, contestario,
con otras aportaciones minuciosas o de amplio alcance, han contribuido a vigorizar los estudios literarios en sus contextos propios. A
lo que podría añadirse la presencia, tan llamativa, de la semiótica
entronizada.

De todos estos rasgos actuales y de algunos otros no mencionados
encontraremos reflejos prácticos en estas breves reflexiones.

I

Ha de advertirse, antes que nada, una cosa primordial y es que no
vamos a tratar —en nuestra exposición— de un material "hecho", ya
listo, discutido, clasificado, sino más bien de una *agenda,* cuyas apun-
taciones podrían considerarse *sugerencias,* o, más formalmente
hipótesis de trabajo, brindadas a la consideración general.

1. Para muchos, fantasía y Edad Media son todo uno. La literatura
fantástica y sus creaciones más insignes se fraguó en la época
medieval. Dicho de otra manera: el medioevo, con todo su contenido
"enorme y delicado" —alterando un mínimo las palabras del poeta, por

esencia es *fantasía en desarrollo*— frente al orden cerrado de la Antigüedad, vuelto casi a ser restaurado en la llamada "edad clásica" o del "espacio de representación", que al orden añade el progreso.

Ha sido un crítico portugués, Eduardo Lourenço, el que recientemente ha dicho:

> "En cuanto a materia de imaginación, el Occidente vive desde hace mil años —y más todavía— de los arquetipos medievales ... y no tenemos nada más elocuente para simbolizar nuestros sueños siderales o nuestros espantos apocalípticos que los modelos del Graal con nuevas *Excalibur* ..."[1]

añadiendo que este regalo de fantasía se debe a Francia.

Por eso, al recurrir a la imaginación e imaginería medieval, se vuelve a las fuentes: un viaje siempre necesario y remunerador que descubre un largo camino, más intermitente que tortuoso y que ha de recorrerse partiendo de los incentivos fantásticos que existen ahora entre nosotros.

La fantasía ha sido teóricamente muy estudiada, y, naturalmente, también en la parcela medieval, desde las obras generales que han analizado los fenómenos fantásticos —como las de Todorov, Rabkin, Le Goff, en la década anterior y en ésta. No obstante, es preciso para no perderse en disquisiciones, atenerse a un esquema que guíe y establezca nuestras posiciones.

Lo imaginario medieval, lo fantástico, lo maravilloso —según advierte Paul Zumthor— tal vez sea lo que más escape a nuestros actuales criterios de juicio sobre estos valores. Todoov, en su conocido ensayo, presenta como "extraño", aquéllo que puede explicarse como normal *a posteriori,* "maravilloso", lo que tiene una explicación sobrenatural, siendo "fantástico" eso que un "lector implícito" (que puede ser un personaje del relato) falla al explicarlo. Pero ya no hay en el texto medieval —según Zumthor— tal como nosotros lo conocemos, un lector implícito: estamos nosotros, por encima de una distancia de muchos siglos. Lo fantástico que atribuimos al *roman* medieval, es el nuestro. Ha de investirlo nuestra propia fantasía.

Desde que más de un hecho es planteado por la figuración y desde que uno de los dos es dado como producto o término, tres situaciones pueden considerarse: Es *efecto de una causa* (situación normal). O bien hay *discontinuidad entre causa y efecto* en el *tiempo,* el *espacio* o la *dimensión.* O, por último *existe una total ausencia de causa.*

---

1 Eduardo Lourenço "Envoi et Adieu à Madeleine" en *L'Enseignement et l'Expansion de la Littérature Française au Portugal* –Actes du Colloque de Paris (22-23 Nov. 1983) Paris, Fundation Calouste Gulbenkian, 1984, pp. 237-248.

El 2º caso es el mágico. La capacidad de realizar esa mutación de causa a efecto, obedece a saber, a arte o a ciencia. (El ejemplo alegado aquí es Merlín, estudiado desde antiguo por Zumthor).

El 3º de los casos es lo puramente *féerique* (que podría traducirse por "hechizado", ya que el campo semántico correspondiente al francés del español es muy restrictivo ("malhadado"/"bienhadado", indican sólo *destino*).

Tres modelos narrativos se acomodan aquí. 1) Angeles, Santos, Demonios, sueños présagos, profecías o milagros (sobre todo en *relatos hagiográficos* y en el *teatro*). Era lo que la antigua retórica llamaba "maravilloso cristiano" al aplicarlo a la Edad Media. 2) Hadas, hechiceros, magos, adivinos, nigromancia, filtros y 3) Objetos mágicos (en especial en la materia de Bretaña).

"Lo maravilloso —agrega Zumthor— ejerce una función mayor: integrar en el relato lo imprevisible"[2].

2. Al entrar en este territorio de la fantasía, todo parece permitido y nada es sorprendente. A primera vista, los estudios críticos, analíticos y ponderados de la "materia fantástica", deberían estar inmunizados contra cualquier devaneo o escapada a ese mundo de arrobo y sorpresa. Pero no sucede así: igual que Hans Christian Andersen escribió en 1855 su autobiografía, tan maravillosa que la tituló *El Cuento de Hadas de mi vida* y que, años después un filólogo, Max Müller, estudioso de mitología comparada escribe un ensayo —también fantástico— *Sobre la migración de las fábulas,* podría añadirse ahora, en estos últimos años otra historia —la de la aparición de la novela (*roman, romance*) en el horizonte europeo— que, como portadora de la más poderosa creción medieval está, asimismo, tocada de alta fantasía en su desarrollo.

El arte de contar historias es la más antigua y estimada de todas las artes. Y por tanto: *la ficción literaria (o literatura de ficción) ocupa naturalmente una posición predominante entre los usos del lenguaje* y es, además, una creación característica de la civilización europea y, por consiguiente, *ha existido a través de un proceso específico creativo, por una creación de forma.*

Estas tres alegaciones subrayadas, pueden mantenerse con éxito. En realidad, dependen de cómo el hablante defina los conceptos de literario, de ficción y de forma.

Literario. Suele usarse en el sentido de "esencialmente *por escrito*" (como opuesto a *oral*). *Ficción,* en el sentido de "reconocimiento narrativo, por el narrador y por el público, esencialmente como producto de la imaginación creadora". *Forma* se usaría en el sentido —muy

---

2 Paul Zumthor, *Essai de Poétique Médievale,* Paris, Le Seuil, 1972, p. 139.

vago— de "precedente para moldear una narración de una manera característica".

A partir de estos tres conceptos podemos, con su ayuda, visualizar el surgir de la ficción literaria en regiones de lengua francesa alrededor de la segunda mitad del siglo XII, y sugerir algunas de las implicaciones de este fenómeno.

A principios de ese fecundo siglo XII, *literario* se opone a *ficción*. La palabra escrita casi exclusivamente latina, se reserva para los usos eruditos (eclesiásticos, administrativos). Una de las facultades básicas del lenguaje humano, es la de tomarse libertades con el hecho real (desde la mentira por juego a la más elaborada y sofisticada narración ficticia). La especie humana ha sentido siempre placer en explotar tan fascinadora posibilidad.

Pero la cruda distinción entre escrito (literario) de una parte y ficción (fabulosa) de otra, es más que un juego. Escribir es costoso y raro. Además parece ser que las civilizaciones han de alcanzar un determinado nivel de productividad y tecnología, antes de que la ficción de primera mano, franca y paladinamente pueda ser puesta por escrito. Sólo en el siglo I de nuestra era, podemos hablar de "ficción literaria" (el *Satiricón* de Petronio), más antiguo, sin embargo, que las ficciones literarias chinas, indias o japonesas, que arrancan del siglo VI, aproximadamente y llegan a estar relativamente establecidas únicamente hacia el año 1000.

Al brotar la ficción literaria, nace un tipo humano específico: el autor.

El narrador oral de cuentos, podía ser estimado y admirado. Su obra podía relativamente fijarse en formulaciones métricas. Ahora bien, este narrador posee su obra sólo mientras la relata, la recita o la canta (o, sumando todas estas actividades, la "representa"). Tan pronto como alguien distinto la memoriza y cuenta la narración, se transforma en *su* autor único, que está en posesión del relato y *su* versión es la única que existe en el momento de cada recital.

El *autor* tiene una postura muy diferente. Produce (en el sentido etimológico) su relato como objeto que existe fuera de él y de su mente y tan pronto se le presenta en cualquier lugar, es "relatado". La persona que hace la lectura (en voz alta) de ese relato, es un mero instrumento, un medio: la única cualificación que se le exige es saber cómo leer y mientras que un creador que encomienda su obra a la tradición oral se esfuma como individo, el autor que produce un texto escrito, aun después de que se ausente o de que muera, permanece como una persona individual como el que deja su marca en ese texto (que puede ir desde el nivel más simple al más complejo) y que controlará siempre.

La experiencia de sí mismo del autor-escritor como *persona* se reforzará más, si es un escritor de ficción, uno de los que libremente inventan y moldean la vida y el destino de un personaje humano por meros propósitos estéticos.[3] Tipo de actividad muy diferente de la del hombre que se dedica a continuar una tradición, a propagar lo que considera como vedado, o a predicar la Palabra de Dios.

El autor-escritor es una persona libre e independiente que toma el mando y entiende llevar el control, lo que no es sencillo de hacer. Pues requiere, ante todo, un precedente, una forma, o un acto de innovación creadora (que, por supuesto, no tienen que ver nada con la creación *ex nihilo*).

Esta figura de autor-escritor, nació en los años alrededor de 1170, tras de una gestación que había durado varias décadas. Es un hecho muy notable que no surge directamente de las florecientes tradiciones orales (germánica, francesa o céltica) y sus precedentes para la narración ficticia. Fue el escritor erudito —sostiene brillantemente Per Nykrog— "el que buscó a tientas su camino hacia la ficción, no el narrador oral de cuentos que, simplemente, se resolvió a escribir".

(No podemos detenernos para glosar con el debido reposo esta maravilla, que puede ciertamente parangonarse a la aparición del *antagonista* en el teatro antiguo. Es un cambio de perspectiva total, que tiene, tras de sí, años de laboriosa y tenaz investigación de individuos y de equipos).

Todo es aquí excepcional. Primero, la fecundidad de las creaciones francesas, ya demostrada por los cantares de gesta. Segundo, la tensión que significa el horizonte de expectativas desde el público, pese a que se posean tan pocos datos a este respecto. Y, sobre todo, el punto de cristalización, alcanzado para que surja la nueva forma. Por último también concurre lo que —con otra imagen, también tomada del mundo de la naturaleza— podríamos llamar *boom,* situándolo en el tiempo alrededor de una fecha determinada, como hemos visto. Pero es muy importante aquí, separar el fenómeno medieval de su homólogo moderno, porque en el siglo XII no se trata de que una producción alcance el máximo nivel difusivo, controlado en un mercado (*best seller* de un libro o de un grupo de libros de diferentes autores) como sucede hoy, sino algo más importante: el cuajarse, en el circuito interno de la creación ficticia, el tipo de *más alto ingrediente fantástico,* aunque su público sea reducido. De ahí la revalorización —asimismo, de actualidad— de los géneros literarios medievales, sobre la que algo diremos.

---

3 Per Nykrog "The Rise of Medieval Fiction" en *Renaissance and Renewal in the Twelfth Century* ed. by R.L. Benson and G. Constable, Oxford, Clarendon Press, Reprinted 1985, p. 594.

La primitiva historia del *roman*, merecería más detenimiento en sus detalles. Sólo destacaremos que, tras los precedentes del llamado *pré-rroman courtois* y su temática clásica (que no reúne las necesarias características de novedad por haberse adecuado a biografías individuales sin otra conexión que la *psicológica,* y no obstante es una dirección ya novelesca, que será paralela y más adelante, opuesta a la del autor-escritor. El rey Arturo, los caballeros de la Mesa Redonda y sus historias, van a establecer el círculo (o el "universo") mayor, en que se inscribirá todo el nuevo grupo de obras. Godofredo de Montmouth acuña y lanza su historia completa, del principio al fin. Ha nacido el personaje fantástico. Pero no ha sido engendrado en la ficción, sino en la historia. Por lo que su autor no tiene éxito, a pesar de su potencia creadora, siendo rechazado en su día por los historiadores, sin tampoco admitirlo la incipiente tradición del autor-escritor.

Todavía, con su problemática, Marie de France y el *Tristan,* nos asoman a ese universo de maravilla. Y van a ser, la primera en el presente y la historia de los amantes encadenados por el filtro de amor mágico en el pasado, los que construyan la escena donde aparecerá Chrétien de Troyes.

Un decenio aproximadamente, dura su creación novelesca (1170, *Erec;* h. 1175, *Cligés;* h. 1180 *Yvain* y *Lancelot,* desde 1180 hasta su muerte, *Perceval* ...). Por fortuna, sabiendo muy poco de este primer novelista de Europa, tenemos más noticias de su arte que de su persona. Tiene ya el orgulloso lenguaje de un creador, de un autor-escritor cuyo trabajo y conocimiento hará⁻ vivir su relato paa siempre. Pero, como dice Nykrog, la resistencia a creer a Chrétien de Troyes creador de sus más famosas historias, va de los románticos a los positivistas. (Para Gaston Paris, era alguien brillante y mundano, que estropeaba un rico material mítico para adobárselo al paladar de los hombres de mundo y al que —por un verso de *Lancelot*— creía "heraldo de armas". (Lo rehabilitó Gustave Cohen en 1931).

II

Esta literatura artúrica o materia de Bretaña, acapara lo más importante de la fantasía medieval y establece una jerarquización para la temática fantástica adscrita a la Edad Media.

Toda esta literatura, en movimiento creciente (parecido al de un río) desde el siglo XII en adelante, alcanzará a la imprenta, siendo decisiva la actual vigencia que, indiscutiblemente, goza en el mundo anglosajón, la obra de Sir Thomas Malory *Le Morte Darthur* (en inglés) y la asociación de su autor a W. Caxton, haciendo que sus relatos, que refundían temas de los siglos anteriores, se proyectasen en el dinamismo renacentista. Lo mismo sucede respecto a la Península Ibérica. Esa masa de literatura novelesca y fantástica y sus aventuras caballerescas, en la última oleada de sus textos en prensa, su *Vulgata*, reconstrucciones y entrecruzamientos de destinos, sigue, en las tres literaturas peninsulares, una trayectoria semejante a la inglesa, según los estudios clásicos de Bonilla, Pere Bohigas y los modernos Sharrer, Fanni Bodgánov, Subiranas, etc.

Impresiones incunables, como las de Barcelona y Burgos y las del siglo XVI (Valladolid, Sevilla, Toledo) muestran la amplia recepción del gran *corpus* narrativo, que no falta en bibliotecas grandes y pequeñas.

Y aquí se presenta la primera cuestión sobre los posibles valores autóctonos de literatura fantástica peninsular.

1. Es indudable que, siguiendo estos esquemas, se advierte el hecho de que el consumo de esa producción —las mejores creaciones fantásticas medievales— se halla ya en las *lenguas peninsulares* (sobre todo en las periféricas: catalán y portugués) desde el siglo XIV. Pero muchísima más importancia que esta situación como acabamos de ver, no privativa de España) la tiene la continuación activa de esta literatura, sirviendo de inspiración al gran *revival* que va del siglo XIV al XVI y que culmina en el primero de los héroes de la caballería peninsular: Amadís de Gaula.[4]

Esto nos lleva a un punto trascendental, pero que aquí y ahora sólo podemos esbozarlo.

En primer lugar, hay que llamar la atención sobre la remoción teórica de criterios acreditados desde la época positivista y continuados después, cuyo deslinde, seguido de nuevos enfoques se efectúa actualmente por críticos españoles y extranjeros, enmarcado en esa coyuntura riquísima de los siglos XV —*Otoño de la Edad Media* y XVI, rebullir de ímpetus nuevos y de síntesis o amalgamas culturales. Siguiendo solamente nuestro designio, es decir la línea de lo fantástico y lo maravilloso, hemos de pasar rápidamente sobre las creaciones más plenas de esta encrucijada temporal, en especial por el *Romancero*. Hemos de aislar, en ese rumoroso taller que relanza a nuevas *performaces* orales y a subiguientes difusiones escritas (impresas en la doble modalidad del *pliego suelto* y del *romancero-cancionero),* la narrativa medieval, algunas muestras de las creaciones de fantasía.

---

4 Pierre Le Gentil y Carmelo Samonà, entre otros, ya lo estudiaron desde la perspectiva artúrica. Véase ahora Martín de Riquer *Estudios sobre el Amadís de Gaula,* Barcelona, Sirmio, 1987, especialmente pp. 8-35.

Con insistencia se afirma la sequedad de Castilla, su reluctancia hacia estas manifestaciones fantásticas, a pesar —como ya hemos notado más arriba— de recibirlas, recrearlas y darles nuevos bríos y nuevos horizontes de difusión.

Los romances de tema nacional, afirma Menéndez Pidal, "no gustan de ningún elemento maravilloso"[5]. Por eso hay que apartarse de estas entrañables voces de la tradición más primitiva e ir al encuentro de la "postura bisagra": la recepción —recreación de temas de ultrapuerto. En este caso, de los romances carolingios (viejos) y pseudocarolingios (juglarescos) relacionados con los cantares de gesta franceses o rehechos por juglares según la pauta de los primeros. Los ejemplos son escasos, pero muy significativos.

Destacaremos, en primer lugar, el romance de doña Alda. Ya fue estudiado en su contexto rolandiano por mi maestro Monteverdi y es el de más ilustre abolengo, pues, como se sabe, proviene directamente de la *Chanson de Roland* (estrofa CCLXVII), a través de los *Ronsasvals* provenzales y del fragmento de *Roncesvalles* castellano[6]. En el romance, es el sueño con aves de altanería y la caza de la más débil, presagio de la muerte de Roldán relatado por su esposa.

En segundo lugar, está el romance del conde Dirlos (el gigante del *Romancero,* con 1366 octosílabos y la joya de los pseudocarolingios). Pero su tema es folklórico (internacional, por tanto): el marido ausente en larga guerra cuya vuelta impide un segundo matrimonio de su mujer, (estudiado por W.J. Entwistle en 1941).

Muy parecidos a éste, son los procesos de otros romances llamados, justamente, novelescos. Todos los ingredientes fantásticos del romance de Don Bueso (*Lunes era lunes De Pascua Florida ...)* o de Espinelo o Pineda, o del galán y la calavera ... no son autóctonos. He aquí las propias palabras de Pidal:

"Se afirma que casi todos los romances de aventuras que corrieron por Castilla son de origen extranjero ..."[7]

Y, sin embargo, todos los casos citados son otras tantas gemas del Romancero General. Se repiten en todas sus antologías y han sido contados en sus variantes durante siglos en los vastos territorios de la lengua, empapando la tradición popular.

2. Hasta aquí hemos visto la escasez de elementos fantásticos

---

5 Ramón Menéndez Pidal *Romancero Hispánico,* Madrid, Espasa-Calpe, 1953. Tomo I, p. 266.

6 *Laisse* 267 (ed. Roncaglia, Modena, 1947), *Laisse* 266 (ed. Cortés, Salamanca, 1975).

7 M. Pidal, *ob. cit.,* p. 335.

denotadores de cepa indígena y en concreto, castellana. Todo lo maravilloso de un *corpus* tan extenso como el *Romancero,* parece reducirse a notas del folklore narrativo universal en estos últimos tiempo de la Edad Media, donde las recopilaciones abundan.

Pero, a principios de este tiempo medieval, condicionando para siempre el perfil espiritual y cultural del país, aparece el elemento oriental, semítico: árabe (sobre todo) y hebreo, con una elevada cuota de fantasía.

Su presencia, distribuida por canales de estructura muy compleja, ha producido enteramente, ante todo, un sincretismo cultural, muchas veces considerado producto de una fusión, sobre todo en las manifestaciones literarias y artísticas.

En la narrativa legendaria hay una gran leyenda, estudiada magistralmente por Menéndez Pidal: la del rey Rodrigo y la pérdida de España.

Aparte de su sentido "patrimonial" —entendido así desde la Edad Media hasta la época moderna—, como entidad poética simboliza a *Hispania* cristiana y toda entera, antes de la invasión musulmana de 711. Una leyenda abarcadora de la totalidad de la Península aunque desarrollada principalmente en Castilla, y que debe ahora concebirse desde un punto de vista general como sucede con otras leyendas árabes medievales: en un contexto mixto, cristiano y musulmán (tal como hace, aunque para autores y textos más modernos, C. F. Beckingham).[8]

Una somera ojeada a su "carga fantástica", revela, inmediatamente, el contacto árabe. Ya el editor de todos los textos, antiguos y modernos que tratan de la leyenda, al mencionar en el preámbulo a los que habían contribuido a forjarla, destacaba "el árabe que la exorna con ficciones de gusto oriental" (I, 7).[9]

Prescindamos de las observaciones que Pidal hace sobre un tema poético de tan larga vida, de gran valor metodológico, para ceñirnos a nuestro propósito.

El *Ajbar Machmúa,* es el primer texto árabe que da noticia de la aproximación musulmana a España. Más adelante, Ben Alkutiya, "el hijo de la goda", que murió en Córdoba a finales del sigl X —un descendiente de los vitizanos y enemigo de Rodrigo— ofrece la primera descripción del palacio de Toledo, recogida después por el Moro Rasis.

El palacio está cerrado con tantos candados como reyes habían

---

8 C.F. Beckhingham *Between Islam and Chistendom: Travellers, Facts and Legends in the Middle Ages and the Renaissance,* London, Variarum Reprint, 1983.

9 *Floresta de Leyendas Heroicas Españolas,* compiladas por Ramón Menéndez Pidal *Rodrigo, el último godo,* Madrid, Clásicos Castellanos, 1925, 1926, 1956. Tres volúmenes. Vol. I, 7 (las citas de la leyenda, por esta ed.).

precedido en el trono a Rodrigo. Y otro detalle de fantasía oriental es la utilización de enigmas: la hija de D. Julián envía a su padre un regalo con un huevo corrompido (un signo de haber sido seducida por el rey) en tanto que su padre dirá al rey que tiene "halcones sin igual en el mundo" (alusión a los árabes que desembarcarán en la Península) (I, 44-48).

La custodia del palacio por medio de un talismán es también un rasgo oriental y lo menciona Almakkari (Pensemos en la mano y la llave en la Puerta de la Axarea o Puerta de la Justicia de la Alhambra).

Señalemos, por último, una "fantasía erótica". A partir de la *Crónica Sarracina,* de Pedro del Corral (s. XV), se encuentra acentuado este rasgo:

> "... *de cómo el rey, estando en el mirador, vido a Caba e se enamoró della por las piernas que le vido"* (cap. 164).

> "ella alço las faldas, pensando que la non veía ninguno, e mostró yaquanto de las piernas, e tenía las tan blancas commo la niebe ..." (I, 206-208)[10]

Detalle que, en un romance muy tardío (en *Primera Parte del Jardín de Amadores,* Valencia 1679), degenera ya en un verdadero concurso de belleza: todas las doncellas de la cava se miden las piernas "con unn listón amarillo", superándolas a todas las de su señora (II, 151-152).

Las mujeres que aparecen en la leyenda han sufrido una suerte especial, sobre todo la protagonista, Florinda, llamada así desde la obra tardía del morisco granadino Miguel de Luna y Altaaba o Alacaba desde la *Crónica de 1344,* con un mote infamante que hará decir al P. Arolas en 1850:

> "Florinda te llaman ora;
> y al verse tu patria esclava,
> serás Cava
> nombre de infernal mujer;
> nombre de ignominia lleno,
> y agareno
> que este apodo has de tener". (**Florinda**) (III, 83).

---

10 Sin presuponer influencia directa de textos eróticos árabes, la nota de lo fantástico-erótico en la lit. árabe es muy abundante y característica, p. ej. en *Las Mil y una Noches,* si bien, como dice Gabrieli "los relatos en que prevalece el elemento erótico no se encuentran entre los mejores... desde el punto de vista estético" (F. Gabrieli *Literatura Arabe,* Buenos Aires, Losada, 1971, p. 241).

mientras que la reina Egilón o Egilona, viuda del rey Rodrigo adquiere un papel secundario, aunque según la *Crónica Mozárabe de 754,* se casaría con Abdelazis, hijo de Muza.

De todos modos, las mujeres son pieza fundamental en la leyenda: el ultraje a la mujer o a la hija de un vasallo por el rey (señalado por A. H. Krappe y más recientemente por E. Von Richthofen) y la subsiguiente traición del ultrajado, es de origen germánico, siendo la deshonrada la esposa y no la hija de D. Julián en varios textos importantes, a partir del Toledano (*Poem. de Fernán González,* Gil de Zamora, etc.).

Fuera de esa magnífica proyección literaria en autores cultos inspirados en la leyenda desde los siglos de oro hasta la época moderna (donde se dan la mano Fray Luis de León —quizá el más vehemente y poético recreador del drama—, Francisco de Medrano, Lope de Vega, Saavedra Fajando, Cadalso, Moratín, Rivas, Espronceda, Zorrilla, la Avellaneda ...), en la memoria popular poco ha llegado hasta hoy de tan fatigosa cabalgata. Sólo en lo toponímico dos muestras, que sepamos, una, evocadora del Madrid castizo: la calle de la *Cava Baja* que puede ser un equívoco con la voz militar *cava* ("foso" "trinchera") y otra en Granada, el pueblo de *Romilla* (también alterada por el equívoco, esta vez del diminutivo *illa* (s/"Roma", corrigiendo *Romiya,* por *Rumiya* "la cristiana") y restaurada en el muy importante Soto de Roma, que cuando fue extenso bosque y vergel, se decía haber sido plantado para ahuyentar melancolías de la hermosa hija del conde don Julián ...

(Los grandes autores castellanos del siglo XIV, el Arcipreste de Hita y don Juan Manuel, cuyas obras son tan conocidas y estudiadas, equilibran la fantasía europea con la oriental en unas proporciones de riqueza, invenciones y estilo, verdaderamente sorprendentes, que muestran el prodigio de síntesis de la época mudéjar).

III

Tanto la literatura occidental —portuguesa— como la oriental —catalana— han contribuido poderosamente a la creación literaria fantástica de la Península. Hay pues, que dirigirse a ellas en este rastreo de posibles acuñaciones de fantasía con sabor autóctono.

1. Omitiremos, por necesidades de tiempo, todo el rico caudal de relatos portugueses, profanos o religiosos en que lucen las maravillas y cuyo origen sospechamos no proceda de las consabidas *filières* folklóricas internacionales, para concentrarnos únicamente en algunas muestras.

Dejando a un lado invocaciones como las de Fidelino de Figueiredo o de Menéndez Pidal (ambas clásicas: la doncella Pirene del primero o la alusión a las *Vidas Paralelas* del segundo) para subrayar el emparejamiento de las dos literaturas, aduciremos sólo el ejemplo de dos leyendas comunes: la de Wamba y la de las Cien Doncellas.

La primera es poco conocida y reúne en sí varios temas de elecciones extraordinarias o milagrosas. En España la recogió Juan de Timoneda en su *Rosa Gentil* (Durán, *Rom. General* 578). Su romance termina así:

"Por él está la coyunda ('el yugo')
Puesta en reales de Castilla"

Sin que además olvidemos la lopesca *Comedia de Wamba*.

El famosos "Tributo de las Cien Doncellas", en tiempo de Ramiro I es muy conocido para insistir en su relato. También tendrá eco dramático en el siglo de oro (Lope, *Las famosas asturianas,* por ejemplo), aunque ya los románticos hacían burla y Martínez de la Rosa, dice, con sorna granadina que, en la actualidad, no le arrendaría las ganancias al moro que lo cobraba). Ambas leyendas están difundidas oralmente en Portugal.[11]

La impregnación de la cultura musulmana, de la que ya hemos hablado, tiene también una considerada aportación "occidental" en cuanto a la fantasía tradicional.

Parece haberse concentrado en Portugal todo lo relativo a los moros, hasta el punto de que *historias de mouras encantadas,* llega a ser sinónimo de "cuentos populares en general". Sobre todo la fantasía popular ha creado el reino de *Moirama,* "La tierra de los moros", una especie de más allá real-irreal ... Predominan las moras encantadas. Estas según la investigación folklórica, han substituido y modernizado, a las hadas, *xanas* y demás divinidades menores y locales de otros países. Son jóvenes o niñas de cabellos rubios que poseen y custodian riquezas —tesoros— en cuevas, fuentes, bosques y cañadas.

Las moras pueden aparecerse en forma de culebras. Piden leche y pagan en oro. Y hay una extraña leyenda (*A mora parturiente de Safara de Tolosa*) donde la mujer que ha sido llevada para ayudar a la mora a dar a luz, es pagada por el moro con una sera de carbón menudo, que ella, despechada, tira por el camino. Pero un carbón se queda en su saya. El día siguiente, al sacudirla, lo encuentra convertido en oro, con la consiguiente búsqueda del resto del carbón y la

---

11 J. Leite de Vasconcelos, *Contos populares e Lendas,* Coligidas por... Dos volúmenes, Coimbra, I (1964), II (1969, p. 622 n.1).

desesperación final. Lo más sorprendente aquí, es esta realidad viva del parto —la perpetuación de la especie— en este caso presente en el plano real y en el del encantamiento. Tanta ha sido la importancia de estos lugares encantados, que había un libro de cordel de San Cipriano "que enseña a desencantar todo los encantos hechos por los moros en este reino de Portugal".

Pero lo que puede llamarse un alarde de fantasía ibérica —y sobre el que queremos llamar la atención por estar casi inexplorado— es el de las ciudades desaparecidas ... Ciudades que fueron y no son, que, a semejanza con el destino de los hombres, decaen, se arruinan, desaparecen, dejando los despojos de sus ruinas, sus mansiones deshabitadas o sus tumbas (con las posibilidades de resurgir y ser visitadas en el sueño, el rapto o el descubrimiento fortuito). Ciudades fantasmales, como las recreadas por algún escritor "periférico" moderno (Torrente Ballester) ... La impronta de todo esto es rigurosamente semítica.

Se encuentra en la Biblia (las ciudades malditas —Gén, XIX—) y en la literatura preislámica. El Islam contribuye, no sólo con los espejismos del desierto, a afirmar este tema, ocupando las grandes urbes abandonadas: Palmira, Petra, el Valle del Nilo, Persépolis ... Y sus grandes escritores, Ibn Jaldún, Ibn Cuzmán, Abulbeka, todos tienen un recuerdo poético para la ruina de una ciudad o de un arrabal.

Pero, además, es en la España musulmana donde aparece el fenómeno de las "ciudades dobles (arruinadas o absorbidas por otras contiguas): Mentesa y Jaén, Carteya y Algeciras, Alarcos y Villa Real (Ciudad Real) ..., siendo los dos casos más excepcionales los de Córdoba y Medina Azara y Granada y Elbira. Tanto Medina como Elbira —ciudades, por otra parte, completamente distintas— desaparecieron al mismo tiempo, saqueadas y destruidas en 1010, según Torres Balbás.[12] En Portugal son estas ciudades, con su círculo legendario. Alcobre, Alfátema, Almedina, Mirogaia ... Esta última, como Villaverde de Lucerna en el Lago de Sanabria, mereció un destino más brillante que el de sus otras hermanas[13].

2. La literatura catalana es también una reserva de fantasía

12 Véase Leopoldo Torres-Balbás *Ciudades Hispano-Musulmanas,* Madrid, Inst. Hispano-Arabe de Cultura, 1985 (2ª ed.), pp. 35-45.

13 Cf. W. Irving *Cuentos de la Alhambra,* Granada, Miguel Sánchez, 1971. "Leyenda del Astrólogo Arabe", pp. 147 y ss. (El camellero que sigue a un camello extraviado y descubre una bella ciudad procede del cuento "Iram de las Columnas").

Respecto a la ciudad de Miragaia, véase R. Menéndez Pidal "En torno a *Miragaia* de Almeida Garret" en *De Primitiva Lirica Española y Antigua Epica,* Madrid, Austral, 1951, pp. 145-161 y para Villaverde de Lucerna, véase M. de Riquer *Los Cantares de Gesta franceses,* Madrid, Gredos, 1951, pp. 250-251.

medieval y puede cifrarse, de una parte, en su continua receptividad fronteriza, que aumenta las creaciones indígenas y de otra en su expansión mediterránea y asentamiento europeo (fieles acompañantes del clasicismo de los siglos XIV y XV).

Forzosamente, hemos de dejar de lado muchos elementos fantásticos, obligados, por premura de tiempo a limitarnos a una breve ojeada a las letras catalanas de la Edad Media. Sin embargo, es preciso insistir nuevamente en algo de lo que llevamos dicho para las otras dos literaturas: aquí, en las tierras más orientales de la Península, también se percibe *la fusión arábigo-cristiana* en la figura de Raimon Llull, con su fantástico *Felix* o libre de Meravelles, escrito en tierra extranjera —en París, como se puede ya asegurar— en 1288-1289, para hacer amar las maravillas del mundo, en dos partes: Dios, Angeles, Cielo, Mundo —Elementos, Plantas, Metales, Hombre (su centro)— y Paraíso e Infierno. Juntamente con el *Libre de les Bèsties,* nuestro más dinámico bestiario medieval y el Ejemplario, exaltan el dotado espíritu fantástico del místico. (En cierto modo frente a él, otro mallorquín, Guillem de` Torroella es autor de una larga novela artúrica, *La faula,* mostradora del conocimiento y familiaridad que con la materia de Bretaña tenía su autor. Por último y en la misma línea, Raimon de Perellós, que hace un viaje al Purgatorio ... ¡Cierto ...! al purgatorio irlandés de la isla de Longh Derq, con su correspondiente relación minuciosa de estas tierras remotas, por donde se pasea la más auténtica fantasía literaria de la época ...).[14]

También hay en Cataluña una "leyenda de las cien doncellas", aunque distinta de la que hemos mencionado antes. Sus elementos históricos y hagiográficos, así como su cronología están perfectamente determinados.

Es un episodio relacionado con la conquista de Almería, por Alfonso VII de Castilla, el Emperador, ayudado por los genoveses y por el conde de Barcelona, Ramón Berenguer IV, en 1147, si bien no se menciona en las crónicas más importantes que, desde la *Primera Crónica General,* relatan el episodio de esta operación anfibia, llevada con éxito por los cristianos en la primera mitad del siglo XII.

En la baronía de Pinós hace el relato hagiográfico, en el ámbito del culto al Protomártir San Esteban, pues se trata de un milagro de este santo y de San Ginés, que sacan de cautividad al caballero Galcerán de Pinós (que había intervenido en la conquista, siendo cautivado y cuyo rescate comprendía "cien mil doblas de oro, cien piezas de brocado, cien caballos blancos, cien vacas bragadas y cien doncellas "vir-

---

14 Véase Miguel Cruz Hernández *El Pensamiento de Ramón Llull,* Madrid, Fundación Juan March y Ed. Castalia, 1977, esp. Apéndice III, pp. 406-415.

genes"). Liberadas Galcerán y su compañero Sancerní por la intervención milagrosa, encuéntranse con los que los llevaban el costoso rescate e hizo vestir a las doncellas de verde y rojo —los colores de su
casa— y toda la comitiva marchó a Barcelona para saludar al conde
Ramón Berenguer, dotando después a las doncellas que, volun-
tariamente, habían proporcionado para tal fin los vasallos de la baronía
y su capital, Bagá.[15]

3. Pero, quisiéramos terminar este breve recorrido, centrándonos
en un punto altamente significativo; la perduración de esa tradición
medieval fantástica en la literatura moderna catalana.

Dejando aparte las dos manifestaciones religiosas vivientes hasta el
día de hoy (dramática en el *Misteri d'Elx* y lírico-narrativa en el *Cant
de la Sibila,* que puede oírse la noche de Navidad en la Catedral de
Palma de Mallorca, donde los elementos fantásticos giran alrededor de
ambos temas), querríamos destacar un par de notas, medievales
también, pero profanas, en la obra de los dos grandes poetas modernos
Verdaguer y Maragall.

Son muchas las reminiscencias y motivos medievales en la poesía
verdegueriana. Pero todo se condensa y acrisola en el poema, de 1886,
Canigò Llegenda Pirenayca del temps de la Reconquista.

En la traducción castellana, en prosa, del conde de Cedillo (1898),
hay un famoso prólogo que no es otro que la carta de Menéndez Pelayo
a Mosén Cinto, escrita a raíz de la publicación de su poema, donde lo
consagra como "el poeta de mayores dotes nativas de cuantos hoy
viven en España". El crítico ha hallado en sus versos, ecos de Víctor
Hugo –la gran voz romántica– y de los cantares de gesta –el aliento
medieval–. Pero nos importa, fijarnos en la fina fantasía del poeta: ese
coro de hadas que semejan enjambres de abejas de oro y que al alba,
cantan:

> Montanyes regalades
> son les de Canigò
> elles tot l'any florexen
> primavera i tardor

Versos famosísimos, ahora entonados por los modernos cantores y
divulgados por toda España a través de sus voces.

Las hadas *(gojas)* presiden todos los valles de la cornisa pirenaica
oriental, de Roses a Banyoles, hasta que la Cruz, llevada por los mojes

---

15 Véase *La leyenda de Galcerán de Pinós y el rescate de las cien doncellas* (Discurso
    leído el día 26 de marzo de 1944 en la recepción pública del Dr. D. Martín de Ri-
    quer en la Real Academia de Buenas Letras de Barcelona' y contestación del
    Académico Numerario Dr. D. Xavier de Salas), Barcelona, Rovira, 1944, pp. 9-10.

a Nuria y Font Romu, disipe las tinieblas. Todo bañado en dulce bruma y sol radiante, en grandeza e inocencia y dicho con unción poética expresada en un lenguaje suave y fuerte a la vez...

En cuanto a Maragall, hay otra recreación, procedente, asimismo, de la pura fantasía medieval enraizada en la tradición y relativa a la figura del *conte Arnau* –ya estudiado en sus conexiones folklóricas totales por Romeu Figueras en 1948–. El personaje poético floreció en el siglo XI y Milá había recogido su canción lírica, una balada de tipo nórdico, en el Ripollés.

Maragall incorpora la canción inicial, rítmica, paralelística, a un largo poema escrito en tres etapas (1900, 1906 y 1911), aunque su gestión es más antigua.

Los modernos críticos de Maragall (Arthur Terry en 1963 o Marfany en 1974), entre otros, han desentrañado el complejo caminar de la ideología del poeta a lo largo de esta obra.

En principio, quería ver allí un mito que fuese operativo para el nacionalismo catalán. Pero después, como ha visto otro poeta, Carles Riba, insufla a su obra la idea (de Novalis) de la redención por la poesía.

(Todas las resonancias y contradicciones que animó el Modernismo, junto con las crisis espirituales del hombre pueden encontrarse en las sucesivas partes del *Conte Arnau*. Pero el poeta salvará su alma –su nombre, su memoria– por la poesía:

"el Comte Arnau tenia l'ánima
a la mercé d'una cançò
Lo que la mort tanca i captiva
sols per la vida ès deslliurat
basta una noia amb la veu viva
per redimir la humanitat" [16]

Muestras éstas todas de la fantasía forjada en la Edad Media en las tres lenguas peninsulares que tienen, como se ha visto, capacidad para vivir plenamente en nuestros días.

---

16 Juan Maragall. *Obra Poética* (versión bilingüe). Ed. intr. n. de Antoni Comas. Trad. J. F. Vibos Jové, Madrid, Castalia, 1984, p. 1003.

La imaginación verbal en la literatura del medioevo

Vicente Beltrán

La literatura medieval desarrolló una fuerte tendencia a la coherencia lógica del discurso, deudora del rigorismo escolástico, cuyos mejores frutos están entre las obras más divulgadas de este ciclo: la novela artúrica en prosa, con su estructura en episodios paralelos y caballeros cuyas aventuras confluyen en un punto determinado o la notable —y para nuestro gusto artificiosa— trabazón de la poesía doctrinal, articulada en torno al andamiaje de las personificaciones y la alegoría. Pero junto a estas obras, no faltan manifestaciones de creatividad basadas a menudo en la ruptura de los elementos de cohesión textual, la asociación insólita de los contenidos y el desarrollo de grupos léxicos traídos simplemente por la atracción de la rima, de su entorno fónico o de la alternancia de morfemas derivativos.

En sus estudios sobre Dante, señala Peter Dronke una extraña tradición, presente en todo el medioevo, cuyo punto de partida son las lenguas imaginarias. El testimonio más antiguo pertenece al siglo II: un rey de pantomima habla griego, pero la acción transcurre en unas islas del Indico y las nativas usan una lengua que hoy nos suena a semítica: *Kraunou. Lalle. Laitalianta lalle...* De Hildegarda de Bingen, conservamos una lengua con novencientas palabras, de la que elaboró un glosario en latín, y que usa para esmaltar sus poesías con términos enigmáticos; y desde este momento pueden rastrearse numerosos testimonios de lo que hemos de considerar ya una tradición literaria: el *Ordo stellae* de Rouen, del siglo XII, el *babariol babariol/ barbarian* de Guillermo de Peitieu, Jean Bodel y Rutebeuf; del arraigo popular de esta tradición da testimonio la fiesta de la *cornomannia*, documentada en Roma desde el siglo IX; mientras el sacerdote bendecía las casas, el sacristán cantaba dos versos en "lengua bárbara": *Iaritan, Iaritan, Iarariasti,/ Raphayn, Iercoyn, Iarariasti.* Por una parte, nos encontramos ante lo que hemos de considerar una tradición carnavalesca, donde no se pretendía otra cosa que el disparate lingüístico como parte de una fiesta; por otra, un recurso de tipo letrado, basado en la destrucción de los mecanismos del lenguaje o en la creación de una lengua nueva, con resonancias exóticas y extrañas sugestiones. Ambas serán dos orientaciones frecuentes entre los poetas medievales, cuyas manifestaciones encontraremos preferentemente entre los más cultivados y conscientes de su arte.

Muy semejantes son los principios creadores de dos géneros líricos franceses, la *fatrasie* y la *resverie*. La primera construye poemas con forma externa de canción cortés; el texto, sin embargo, se complace en romper sistemáticamente las reglas que rigen la asociación de palabras, incidiendo especialmente en unos campos semánticos muy delimitados: la obscenidad, la suciedad, el alimento... Las funciones primarias de la vida humana, sometidas en todas las épocas a fuertes tabús que el género se complace en romper. La *fatrasie* establece una técnica más sutil, donde no faltan resonancias de la fraseología propia de otros géneros líricos. Es un juego muy sencillo de asociación de frases que en sí, aisladamente, tienen un sentido transparente y hasta banal; sin embargo, la rima articula, bajo unas mismas resonancias fónicas, dísticos cuyo contenido resulta incompatible:

> Nus ne doit estre jolis
> s'il n'a amie.
> J'aim autant crouste que mie
> quant que j'ai fain.

La rima *mie/amie* es banal en la canción de mujer:

> —Ovrez moi l'uis, bele trés douce amie.
> —Ralez vos en, vos n'i entrerroiz mie,
> car mes mariz, li jalous couz, i est.

El primer dístico, propio de un estribillo de canción de mujer, queda asociado, con la misma rima, a un segundo dístico con cuyo significado no guarda relación alguna. El equívoco de *mie*, miga de pan, no hace sino subrayar el contraste entre una frase en lengua poética bien codificada y la más simple manifestación del hambre. Asociación fónica es en este caso ruptura semántica, rompiendo así uno de los principios de la lengua literaria del medioevo.

Estos dos ejemplos ilustran una corriente creadora de la literatura medieval explícitamente orientada hacia la forma lingüística y más concretamente a la ruptura de las limitaciones que el propio código ofrecía a la imaginación del escritor. Sin embargo, nos encontramos ante manifestaciones extremas de esta tendencia y no podemos sino considerarlas casos excepcionales, representativos sólo en calidad de indicios. Nos interesan hoy otro tipo de creaciones, más respetuosas con las limitaciones de la gramática, pero más frecuentes y, a largo plazo, más fértiles.

Resulta bien sabido que la teoría literaria medieval estratificó lo que entonces se conocía como las *flores* del discurso, los procedimientos del ornato literario, en tres órdenes: figuras de la expresión, figuras del contenido y tropos. En su concepción jerárquica de los temas y los géneros, las primeras se correspondían con el estilo ínfimo, las segundas con el medio y los tropos con el estilo elevado; sin embargo, y a pesar del empeño de Dante en reservar la canción para el ejercicio exclusivo de los mayores refinamientos, este género nunca permaneció cerrado al encanto de las figuras de la expresión, aún cuando estuvieran subordinadas a otro tipo de recursos. Para demostrarlo, nos centraremos ahora en un tipo amplio y muy individualizado, el que se basa en la repetición de palabras.

Nathaniel Smith, que dedicó un amplio estudio a este tipo de figuras en la lírica provenzal, resumió en dos cuadros las diversas terminologías que se les atribuyen en los estudios retóricos de Lausberg y en las *Leys d'Amors:*

/.../	a metrical or syntactic group
x	a repeated word or expression
y	a second repeated word or expression
( )	an optional element

Chart 1:

Figures of Word Repetition in Medieval Rhetoric

position of repeated words or expressions in metrical or syntactic groups	name in classical and medieval rhetoric
1. general	condeplicatio, repetitio
2. /x..x/	redditio, inclusio, epanadiplosis, kyklos, prosapodosis
3A. /(..)xx(x)(..)/	iteratio, pallillogia, epizeuxis
3B. /(..)x..x(..)/	separatio, interiectio, diakote, diastole
3C. /(..)xyxy(..)/	repetitio, epanalepsis
4. /x../x../	anaphora, repetitio
5. /..x/..x/	epistrophe, conversio, epiphora
6. /...x/x../	reduplicatio, anadiplosis, epanadiplosis, epanastrophe
7. /x..y/x..y/	complexio
8. /..x/x..y/y../	gradatio, climax, ascensus, conexio, catena, epiploke

(3A y 3B agrupadas: geminatio)

Chart 2:

Figures of Word Repetition in the "Leys d'amors"

| position of repeated words or expressions in metrical groups (i.e., verses) | | name according to the Leys d'amors | | |

		VICE	FIGURE	FLOWER	COBLAS
1.	general	mot pesan		conduplicatio	deffrenadas
2.	/x..x/		epinalenzi		recordativas
3.	/(..)xx(..)/	"	{ epizeuzi / epymone[19] }		affectuosas
4	/x../x../	"	anafora	repetitio	capdenals
5	/..x/..x/	{ mot tornat / bordo tornat }		conversio	retronchadas
6	/..x/x../		anadyplozi		
7	/x..y/x..y/			complexio	duplicativas
8	/..x/x..y/y..z/		anadyplozi		capfinidas
9A.	/..x..x/				
		{ pauza / tornada }		conversio	
9B.	/..x../..x../				

(N. Smith, *Figures of Repetition in the Old Provençal Lyric* Chapel Hill, North Carolina Studies in the Romance Languages and Literatures, 1976, pgs. 75 y 76).

Como se puede observar, y aún haciendo abstracción de la proliferación terminológica, su número resulta muy elevado, debido por una parte a la nómina de las palabras en repetición, por otra a su posición en el seno de la frase. Naturalmente, cuando este sistema se aplica a un texto románico en verso, los límites de la frase quedan suplidos por los del verso y la estrofa, con el refuerzo que la rima aporta a los recursos eufónicos y repetitivos. De ahí la multiplicidad de la terminología provenzal.

Con todo, hoy no nos interesa la terminología sino indirectamente, en cuanto supone una valoración de la importancia que la repetición léxica recibía en la escala de valores de la crítica coetánea, por más que hoy nos sorprenda. En realidad, aquí nos limitaremos al uso histórico de este procedimiento, con especial atención a dos escuelas poéticas: la galaico-portuguesa y la castellana de los cancioneros, que compendian la tradición lírica del centro y occidente peninsular.

Que la tradición venía de lejos nos lo demuestra uno de los poemas más divulgados y estimados de la escuela provenzal, *Can vei la lauzeta mover* de Bernart de Ventadorn:

I   Can *vei* la lauzeta mover
de *joi* sas alas contra l rai,
que s'oblid'e s *laissa* chazer
per la doussor c'al *cor* li *vai*,
ai! *tan* grans enveya m'en *ve*   5
de cui qu'eu *veya jauzion*,
meravilhas ai, car desse
lo *cor* de *dezirer* no m fon.

II Ai, las! *tan* cuidava *saber*
d'*amor*, e *tan* petit en *sai!*   10
car eu d'amar no m posc tener
celeis don ja pro non *aurai*.
Tout m'*a* mo *cor*, e *tout* m'*a* me,
e se mezeis'e tot lo mon;
e can se m *tolc*, no m *laisset* re   15
mas *dezirer* e *cor* volon.

(Bernart de Ventadorn, ed. Appel.)

Para nosotros representa el ejemplar más puro de un arte basado en la naturalidad; sin embargo, al subrayar en sus dos primeras estrofas las palabras repetidas —aún excluyendo las que aquí aparecen, pero no se repiten hasta más adelante— encontraremos de once raíces —omitimos también los términos sin contenido léxico— que cubren hasta un total de veintiséis ocurrencias, un promedio de 2,36 veces cada una. Pero conviene que observemos de cerca esta lista:

Palabras repetidas:

vei (v. 1), veya (v. 6)
joi (v. 2), jauzion (v. 6)
laissa (v. 3 y 15)
vai (v. 4), ve (v. 5)
dezirer (v. 8 y 16)
saber (v. 9), sai (v. 10)
amor (v. 10), amar (v. 11)
aurai (v. 12) a (v. 13 dos veces)
tan (v. 5, 9 y 10)
tout (v. 13 dos veces), tolc (v. 15)
cor (v. 4, 8, 13, 16)

Notemos cómo *ver, joi, dezirer, saber, amor-amar, tolre* y *cor* son vocablos que hemos de situar entre los más banales, por imprescindibles, en la canción de amor trovadoresca, y cómo *tolre* y *cor*, los dos más afines al tema de la composición —el corazón que pierde el sentido por la fuerza del sentimiento y por la enajenación de que ha sido objeto— son también los más repetidos. Vemos pues cómo la expresión al parecer más natural y afín a nuestra sensibilidad estética de todo el legado trovadoresco está plagada de un recurso tan elemental y tan alejado de nuestro gusto.

Con todo, el poema no es sino una pálida muestra del uso que los trovadores galaico-portugueses harán de la repetición léxica. Los teóricos del medioevo aconsejaban como procedimiento adecuado para la *amplificatio*, uno de los sistemas predilectos de creación literaria, la reiteración de los mismos contenidos variando su expresión; y esta concepción era concorde en todo con una de las técnicas poéticas tradicionales de la Península y de todas las literaturas primitivas: el paralelismo. *La cantiga de amor*, a partir de estos principios, desarrolló una estética basada en la reiteración de contenidos a lo largo de las tres estrofas de que habitualmente constaba. Sus formas más desarrolladas adornaban este procedimiento mediante un matizado juego de variaciones y reiteraciones que afectaban simultáneamente a los contenidos, la fraseología y el vocabulario. Y el autor del *Arte de trobar* galaico-portugués del siglo XIV prestó especial atención a sus manifestaciones léxicas en la definición del *dobre* y el *mozdobre*; el primero consistiría en la mera repetición de palabras, el segundo alteraría su forma por medio de la flexión, y en ambos casos exigía que se repitieran en el mismo lugar del verso o de la estrofa.

Quizá este último requisito se deba más a la obsesión taxonómica y formalista de la escolástica que el uso de los trovadores. En realidad, los teóricos que se ocupan del tema encuentran muy pocos casos inventariables cuando lo toman en serio; carece por tanto de sentido aceptar esta restricción formal, pues el uso asistemático resulta ser una de las claves de la creación poética en esta escuela. Aquí procederemos también al margen de los usos codificados por la preceptiva provenzal, como las *coblas capfinidas, coblas capdenals, mot-refranh,* etc., que no son sino otros casos particulares del mismo fenómeno, para centrarnos en la mera repetición de palabras dotadas de contenido léxico, sea cual fuere el lugar donde aparecen o la modalidad de su repetición. Para ello consideraremos esta cantiga de amor:

Nostro *Senhor*, quen m'*oj*'a min *guisasse*
o que eu *nunca guisad' averei*,
a meu *cuidar*, per quanto poder *ei*,
ca *non sei og'* eu quen s'*aventurasse*
5   ao que m'eu *non* ous' *aventurar*,
pero me *veg'* en *mayor coit'* andar
ca outra *coita* que oj' om' achasse!

Algun amigo meu, se s'*acordasse*,
e *acordado foss'* en me partir
10 ante da terra, e leixasse-m'ir!
E *pois* eu *ido fosse*, el *chegasse*
u de *chegar* eu *ei mui gran* sabor
(*u est* a *mui* fremosa mia *senhor*),
e lh' o *gran ben*, que lh'eu quero, contasse!

15 E mo *dissesse pois*, se lhe pesasse,
pero m'a min *pesaria muit'* én,
¡se *Deus* me valha! Mas *faria ben*
quand' eu *viss'* ela *pois*, que lhe *jurasse*
qual *mayor jura soubesse fazer*
20 que *nunca* lhe *soubera ben*-querer
en *tal* razon per que m'ela 'stranhasse!

E des i *pois*, que m'eu assi *salvasse*,
¡se *Deus* me *salve!* que *nunca* o meu
mal mais diria de mia *coita* en
25 a mia *senhor*, pero que me *matasse*
o seu amor —que xe me *matará*,
e[u] o *sei*, ced',*u* al *non averá*-
ca *nunca* fei quen tal coita levasse.

Com'eu *levo;* nen *foi* quen s'end' osmasse.

(C. Michaëlis, *Cancioneiro de Ajuda*, vol. I, Halle, 1904, n° 221).

Nada sabemos del autor, Fernan Gonçalves de Seabra o de Sanabria; basándose exclusivamente en la posición de su obra dentro del Cancionei-ro da Ajuda, Carolina Michaëlis lo sitúa a mediados del siglo XIII, quizá en la época alfonsí si atendemos a la extremada elaboración formal de esta y otras de sus cantigas. El esquema estrófico es banal en su escuela (fue usado un total de 297 veces); la longitud del poema, cuatro estrofas, es atípica, y propia de la corriente más artística, y lo mismo cabe decir de la repetición de idéntica rima en primera posición de la estrofa (*-asse*) y de la *fiinda*, de claro sabor provenzalizante. Estos rasgos, aún si incluimos los casos de *rim derivatiu* (I,4 —*aventurasse*—/I,5 —*aventurar*—, I,2 —*averei*—/I,3 —*ei*—/IV,6 —*averá*—, IV, —*matasse*—/IV,5 —*matará*—), apenas dejan traslucir su cuidadísima elaboración técnica, basada en la repetición de vocablos.

La comprensión literal del poema resulta gravemente dificultada por este recurso, pero también por la multiplicación de incisos y por la maraña sintáctica que cubre cada estrofa, como resulta frecuente en este tipo de cantigas. En la primera, el autor se queja de la imposibilidad en que se encuentra para cumplir su deseo o que alguien lo cumpla por él; en la segunda, se desvela un tanto el argumento: desearía que algún amigo se desplazara hasta donde está su señora después que él mismo se hubiese ausentado. En la tercera, sigue expresando su deseo: que el amigo le relatara su embajada con el fin de que él mismo cobrara fuerzas para confesar su amor a la dama, que lo ha extrañado de su tierra. Después —cuarta estrofa— esperaría dichoso la muerte por amor. La comprensión queda también dificultada por la mala puntuación: se trata sin duda de una cantiga *ata a fiinda*, cuyo sentido discurre ininterrumpidamente hasta el final mediante el encabalgamiento sucesivo de versos y estrofas; al haber ignorado su editora este extremo, toda la estructura sintáctica queda alterada. Nos encontramos por tanto ante una cantiga de amor de altísima elaboración retórica y comprensión difícil, una de las más complicadas en un género erizado de dificultades.

Sin embargo, sólo el artífice de la repetición léxica es capaz de dar cumplida cuenta de su complejidad. En el texto hemos subrayado todos los sustantivos, adjetivos calificativos, verbos y adverbios que entran en algún tipo de repetición de lexemas y, como se puede observar, apenas quedan términos que no lo estén; haremos dos listas, una con los vocablos repetidos, otra con los que no lo están:

Repetidos	*No repetidos*
acordar (v. 8 y 9)	achar (v. 7)
aventurar (v. 4 y 5)	algun (v. 8)
aver (v. 2, 3, 12 y 27)	amigo (v. 8)
ben (v. 14, 17 y 20)	amor (v. 25)
chegar (v. 11 y 12)	andar (v. 6)
cuidar (v. 3) y coita (v. 6, 7, 24 y 28)	ante (v. 10)
Deus (v. 17 y 23)	assi (v. 22)
dizer (v. 15 y 24)	cedo (v. 27)
fazer (v. 17 y 19)	contar (v. 14)
gran (v. 12 y 14)	deixar (v. 10)

Repetidos	No repetidos
guisar (v. 1 y 2)	estranhar (v. 21)
ir (v. 10 y 11)	fremosa (v. 13)
jurar (v. 18) y jura (v. 19)	mal (v. 24)
levar (v. 28 y 29)	mais (v. 24)
matar (v. 25 y 26)	ome (v. 7)
mayor (v. 6 y 19)	osmar (v. 29)
mui (v. 12 y 13) y muit' (v. 16)	ousar (v. 5)
non (v. 4, 5 y 27)	outra (v. 7)
nunca (v. 2, 20, 23 y 28)	partir (v. 9
oge (v. 1, 4 y 7)	poder (v. 3)
pesar (v. 15 y 16)	quando (v. 18)
pois (v. 18 y 22)	quanto (v. 3)
saber (v. 4, 19, 20 y 27)	razon (v. 21)
salvar (v. 22 y 23)	sabor (v. 12)
seer (v. 9, 11, 13, 28 y 29)	terra (v. 10)
senhor (v. 1, 13 y 25)	valer (v. 17
tal (v. 21 y 28)	
u (v. 12, 13 y 27)	
veer (v. 6 y 18)	

Como se puede observar, hay sólo veintiséis vocablos no repetidos contra veintinueve que sí lo están; y éstos lo están un total de 2,7 veces cada uno hasta alcanzar las 78 palabras. Es una cantidad muy alta; sobre las 105 palabras de base léxica que cuento en esta cantiga, las que están representadas por vocablos no repetidos no alcanzan sino el 25,70%. Las tres cuartas partes de la composición quedan así cubiertas por palabras objeto de repetición, y no hemos contabilizado los artículos, pronombres, adjetivos determinativos, preposiciones ni conjunciones, que por pertenecer a paradigmas limitados aumentarían necesariamente esta proporción. Vemos, pues, cómo *dobre, mozdobre, mot-refranh, coblas capfinidas,* etc., no son sino casos particulares —y aislados— de una tendencia retórica inconmensurablemente más rica y compleja, que constituye la auténtica marca de esta escuela. Y esto es aún más sorprendente si observamos que en esta cantiga apenas podemos señalar rasgos paralelísticos: como en las composiciones provenzales, el contenido progresa de una a otra estrofa, aunque algunos elementos repetidos en las contiguas evitan un efecto de sorpresa al lector avezado a las técnicas del paralelismo.

También resulta interesante observar el procedimiento de estas repeticiones. Es curioso constatar que términos tan frecuentes en la cantiga de amor como *amor, fremosa, deixar, mal, ousar, partir, poder* y *valer* aparecen una sola vez y que, como antes vimos, el número de vocablos repetidos exclusivamente en la rima es muy bajo, sólo seis. Esto resulta muy significativo: decíamos que en la cantiga había un total de 105 palabras de componente léxica, de las que 78 procedían de la repetición de 29 vocablos; la longitud total del poema es de 29 versos, por lo que aquellas 105 palabras se distribuyen a un promedio de 3,6 por verso. ¿No resulta extraño que sólo seis aparezcan exclusivamente en la rima? Por otra parte, si exceptuamos unos pocos comodines lingüísticos (*aver*, *mui* y *muito*, *non*, *nunca*, *oge*, *seer*, *u*) y unos pocos vocablos más, todos muy frecuentes en la cantiga de amor (*ben*, *cuidar* y *coita*, *saber* y *senhor*), todos los demás no aparecen sino dos veces, y casi siempre en versos consecutivos (*acordar*, *aventurar*, *chegar*, *guisar*, *ir*, *jurar-jura*, *levar*, *matar*, *pesar* y *salvar*) o a dos versos de distancia (*fazer* y *gran*):

Repeticiones en versos consecutivos

> guisar (v. 1 y 2)
> aver (v. 2 y 3)
> non (v. 4 y 5)
> aventurar (v. 4 y 5)
> coita (v. 6 y 7)
> acordar (v. 8 y 9)
> seer (v. 9 y 10, 28 y 29)
> ir (v. 10 y 11)
> chegar (v. 10 y 11)
> u (v. 11 y 12)
> mui (v. 12 y 13)
> gran (v. 12 y 14)
> pesar (v. 15 y 16)
> fazer (v. 17 y 19)
> jurar-jura (v. 18 y 19)
> saber (v. 19 y 20)
> salvar (v. 22 y 23)
> matar (v. 25 y 26)

Fuera de estos dos casos sólo quedan unas pocas palabras repetidas a distancia mayor, unas de escasa significación en el contexto del poema *(dizer, mayor, tal)*, otras tan frecuentes en este género *(Deus, veer)* que mucho nos sorprendería encontrarlas una sola vez. Y es ahora cuando podemos observar la función de la rima: son muchas las palabras que aparecen primero allí, luego en el interior del verso siguiente o poco después: *guisasse* (v. 1) -*guisado* (v. 2), *acordasse* (v. 8) -*acordado* (v. 9), *ir* (v. 10) -*ido* (v. 11), *chegasse* (v. 11) -*chegar* (v. 12), *pesasse* (v. 15) -*pesaria* (v. 16), *jurase* (v. 18) -*jura* (v. 19), *salvasse* (v. 22) -*salve* (v. 23), *levasse* (v. 28) -*levo* (v. 29). Este procedimiento cubre dieciséis versos, más de la mitad; y aumentan a veintitrés si sumamos los casos de *rim derivatiu* que enunciamos más arriba; la rima actúa por tanto como un refuerzo de la repetición léxica, aumentando su eficacia con el énfasis que impone a las palabras allí situadas.

Este rastreo permite deducir la técnica compositiva de la cantiga que estudiamos: el autor partió de una situación típica (la ausencia por orden de la dama, la timidez para confesar el amor y obtener el perdón y la intercesión de los amigos) pero estructuró el poema sin recurrir al paralelismo fraseológico y de contenido que resulta habitual. La selección temática justifica la escasa presencia de ciertos términos como *fremosa* (que pertenece al tópico de la descripción femenina) o *amor, mal, poder* y *valer* (usados normalmente para encarecer el propio sentimiento), pero no explica la naturaleza de los vocablos repetidos: el autor no hizo sino elegir cada vez aquél que podía reiterar sin excesivas dificultades en el verso o los versos siguientes, como puede observarse.

En efecto, son pocos los que figuran en el sector más topificado del género (*guisar, coita, pesar, saber, matar*); el único rasgo que tienen en común es aparecer repetidos en versos contiguos o con un máximo de un verso interpuesto. Por otra parte, esto no significa que el autor fuera indiferente a la eficacia artística de cada uno; los términos de escaso relieve semántico (*aver, non, seer, u, mui, gran*) aparecen en el mismo grupo de versos asociados a otros de mayor peso específico:

guisar (1 y 2):	*aver* (2 y 3):	*non* (4 y 5):	*aventurar* (4 y 5)
acordar (8 y 9):	*seer* (9 y 10):	*ir* (10 y 11):	
	seer (28 y 29):	*levar* (28 y 29)	
chegar (11 y 12):	*u* (12 y 13):	*mui* (12 y 13):	*gran* (12 y 14):
		pesar (15 y 16)	

El autor era por tanto consciente de la escasa eficacia de este pequeño grupo y lo reforzó constantemente con vocablos más perceptibles. El conjunto de estos diecinueve términos es, en el fondo, la razón de ser de un poema que hemos de entender como el resultado de un proceso de investigación estética, un juego literario o un desafío a la propia capacidad creadora. Y es esta experimentación el fenómeno más característico de la cantiga de amor entre los géneros poéticos de la Romania, el rasgo capaz de atraer nuestro interés cuando el tema y la lengua han quedado ya irremediablemente lejos de nuestra sensibilidad.

Esta concepción de la obra lírica no quedó arrinconada en el desván de la historia cuando desapareció la escuela galaico-portuguesa, en un periodo impreciso para nosotros, pero que podemos situar entre el reinado de Alfonso XI (1312-1350) y el de Enrique II (1390-1406). El *Cacionero de Baena*, que recoge la producción poética del cambio de siglo, ha conservado una terminología que para nosotros resulta preciosa; allí reaparecen expresiones como *doble* y *mozdobre*, y el examen de sus usos retóricos acredita la continuidad entre ambas escuelas, que viene a confirmar aquella afirmación del Marqués de Santillana: "non ha mucho tienpo cualesquier dezidores e trobadores destas partes, agora fuessen castellanos, andaluzes o de la Extremadura todas sus obras componían en lengua gallega o portuguesa". El alcance exacto de estas palabras podemos apenas entreverlo por la pérdida de toda la producción poética del siglo XIV, pero sus efectos perduran hasta muy tarde. Tampoco conservamos ningún arte poética digna de este nombre entre el *Arte de trobar* galaico-portugués y el *Arte de poesía castellana* de Juan del Encina, ya al filo del quinientos, y sin embargo, basta leer las escasas líneas referidas a figuras retóricas para reencontrar un mundo que nos resulta muy familiar:

> "Ay tan bien mucha diversidad de galas en el trobar, especialmente de cuatro o cinco principales devemos hazer fiesta. Ay una gala de trobar que se llama encadenado que en el consonante que acaba el vn pie en aquel comiença el otro (...) Ay otra gala de trobar que se llama retrocado que es quando las razones se retruecan (...) Ay otra gala que se dize redoblado que es quando se redoblan las palabras (...) Ay otra gala que se llama multiplicado que es quando en vn pie van muchos consonantes (...) Ay otra gala de trobar que llamamos reyterado que es tornar cada pie desde vna palabra (...) Estas y otras muchas galas ay en nuestro castellano trobar, mas no las devemos usar muy a menudo que el guisado con mucha miel no es bueno sin alguns sabor de vinagre".

De estas cinco "galas principales" de las que, según Encina, "devemos fazer fiesta", tres (*retrocado*, *redoblado* y *reyterado*) son otros tantos procedimientos para la repetición de palabras; y una cuarta, el *encadenado*, es definida como una repetición de rimas, pero el ejemplo que da pertenece de lleno al tipo que nos interesa:

> Soy contento de ser *cativo*
> *cativo* en vuestro *poder*
> *poder* dichoso ser *bivo*
> *bivo* con mi mal *esquivo*
> *esquivo* de no querer...

Por si esta evidencia no bastara a nuestro propósito, recordaremos que *encadenado* es término usado por Juan Alfonso de Baena para describir idéntico recurso que Juan del Encina; también Santillana afirma que "destos —los trovadores galaico-portugueses— es cierto rescebimos los nombres del arte, asy commo maestria mayor e menor, encadenados, lexapren e mansobre".

Sin embargo, los autores del siglo XV llegaron mucho más lejos que sus antecesores en este difícil arte de la composición verbal. Estudiaremos el uso que hizo el más importante de nuestros poetas de este siglo, Jorge Manrique, en una de sus composiciones más conocidas:

> Quien no estuviere en presencia
> no tenga fe en confianza,
> pues son olvido y mudanza
> las condiciones de ausencia.
>
> Quien quisiere ser amado
> trabaje por ser presente,
> pues cuan presto fuere ausente,
> tan presto será olvidado;
> y pierda toda esperanza
> quien no estuviere en presencia,
> pues son olvido y mudanza
> las condiciones de ausencia.

Es una canción característica, con todos los elementos definitorios del género: un estribillo con el tema inicial y una glosa estrictamente zejelesca, articulada en dos partes: una mudanza, de rimas distintas del estribillo, y una vuelta que no sólo repite éstas, sino que termina con los mismos versos que la estrofa inicial. Todo ello está construido sobre la contraposición de dos conceptos, *presencia/ausencia* y *amor/olvido*, pero lo realmente significativo es su articulación en dos series de palabras que se organizan correlativamente en las tres estrofas, mediante su mera repetición en estribillo y vuelta (*presencia, mudanza* y *ausencia*) o mediante derivados léxicos en la mudanza (*presente, ausente*); y siempre en la rima, el lugar del verso donde resultan subrayadas por el énfasis de la repetición fónica y por la pausa sintáctica y versal combinadas. No podemos negar que tras este poema viva una situación personal —la insinceridad es la acusación más frecuente que pesa sobre la poesía de esta escuela— pero lo mejor de la composición, lo que más preocupaba a Manrique y donde estriba su lección de poesía, está en la experimentación formal, la elaboración estética del poema; para estos autores, la vida no era en sí misma materia poética: debía ser traspuesta en vivencia artística, limada, depurada y elaborada, dignificada por la forma, como lo eran las figuras humanas y su entorno en la idealización plástica de los pintores italianos del *quattrocento* y en los tapices de los siglos XV y XVI. La realidad no era materia del arte, sino sus arquetipos; era el imperio de lo que Huizinga llamó el ideal de una vida más bella. Y los poetas lo persiguieron depurando su instrumento más genuino: el lenguaje.

El género literario más apropiado para este tipo de creación poética fue la canción cortés. De origen trovadoresco, alcanzó su forma definitiva en el período inmediatamente anterior a Jorge Manrique, en los autores coetáneos del Marqués de Santillana y Gómez Manrique. Pero fue el propio Jorge Manrique quien le dio su carácter definitivo al potenciar la expresión por el énfasis de los recursos léxicos y, sobre todo, por el uso del conceptismo.

Resulta bien sabido que sus creadores no fueron los autores del barroco, sino los poetas del *Cancionero General de muchos y diversos autores* que en 1511 publicó el editor valenciano Hernando del Castillo, y por el que los escritores del XVII mostraron una admiración sin límites. Pero la poética del conceptismo, que no es sino un orden distinto de la creatividad verbal, nace de esta misma tradición y de la mano del propio Jorge Manrique, un clásico ya en aquel cancionero. Conocemos bastante bien el círculo literario en que se formó: Pero Guillén de Segovia, Gómez Manrique, Juan Poeta... y los de su propia generación que con él convivieron en la corte toledana de Gómez Manrique y el arzobispo Carrillo: Juan Alvarez Gato, Guevara, Rodrigo de Cota. Ninguno usó el conceptismo en la proporción y con la eficacia artística que distinguen las canciones de Manrique, y sin embargo fue rápidamente superado por sus seguidores.

Veamos una canción suya y la imitación de que fue objeto por el Comendador Escrivá, mucho más conocida que la manriqueña. Esta comienza con este estribillo:

> No tardes, muerte, que muero,
> ven, porque biva contigo;
> quiéreme, pues que te quiero,
> que con tu venida espero
> no tener guerra comigo.

Como decía Gracián, debe su encanto a "una propuesta extravagante y la razón que se da de la paradoja"; el autor nos sorprende pidiendo la muerte, pero acaba dándonos una explicación aceptable. Estos versos fueron el punto de partida de la famosísima canción del comendador Escrivá:

> Ven, muerte, tan escondida
> que no te sienta comigo,
> porque el gozo de contigo
> no me torne a dar la vida.

De Manrique toma la invocación (*ven, muerte*), la antítesis *muerte/vida* y las rimas *contigo/comigo*; sin embargo, su estribillo es más conciso y en lugar de dar una explicación lógica de por qué pide la muerte, la sustituye por una nueva paradoja: *que el gozo de contigo/no me torne a dar la vida*.

La mudanza y la vuelta de Manrique, sin menoscabo de su belleza, se explayan en la explicación de los hechos, reiterando al final la paradoja del principio:

> Remedio de alegre vida
> no lo hay por ningún medio,
> porque mi grave herida
> es de tal parte venida
> que eres tú sola remedio.
> Ven aquí, pues, ya que muero;
> búscame, pues que te sigo;
> quiéreme, pues que te quiero,
> y con tu venida espero
> no tener vida comigo.

El comendador Escrivá sigue el camino inverso: la mudanza reitera el contenido del estribillo, pero lo refuerza mediante el simil con el rayo:

> Ven como el rayo que hiere,
> que hasta que ha herido,
> no se siente su ruido
> por mejor herir do quiere.

La vuelta es lo más notable:

> así sea tu venida,
> si no desde aquí me obligo
> que el gozo que habré contigo
> me dará de nuevo vida.

Insiste en las mismas paradojas, pero cambia su formulación; el subjuntivo (*no me torne a dar la vida*) se convierte en futuro (*me dará de nuevo vida*), saltando del plano de lo virtual al plano de lo real. Como postulaba Gracián en la exposición de este tipo de conceptos, resuelve la paradoja con una paradoja mayor: "en entrambas se halla la disonancia, y se dobla entonces la agudeza".

El trecho que separa ambas composiciones es el que media entre la poesía manriqueña y la del *Cancionero General*. Gracián sólo cita una canción de Manrique, *Justa fue mi perdición*, sin elogio directo alguno. Al comendador Escrivá lo llama "eminente ingenio valenciano, cuyas obras andan entre las de los antiguos españoles"; y esta última expresión no es sino un nuevo elogio, pues las composiciones de estos autores, los del *Cancionero* de Hernando del Castillo, "todo lo echaban en concepto, y así están llenas de alma y viveza ingeniosa". Sin embargo, su opinión de Manrique está probablemente compendiada en el juicio que le merecen las *Coplas a la muerte de su padre:* "no tienen otra eminencia sino la sublimidad de una verdad importante, substancial y muy prudente"; y aunque éste es, según Gracián, otro tipo de concepto, no podemos menos que anotar la falta de toda alusión al artificio y al ingenio, los máximos valores en su escala.

El comendador Escrivá cierra, pues, un ciclo literario que habíamos
visto abrirse con los trovadores galaico-portugueses; ambas escuelas con-
cebían la lengua poética como un artificio eminentemente verbal, y ambas
daban al poema una estructura basada en la organización artística del
vocabulario. La experiencia vital —y esto es válido para toda la poesía
medieval— sólo era objeto del arte cuando podía ser trasmutada en objeto
lingüístico, y eran las características técnicas del poema las que le daban
razón de ser. Entre Fernan Gonçalves de Seabra y el comendador Escrivá
van múltiples diferencias: de la mera repetición léxica se ha pasado al
conceptismo, del texto de estructura abierta, a la forma fija de la canción
cuatrocentista. Pero su punto de partida era exactamente el mismo, la de un
arte eminentemente verbal. Pocos años después vendría el petrarquismo,
que identificaba la expresión lírica con el sentimiento elegíaco e imponía
una relación más estrecha entre el arte y la experiencia sentimental. Desde
la óptica de la naturalidad que con ellos entró en la expresión literaria,
Boscán podía decir de estos poetas que "sólo se mueven al son del conso-
nante". Pero para nosotros queda vigente su empeño formalista, su obsesión por la experimentación estética. En la violenta reacción poética que
marcó la década pasada podían leerse afirmaciones como estas de Guillermo Carnero: "Según la Tercera Tesis del Círculo de Praga, la finalidad del
lenguaje no es comunicar (...) El lenguaje poético se distingue de los
demás sistemas semiológicos en que pretende poner de relieve el valor
autónomo, y no instrumental, del signo", o "poetizar es ante todo un
problema de estilo"; por su parte, Vicente Molina Foix defendía el "interés
por el estudio del lenguaje y por la erección de obras sistemáticas, edificios
del estilo, mundos aparte, por sí mismos válidos, no sujetos a alcances de
corto plazo". Son estas coordenadas las que nos permitirán comprender el
arte de la poesía medieval cuyas líneas maestras he intentado reconstruir
esta mañana; naturalmente, la Edad Media nada tiene que ver con el
horizonte estético y cultural de los años setenta, pero en ambos casos la
creación literaria estuvo dominada por la obsesión de la forma, una forma
bella que trasmutara la vida en experiencia estética. Y para terminar me
permitirán que cite los versos con que Guillermo Carnero cerraba su
Ensayo de una teoría de la visión porque constituyen un manifiesto que
habría aceptado cualquiera de los autores que antes estudiábamos:

> Mas no perecerá
> quien sabe que no hay más que la palabra
> al final del viaje.
>   Por ella los lugares,
> las camas, los crepúsculos y los amaneceres
> en cálidos hoteles sitiados
> forman una perfecta arquitectura
> vacía y descarnada como duelas y ejes

de los modelos astronómicos.
Vacío perseguido cuya extensión no acaba
como es inagotable la conciencia,
la anchura de su río
y su profundidad.

Muchas gracias.

El juego de la decapitación

Isabel de Riquer

...mais il es mout sauvage au prendre

Humbaut v. 1486

En algunas novelas de la Materia de Bretaña ambientadas en la corte del rey Arturo y protagonizadas por los caballeros de la Tabla Redonda aparece una peligrosa aventura: la de la prueba o juego de la decapitación. Si muchos motivos o episodios los encontramos con frecuencia en casi todos los *romans* como signos fácilmente identificables de un uso literario, el juego de la decapitación no se prodiga demasiado. Juego cruel y sangriento, estremecedor y espectacular. Juego en el que se pone a prueba el valor o la virtud del héroe, el protagonista. Juego en el que la magia, el *encantement* aparece más o menos claramente y en el que todo no queda siempre explicado.

Cinco son los textos escritos entre finales del siglo XII y el siglo XIV en los que aparece esta aventura, y a pesar de su aparente uniformidad observamos en los cinco algunas diferencias muy significativas[1].

1 *La doncella de la mula.* Edición: B. Orlowsky, *La Damoisele à la Mule (La Mule sanz Frain): Conte en vers du cycle arthurien par Paien de Maisières*, Paris, 1911. R.C. Johnston y D.D.R. Owen, *Two old french Gauvain Romances. Le chevalier à l'épee and La mule sans frein*, Edinburgh and London, Scottish Academic Press, 1972. Traducción española, Isabel de Riquer, *El caballero de la espada y La doncella de la mula*, Madrid, Siruela 1984. A partir de ahora: D.M.

Perlesvaus. Edición: *Le Haut Livre du Graal. Perlesvaus*, editado por William A. Nitze y T. Atkinson Jenkins, 2 vols. Chicago, Univ. of Chicago Press, 1932-37 (rep. New York, Phaeton, 1972). Traducción, Victoria Cirlot, *Perlesvaus o El alto libro del Graal*, Madrid, Siruela, 1986. P.

El Caballero Verde. Edición: I. Gollancz, *Sir Gawain and the Green Knight*, Londres, Oxford University Press, 1966. Traducido al español por Francisco Torres Oliver; Sir Gawain y el Caballero Verde, Madrid, Siruela, 1982. C.V.

Caradós. Livre de Caradoc, historia independiente dentro de las *Continuations of the old french Perceval of Chretien de Troyes. The first continuation*, I, Philadelphia, University of Pennsylvania Press, 1949. C. *Hunbaut. Altfranzösischer Artus-*

El roman que parece más antiguo es *La doncella de la mula,* también conocido como *La mule sans frein;* es un roman en verso, corto, escrito por un tal Paien de Maisières,[2] cuyo protagonista es Gauvain que ha asumido la responsabilidad de ir en busca del freno o bocado de una mula mágica propiedad de la señora de un poderoso castillo. Una de las peligrosas pruebas por las que pasa Gauvain al encontrarse con un gigantesco villano es la siguiente:

> «—Gauvain, he oído hablar muy elogiosamente de ti, te propongo, ahora mismo, una opción, y yo quiero también tener mi oportunidad. Habrás de escoger, según tus deseos. Y Gauvain le prometió que escogería de lo que él le presentara.
>
> —¡Habla ya de una vez! y, si Dios me ayuda, ahora mismo eligiré una de ellas, y no te mentiré en nada porque te tengo por un buen huésped.
>
> —Esta noche —le dijo el villano—, me habrás de cortar la cabeza con esta cortante alabarda; córtamela, y te prometo que, mañana por la mañana, cuando vuelva a verte, te cortaré la tuya. Ahora has de escoger, no tienes más remedio.
>
> —Muy necio seré —contestó Gauvain— si ignoro lo que debo escoger. Haré como tú has dicho: esta noche te cortaré la cabeza, y a la mañana siguiente, te entregaré la mía, si es que la quieres.
>
> —¡Maldito sea el que pide lo mejor! —dijo el villano—, y ahora, ¡sígueme!
>
> Y Gauvain se fue con el villano.
>
> El villano colocó el cuello encima de un tronco y Gauvain cogió la alabarda y le cortó la cabeza de un golpe, sin vacilar. Al momento se puso en pie el villano, recogió su cabeza y entró en la cueva.

---

roman des XIII Jahrhunderts, editado por J. Stürzinger y Dr. H. Breuer, Dresden, 1914. H.

De estos dos últimos romans no hay versión española. Incluyo la traducción de «El Juego de la Decapitación» que aparece en ambos textos. Este episodio también se encuentra en *Diu Krône* del poeta alemán Heinrich von dem Türlin compuesto hacia 1215, y en *The Carl of Carlisle* y en *The Turk and Gawain,* textos en inglés de finales del siglo XIV o principios del XV. Véanse estas referencias en *Arthurian literature en the Middle Ages,* a collaborative history, editado por Roger Sherman Loomis, Oxford, 1959, especialmente los capítulos: 20, 28, 37 y 39.

2 Maisières es una localidad que también está, como Troyes, en la región francesa de la Champaña, por lo que el nombre tiene muchas posibilidades de ser un seudónimo, jugando con el nombre de Chrétien de Troyes, utilizado por el mismo escritor champañés o por otro escritor. D.D.R. Owen, *Paien de Maisières. A joke That Went Wrong,* "Forum Modern Language Studies", II, 1966, págs. 192-196.

Gauvain se volvió a acostar sin esperar más, y durmió pacíficamente hasta el día siguiente.

Al amanecer, Gauvain se levantó y se preparó: y he aquí que apareció el villano, sano y salvo del todo, con su alabarda al cuello. Gauvain creyó volverse loco al ver aquella cabeza que el día anterior él mismo había cortado: a pesar de ello no sintió ningún temor.

El villano, que en modo alguno estaba asustado, le dijo:

—Gauvain, he venido para recordarte tu promesa, ni te la discuto, ni me opongo a ella, pues sé que se debe cumplir.

Y aunque Gauvain deseaba negarse, no quiso comportarse como desleal, porque se había comprometido a ello. Y le dijo que, muy a gusto, mantendría lo que había prometido.

—Venid –le dijo el villano–.

Salieron fuera y Gauvain expuso su cuello sobre el tronco. Entonces le dijo el villano:

—¡Alarga más el cuello!

—¡Por Dios!, ¡si no puedo más! ¡golpea ya de una vez! si es que quieres hacerlo.

¡Que gran pena, qué gran desgracia sería, Dios mío, si el villano se decidiera a hacerlo!

Alzó su alabarda, pero lo hizo para asustarle porque no deseaba tocarle siquiera; porque el villano era muy leal, y bien había mantenido lo que le había prometido».[3]

Sin que se nos dé ninguna clase de explicación acerca del extraño poder sobrenatural del gigantesco villano parece que lo que se quiere destacar es el valor de Gauvain ante la misteriosa aventura y sobre todo que es el héroe elegido porque ha sido el único que ha ido superando todas las difíciles y peligrosas pruebas hasta lograr recuperar el freno de la mula.[4]

La manera que ha tenido el villano de invitar a Gauvain a que participe en esta peligrosa aventura ha sido proponiéndole "una opción" sobre la cual tendrá que "escoger". En la lengua original del roman aparece así esta proposición: *Te partis orendroit un jeu/ et por ce que je voi mon leu./ Si pren tot a ta volonté.* (D.M. vv. 565-567). La expre-

---

3 D.M. págs. 40 y 41.
4 El matiz risueño que tan magistralmente supo combinar Chrétien de Troyes aparece brevemente insinuado en algún pasaje de la D.M., y llega incluso a parecernos honorística la aventura de Gauvain de tomar como empresa la búsqueda del freno de una mula, cuando otros caballeros de la Tabla Redonda, y él mismo, habían salido en busca de la reina Ginebra o del Grial.

sión *partir un jeu, un jeu vos part, le jeu est parti,* etc. se repite en los otros *romans* al tratar el planteamiento de este episodio.[5]

No es nueva esta manera de expresar un dilema para que el interlocutor, adversario en este caso, escoja, tome una de las dos propuestas: *le quel vos plaira prendés* (H. 1499), *je ne sai louquel je preigne* (D.M. 581), etc. En la lírica en lengua provenzal y en francés encontramos esta expresión en el *joc partit* o *partimen* y en el *jeu parti* ante un dilema de casuística amorosa sobre el que dos trovadores deben debatir poéticamente defendiendo cada uno una de las dos opciones que se presentan.[6] Fue una modalidad dentro de la *tensó* con unas reglas particulares que otorgaron al género mayor vistosidad al presentar ya en la primera estrofa los dos temas a debatir y llegó a convertirse en un juego de sociedad.

Dentro de la literatura medieval no lírica en lengua vulgar también aparece esta expresión fuera del contexto amoroso; Paul Rémy la ha estudiado[7] relacionándola con el vocabulario habitual de los jugadores, especialmente de ajedrez y de dados, que ante dos alternativas debían optar entre una jugada u otra. Su gran divulgación se acomodó con facilidad en la literatura para expresar un dilema o alternativa en cualquier contexto, fuera épico, lírico o narrativo.

En los cuatro *romans* en que aparece la expresión *partir un jeu,* D.M., H., P. y C.V. (en C. no aparece esta fórmula) los términos de la alternativa no están muy claros o falta alguno de los elementos, por lo que no existe una verdadera opción entre dos cosas como ocurre en la lírica. Según P. Rémy son *"faux jeu parti"* puesto que sólo proponen la expresión *partir un jeu,* optar entre dos soluciones.

D.M. "Esta noche, dijo el villano, me habrás de cortar la cabeza con esta cortante alabarda; córtamela y te prometo que mañana por la mañana cuando vuelva te cortaré la tuya. Ahora has de escoger, no tienes más remedio". ¿Entre qué ha de escoger Gauvain? ¿Qué otra alternativa tiene? Gastón Paris completó lo que él consideraba una laguna de la siguiente manera: ..."o yo te cortaré la cabeza esta noche y tú me cortarás la mía mañana".[8]

---

5 En H... *l. ju parti/Vos part, que bien vos sai aprendre./Mais il est mout sauvage au prendre* (vv. 1484-1486), en P... *il seroit molt fous qui de cest geu-parti ne savroit prendre le meillor.* (1.2888), y en C.V. "Vengo pues a esta corte a reclamar un juego de Navidad"... (estrofa 13). En el *Caradós* no aparece esta fórmula.

6 Para el *joc partit* en la lírica trovadoresca, véase Alfred Jeanroy, *La poésie lyrique des troubadours,* II, Paris-Toulouse, Privat, 1934, págs. 254 a 274 y Martín de Riquer, *Los trovadores. Historia literaria y textos.* Barcelona, 1975, págs. 67 y 68.

7 Paul Rémy, *Jeu parti et roman breton,* Mélanges Delbouille, II, Gembloux, 1964, págs. 546-561, y *De l'expression "partir un jeu" dans les textes épiques aux origines du jeu parti,* CCM, XVII, 1974.

8 Gaston Paris, *Histoire Littéraire de la France,* XXX, 1888, pág. 75 y B. Orlowski,

Insiste P. Rémy en que el juego de la decapitación en su origen se presentaba como un auténtico *jeu parti* en el que se podía optar en aquel momento por una de las dos opciones y apoya su afirmación con la presentación del episodio tal y como aparece en otro de los textos, el *Perlesvaus:*

"Tenéis que cortarme la cabeza con este hacha, señor ... pues con esta arma ha sido decidida mi muerte. O de otro modo yo os cortaré la vuestra".[9]

Esto es que si Lancelot rehúsa a cortarle la cabeza primero, él al momento le cortará la suya. Por lo que parece que en los otros textos se sobreentendía: o aceptas ser tú el primero en cortarme la cabeza y volver al cabo de equis tiempo a que yo te corte la tuya, o escoges que yo te la corte aquí mismo y para cortarme la mía. Y, claro, el héroe siempre escogía la primera alternativa aunque sabía que aceptando el juego entraba en el mundo del encantamiento y tendría que volver algún día para ser a su vez decapitado.

El segundo de los textos es el *Caradós,* historia independiente dentro de la *Primera Continuación del Porceval* o *Continuación Gauvain,*de finales del siglo XII o principios del XIII. Aquí el juego de la decapitación recibe un tratamiento algo diferente y la brutal prueba de valor se ha suavizado para adaptarse a un escritor o a un público más refinado y cortés.

El protagonista es Caradós que acaba de ser armado caballero por el rey Arturo y la aventura se inscribe dentro de la corte de este rey. Las diferencias con *La Doncella de la mula* son éstas:

En el *Caradós* quien propone el peligroso juego es un caballero muy alto y ricamente vestido, el arma que va a emplear en la decapitación es la espada y el plazo para devolver el golpe es el de un año. La descripción del golpe con la espada es más larga y espectacular: ante la atónita y angustiada corte el único que acepta el desafío es el joven Caradós; la cabeza por la fuerza del golpe sale volando por encima de la mesa del rey y el caballero la agarra por los cabellos y se la une al cuerpo. Transcurrido el año vuelve a reunirse la corte, expectante y a la vez curiosa ante la anunciada visita del caballero que fue decapitado, y a pesar de las generosas ofertas del rey y de la reina al caballero mantiene su derecho y Caradós le presenta su juvenil cuello, pero la espada no cae sobre él. Ahora, en el *Caradós* sí que se nos da

---

o.c. págs. 100-106. Mario Roques en su recensión a *La Doncella de la Mula* de Orlowski, "Romania", XLI, 1912, 144-147 y D.D.R. Owen en su edición, pág. 109, consideran que no hay ninguna laguna puesto que no es indispensable expresar la otra alternativa ya que la propuesta se entiende bien.

9 P. Rémy, *Jeu parti,* pág. 560. V. Cirlot, *Perlesvaus,* pág. 113.

una explicación de la recuperación del decapitado; el caballero es el mago Eliavrés del que se había dicho que "sabía tantos encantamientos ... que, si quería, cortaba la cabeza de algún hombre y por ello no sufriría ningún mal pues enseguida la podía volver a juntar tal y como estaba antes" (vv. 3109-3116).

De esta manera Eliavrés se da a conocer a su hijo Caradós y además pone en evidencia su valor ante toda la corte porque ha sido el único en querer tomar parte en tan peligroso juego. Esta vez la corte del rey Arturo y el público, oyentes o lectores del *Caradós*, han recibido una explicación del misterioso juego que es obra de un *enchanteor*, un mago.

El tercer texto es el *Humbaut*, de autor anónimo, roman en verso al que le falta el final y en el que las frecuentes lagunas e incorreciones dejan algunos episodios algo confusos. Parece que es del segundo cuarto del siglo XIII.[10] También en este roman es Gauvain el protagonista del episodio de la decapitación cuando, acompañado por otro caballero, Humbaut, realiza un largo viaje llevando un mensaje del rey Arturo para el rey de las Islas. Por el camino Humbaut va dando noticia a Gauvain de las costumbres de los castillos y de las personas que encuentran a su paso. El episodio que ahora estudiamos se presenta de forma muy parecida al de la *doncella de la mula:* el gigantesco villano de horrible aspecto, el hacha, la propuesta o desafío presentada como un *jeu parti* y la promesa de que enseguida, *aprés*, de haberle cortado Gauvain la cabeza el villano se la cortará a él. Pero en este roman Gauvain "comprueba cuidadosamente el filo del hacha y se prepara a dar el golpe con toda su fuerza, y os digo con toda verdad que no fue un golpe suave porque la cabeza del miserable voló a más de diez pasos, pero el villano abrió sus manos y salió corriendo detrás de su cabeza para agarrarla. Entonces Gauvain que sabía de encantamientos[11] agarró al villano por las ropas por lo que a éste le fallaron sus cálculos y el encantamiento no sirvió de nada pues cayó muerto allí mismo y el encantamiento desapareció".

Desde *Li contes del Graal* de Chrétien de Troyes el sobrino del rey Arturo se había visto metido en aventuras en las que intervenían fuerzas sobrenaturales o encantamientos. Precisamente en *La doncella de la mula* había superado felizmente la peligrosa prueba de la

---

10 A. Micha, *Les romans arthuriens en vers, Humbaut,* pág. 384 en Grundriss der romanische Literatur des Mittelalter, T. IV/1, Heidelberg, Carlo Winter, 1974 y en el mismo conjunto de estudios *Le roman jusqu'a la fin du XIIIª Siécle*, t. IV, 1984, págs. 143-144.

11 *...Mesire Gauvains... qui d'encantement ert apris* vv. 1532-1533. En el aparato crítico de la edición alemana *apris* aparece traducido como "gewöhnt", «acostumbrado».

decapitación, y en el *Caradós* la había presenciado, pues se realizó ante toda la corte del rey Arturo reunida en el castillo de Carduel en Pentecostés. No queda muy claro en el *Humbaut* si lo que sabía Gauvain, por experiencia propia y también ajena, era que si el adversario volvía a colocarse la cabeza tenía él a su vez que presentarle el cuello o que la manera de desahacer este encantamiento era impidiendo que la cabeza pudiera volver a unirse al tronco. Sea por el motivo que fuera, no es por falta de valor la acción de Gauvain de zarandear al villano para impedir que agarre la cabeza, como se ha dicho alguna vez,[12] sino que lo que demuestra precisamente es su valor ante las fuerzas sobrenaturales a las que tantas veces se había enfrentado y superado felizmente, y también el deseo de acabar de una vez con el macabro juego, por lo menos en lo que se refería a él, puesto que el episodio acaba diciendo "y nunca más hubo esta clase de juegos", *C'onques puis n'i ot ju partir* (v. 1539).

Otra novela en lengua francesa que recoge este motivo es el *Perlesvaus*. Novela en prosa compuesta entre 1210 y 1215 en la que se contrapone la caballería terrestre, el mundo artúrico representado en la obra por el propio rey, Gauvain y Lancelot, a la caballería celeste compuesta por el linaje del Graal. El *Perlesvaus* es una extraña síntesis de los motivos del mundo bretón fijados en la narrativa de Chrétien de Troyes y los aspectos cristianos forjados en la obra de Robert de Borón.[13]

El paso del verso a la prosa en la novelística supuso para los escritores un deseo de ofrecer a los lectores una historia verdadera, y también la prosa, "esta venturosa novedad, abría, al mismo tiempo, unas insospechadas posibilidades artísticas en lo que afecta a la narración y a la peripecia, y el roman biográfico ... relatos compuestos por Chrétien de Troyes sobre tabletas de cera entre 1160 y 1190, se convierten cuarenta o setenta años después en la intrincada selva de aventuras del conjunto *Lancelot-Queste-Mort Artu ...*"[14] y *Perlesvaus*. En este roman se mantienen algunos de los elementos primitivos de la tradición versificada francesa del episodio: el hacha (D.M. y H.), el plazo de un año (C.), un caballero desconocido como incitador del juego (C.) y la espectacularidad de la cabeza que sale volando (C. y H.). Ahora bien las innovaciones son significativas: el caballero desconocido no desafía

---

12 P. Rémy, *Jeu parti*, pág. 559.
13 Véase V. Cirlot, *La novela artúrica. Orígenes de la ficción en la cultura europea*, Barcelona, Montesinos, 1987, págs. 98 y ss. y el análisis de la obra en V. Cirlot, *Perlesvaus*, págs. IX-XIII y 379 a 395.
14 Martín de Riquer, *La novela en prosa y la difusión del papel* en "Orbis mediaevalis", Mélanges de langue et de littérature médiévales offerts á Reto Raduolf Bezzola á l'occasion de son quatre-vingtième anniversaire, Berna, 1978, págs. 343-351.

a Gauvain sino a Lancelot; la decapitación mágica aparece en relación con el motivo de la Ciudad Desierta (*Gaste Cité*) y, por último, la atmósfera de "lo maravilloso", la indicación de magia o de encantamiento ha desaparecido. El caballero provocador del juego de la decapitación sabe que ha de morir decapitado:

«—Señor, dice al caballero, ¿qué os place?

—Tenéis que cortarme la cabeza con este hacha, señor, le dice, pues con este arma ha sido decidida mi muerte. De otro modo, yo os cortaré la vuestra.

—¿Pero qué estáis diciendo, señor?, exclama Lancelot.

—Ya lo habéis oído, señor. Así lo debéis hacer, puesto que habéis venido a esta ciudad.

—Señor, le dice Lancelot, muy necio sería quien no eligiera la mejor parte de este juego, pero muy vituperado sería si os matara sin recibir daño.

—De otro modo no saldréis de aquí.

—¿Cómo vais tan alegremente a la muerte, siendo tan gentil y noble, buen señor?, le pregunta Lancelot. Porque sabéis bien que os mataré antes de que vos me matéis a mí, ya que tiene que ser así.

—Lo sé muy bien, dice el caballero, pero vos me juraréis antes de morir que volveréis a esta ciudad en el plazo de un año y que ofreceréis vuestra cabeza sin combate, tal y como lo hago yo ahora.

—Por mi cabeza, dice Lancelot, mientras se retrase la muerte, no me importa oir cualquier cosa antes de morir ahora mismo. Pero mucho me maravilla que vayáis tan bien ataviado para recibir la muerte.

—Señor, dice el caballero, quien quiera ir ante el Salvador del mundo bien se debe limpiar de todas las villanías y todos los males que hizo, y yo me he arrepentido sinceramente y quiero morir en este estado.

Después de esto le tiende el hacha. Lancelot la coge y la ve muy cortante y aguda.

—Señor, le dice el caballero, extended vuestra mano hacia la iglesia que veis.

—Con mucho gusto, señor, le dice Lancelot.

—Juradme por las reliquias de esta iglesia que dentro de un año, a la hora en que me hayáis cortado la cabeza o antes, volveréis aquí y pondréis vuestra cabeza a disposición del que venga, como hago yo ahora, sin ofrecer resistencia.

—Os lo juro.

En esto, el caballero se arrodilla y extiende el cuello todo lo que puede y Lancelot levanta el hacha con las dos manos y le dice:

—Señor caballero, por Dios, apiadaos de vos mismo.

—De buen grado, señor. Dejaos cortar la cabeza, pues de otro modo no puedo apiadarme.

—Eso no lo puedo aceptar.

En esto, le encaja el hacha y le corta la cabeza con tal fuerza que la hace volar dos pies lejos del cuerpo. Cuando le cortó la cabeza, su cuerpo cayó al suelo y Lancelot arroja el hacha y piensa que haría mal en permanecer allí dentro. Se acerca a su caballo, coge sus armas y monta. Mira detrás de él y no ve el cuerpo del caballero ni la cabeza y no sabe qué ha ocurrido con todo. Sólo oye un gran duelo y grandes gritos de caballeros y damas lejos, en la ciudad. Lamentan al buen caballero y dicen que será vengado, si a Dios le place, en la fecha que se había fijado o antes».[15]

Y al cabo de un año cuando Lancelot fiel a su promesa regresa a la Ciudad Desierta se encuentra con el hermano del decapitado, puesto que al no haber encantamiento el decapitado ha muerto.

«Lancelot le ve venir y le pregunta:

—Buen señor, ¿qué pensáis hacer con esa hoz?

Por mi cabeza, lo sabréis del mismo modo que lo supo mi hermano, le dice el caballero.

—¡Cómo!, exclama Lancelot, ¿me vais a matar?

—Lo sabréis antes de marcharos de aquí, le responde. ¿No jurasteis que ofreceríais vuestra cabeza como el caballero al que matasteis ofreció la suya? De otro modo no os podéis marchar. Pero acercaos y arrodillaos, y extended el cuello, que os voy a cortar la cabeza. Si no lo queréis hacer de buen grado, ya encontraréis a quien os obligue, aunque reunierais la fuerza de veinte caballeros. Aunque sé que habéis vuelto para libraros de vuestra promesa y que no pondréis resistencia.

Lancelot piensa ya morir y se dispone a esperar lo convenido. Se echa al suelo en cruz y ruega a Dios merced. Se acuerda da la reina y dice:

—¡Ay, señora, jamás volveré a veros¡ Si hubiera podido veros al menos una sola vez antes de morir, me habría servido de gran consuelo, y mi alma habría dejado con mayor facilidad. No volver a veros nunca más me desconsuela más que la muerte. Se ha de morir cuando tanto se ha vivido y os juro que

15 *Perlesvaus*, págs. 113-114.

mi amor no os fallará y que el alma os amará tanto en el otro
siglo como ha hecho el cuerpo en este, si puede.
Entonces le saltaron las lágrimas de los ojos. Dice el cuento
que desde que fue caballero no había llorado nunca más que esta
vez y otra. Cogió tres hierbas y comulgó. Luego se santigua, se
endereza y arrodilla, y extiende el cuello. El caballero encaja la
hoz. Lancelot oye venir el golpe, baja la cabeza y la hoz pasa de
largo. El caballero le dice:
—Señor, de este modo no actuó mi hermano al que matateis,
sino que mantuvo bien quietos cabeza y cuello. Debéis hacerlo
así».[16]

Una doncella que ha reconocido a Lancelot ruega al caballero que
le dará su amor si le deja libre y no le mata. "De inmediato, el caballero arroja al suelo la hoz y cae a los pies de Lancelot, rogándole merced como al caballero más leal del mundo".[17]
El episodio se ha racionalizado, se ha hecho lógico, el decapitado
ha muerto, otro ha de asumir la prueba. Para Lancelot no ha sido una
más para su gloria personal sino para un bien comunitario siguiendo
una tradición que ya existía en algunos episodios de los romanos de
Chrétien de Troyes.
En la segunda mitad del siglo XIV se escribió *Sir Gawain and the
Green Knight, Sir Gauvain y el Caballero Verde*, magnífica novela artúrica de la literatura inglesa medieval; en ella se conjugan ar-
moniosamente antiguas tradiciones, motivos literarios ya muy gastados
con elementos nuevos y renovadores. Unos personajes y unas aventuras
que tenían más de doscientos años de fecunda vida literaria se
rejuvenecieron gracias a la maestría de un anónimo poeta excepcional.
En el *Caballero Verde* encontramos combinados el tema del juego
de la decapitación con el de la seducción por parte la dama. El elemento sobrenatural y mágico de esta determinada prueba de valor se
relacionará con el de la iniciativa amorosa femenina, tratado de manera
realista. Y en el C.V. el protagonista es otra vez Gauvain, el sobrino
del rey Arturo de Bretaña; el "sol de la caballería"[18] que vuelve a tomar
parte en el juego de la decapitación. A sus cualidades de exquisita cortesía y agradable conversación, en el C.V. se le añadirá la devoción a la
Virgen María; Gauvain será el servidor de Nuestra Señora cuyo
emblema lleva en su escudo en el pentáculo o Nudo sin Fin, que simboliza los Cinco Gozos de María y las Cinco Llagas de Cristo, y pin-

16 *Perlesvaus*, pág. 245. Orlowski encuentra que Lancelot ante la amenaza de la
decapitación "... il ne se comporte point comme un preux, "pág. 103.
17 *Perlesvaus*, pág. 246.
18 Chrétien de Troyes, *Li chevaliers au lion*, v. 2404.

tada en la cara interior del escudo aparece la Virgen a fin de que, viéndola, no desfalleciese su corazón[19].

Ante la corte del rey Arturo reunida en Camelot, en Navidad, aparece a la hora de comer un gigantesco caballero verde, completamente vestido de verde montado en un caballo también verde; empuñando un hacha hace esta propuesta a la corte:

«Vengo, pues a esta corte a reclamar un juego de Navidad, ya que estamos en Pascua y Año Nuevo, y tanto abundan aquí los hombres jóvenes. Si hay alguno en esta corte que se tenga por espíritu audaz, y de sangre y alma fogosa , y que se atreva a descargar un golpe a cambio de otro, le daré como presente esta hacha costosa; esta hacha, bastante pesada, para que él la utilice a su gusto. Yo esperaré el primer golpe, tan desarmado como voy montado aquí. Si hay algún hombre tan fiero que quiera probar lo que aquí propongo, que venga a mí sin más demora y se haga cargo de esta arma; se la entrego para siempre. Entre tanto, yo aguardaré impasible su golpe, a pie firme, en el mismo suelo, con tal que pueda yo asestarle otro sin reparo. Sin embargo, le concederé el plazo de un año y un día. ¡Así que venga pronto ahora, quienquiera que se atreva a responder!»

Sólo acepta el desafío Gauvain, y entonces:

«De pie, el Caballero Verde se preparó, inclinando levemente la cabeza y dejando al aire la carne; levantó sus largos hermosos cabellos por encima de la coronilla, y mostró el cuello desnudo tal como se requería. Cogió el hacha Gawain, la levantó, avanzó el pie izquierdo, y descargó la afilada hoja que segó el hueso, se hundió en la carne, la seccionó en dos, y su centelleante acero fue a clavarse en el suelo. Saltó del cuello la hermosa cabeza, rodó por tierra, y las gentes la rechazaron con el pie; la sangre brotó del cuerpo a borbotones, brillante sobre el verde . Sin embargo, el feroz desconocido ni cayó ni vaciló, sino que avanzó con firmeza, seguro sobre sus piernas; se abrió paso entre las filas de los nobles, agarró la espléndida cabeza y la sostuvo en alto. Luego se dirigió rápidamente a su caballo, cogió la brida, metió un pie en el estribo, y montó sin dejar de sujetar la cabeza por el pelo. Se acomodó en la silla como si nada le hubiese ocurrido, aunque estaba sin cabeza. Giró entonces el tronco aquel horrible cuerpo sangrante, y profirió unas palabras que llenaron a muchos de terror.

19 *Sir Gawain y el Caballero Verde*, pág. XIV.

Su mano sostenía en alto la cabeza, con la cara dirigida hacia los más leales del estrado. Alzó ésta los párpados, y con ojos centelleantes los miró a todos de forma amenazadora. Y su boca pronunció estas palabras:

—Prepárate, Gawain, a cumplir lo prometido; búscame fielmente hasta encontrarme, mi buen señor, tal como aquí has jurado, en presencia de estos caballeros. Ve a la Capilla Verde, y no dudes que allí recibirás un golpe como éste. Porque en justicia lo has ganado el día de Año Nuevo. Como el Caballero de la Capilla Verde soy conocido por muchos; búscame, pues, y como él me encontrarás. No dejes de hacerlo; y de lo contrario, pasarás por un cobarde!

Con esto, giró salvajemente dando un tirón de las riendas, y salió velozmente por la puerta de la gran sala con la cabeza en la mano, arrancando chispas de las piedras con los cascos de su montura, sin que ninguno de los presentes supiera en qué dirección, ni pudiera explicar de que país procedía. Entre tanto, el rey y sir Gawain reían a costa del Caballero Verde. Pero todos tuvieron el hecho por algo prodigioso».[20]

Gauvain va en busca del Caballero Verde y unos días antes de Navidad llega a un castillo donde es muy bien acogido por el señor y su joven y bellísima esposa. El señor sale a cazar al día siguiente y antes acuerda con Gauvain que al llegar la noche intercambiarán lo que cada uno haya ganado durante el día. Gauvain se queda en el castillo y la esposa del señor intenta seducirle pero sólo consigue dar un beso a Gauvain. Regresa el señor y da a Gauvain la pieza que ha cobrado y Gauvain le besa pues ésta ha sido toda su ganancia aquel día. Al día siguiente se repite la misma escena. El tercer día Gauvain después de recibir el beso es obsequiado por la dama con un cinturón de seda verde que le preservará de la muerte si lo lleva puesto; Gauvain lo acepta y por la noche no le dice nada a su huésped del regalo que ha recibido.

Al día siguiente parte Gauvain en dirección a la Capilla Verde donde se encuentra con el Caballero Verde.

«—¡Que Dios te proteja, Gawain —exclama el Caballero Verde—. Bienvenido seas a mi morada; veo que has calculado muy bien tu viaje, como hombre digno de palabra, y que no has olvidado la cita acordada entre los dos: hace doce meses cumpliste tu parte; hoy, en este día de Año Nuevo, me toca a mí corresponder. Aquí, en este valle, estamos completamente a

20 C.V. págs. 7-11.

solas; nadie nos vendrá a estorbar, y podremos tratar esto como nos plazca. Quítate el yelmo ya, a fin de que yo te dé tu pago; no interpongas más discursos de los que yo presenté cuando segaste mi cabeza de un solo tajo.

—¡Por el Dios que me dio el alma —exclamó Gawain—, que no presentaré ningún agravio al mal que voy a sufrir pero hazlo de un solo golpe, que yo me tendré con firmeza sin oponer resistencia.

Inclinó el cuello, dejando al aire la carne desnuda, y adoptó una actitud impasible, ya que no quería demostrar temor.

El enorme hombre de verde se colocó en posición, y alzó su siniestro instrumento, dispuesto a asestar el golpe a Gawain. Lo enarboló con toda la energía de su cuerpo, en ademán de destruirle. Descargó el golpe, y allí mismo habría muerto el más bravo caballero de cuantos existieron, bajo este golpe certero. Pero al ver Gawain descender el hacha en el espacio luminoso, dispuesta a acabar con él, sus hombros se estremecieron esperando el hierro. El otro contuvo entonces el arma con vivo movimiento, y reprendió al príncipe con orgullosas palabras:

—Tú no eres Gawain —exclamó—, de quien se dice que es tanto su valor, que jamás le arredró ejército alguno ni por montes ni por valles; tú te encoges de temor antes de sentir el daño. Tampoco vacilé yo, ni me encogí, cuando descargaste el golpe ni proferí objeción alguna ante la corte del rey Arturo. Mi cabeza cayó a mis pies; sin embargo, no hui. A tí, en cambio, antes de haber recibido ningún daño, se te encoge el corazón. Soy yo, pues, quien debe ser tenido por el mejor caballero de los dos.

—Una vez me he inmutado —dijo Gawain—, pero no volverá a suceder. Aunque, si cae mi cabeza entre las piedras, no la podré recuperar».[21]

En el segundo golpe el Caballero Verde no llega ni a rozar a Gauvain que lo espera

"sin mover un solo miembro, inmóvil como la piedra o el tronco agarrado con cien raíces a un suelo de roca. Y añade sonriente el hombre de verde-: Ahora que ya has recobrado el valor, es cuando puedo descargar mi golpe. ¡Mantén en alto esa dignidad que Arturo te concedió, y prepara el cuello para este momento supremo, si es que te ha de llegar!

—¡Golpea ya, hombre feroz!; te entretienes demasiado amenazando. Creo que es tu corazón el que ahora flaquea.

---

21 C.V. págs. 54 y 55.

Levanta ágil el arma y la deja caer limpiamente con el filo hacia el cuello desnudo. Pero, aunque baja con fuerza, no llega a producir sino una leve incisión, tras cortar un poco de piel: la afilada arma muerde la carne a través de la blanca grasa, de forma que salta la sangre preciosa de los hombros al suelo. Al verla brillar en la nieve, el caballero dio un brinco de más de una lanza de largo, cogió el yelmo y se lo puso en la cabeza, se descargó el noble escudo, blandió su brillante espada, y exclamó con fiereza —jamás hubo en este mundo hombre nacido de madre la mitad de exultante que él—:

—¡Basta ya de golpes, no descargues más! Ya he soportado uno sin oponer resistencia; si intentas otro, ten por seguro que te lo he de devolver aquí mismo con igual violencia. ¡Sólo un golpe debía recibir en justicia, según lo acordado en la corte de Arturo; así, pues, noble señor, teneos ya!»[22]

El Caballero Verde explica a Gauvain que sus poderes sobrenaturales son obra del hada Morgana para confundir a Gauvain y hacer morir de miedo a la reina Ginebra ante la visión del decapitado hablando con la cabeza en la mano ante toda la corte; ella, Morgana le había embrujado. Y continúa diciéndole que él era el huesped del castillo en donde pasó los días anteriores y que si fingió los dos primeros golpes con el hacha fue por su lealtad en el intercambio de dones y si en el tercero le hirió fue por haberle ocultado el cinturón verde que le había regalado su esposa "aquí fallasteis un poco, señor, y os faltó lealtad: aunque no os hizo caer la astuta malicia ni el deseo de amor, sino el apego a vuestra vida; cosa que es más que disculpable".[23]

En el episodio llamado *Fled Bricren, el Festín de Bricriu* o *Fiesta en casa de Bricriu*, saga irlandesa del ciclo del Ulster escrita en el siglo IX y que se encuentra en un manuscrito del siglo XII, aparece el juego o prueba de la decapitación, Beheading Game o Beheading Test, como es llamado por la crítica anglosajona.[24]

En rasgos generales el episodio es el siguiente: el guerrero Bricriu reúne en un banquete a los más importantes guerreros del Ulster; ante los comensales se presenta un guerrero gigantesco llamado "Terrible",

---

22 C.V. págs. 55 y 56.
23 C.V. pág. 57.
24 D'Arbois de Joubainville, *L'épopée celtique en Irlanda.* (T.V du cours de Littérature celtique), París, 1892, págs. 84-160. Jean Marx, *La légende arthurienne et le graal.* Paris, Presses Universitaires de France, 1952, págs. 74-76; 145-149; 288-294. R.S. Loomis, A.L.M.A. págs. 530-534 y 566.

(en otras versiones es el héroe proteico Curoi que en este episodio adopta el aspecto de enorme pastor, un villano). El recién llegado invita a todos los guerreros a que uno le corte la cabeza con su hacha y que además se comprometa a dejarse cortar la suya por él. El único que acepta el reto es Cuchulainn que corta la cabeza del gigante de un solo golpe; la cabeza sale volando pero el gigante la agarra y se va llevándosela en las manos. Al día siguiente Cuchulainn acude a la cita y extiende su cuello sobre la piedra, pero el gigante se contenta con simular por tres veces el golpe y Cuchulainn es aclamado como el campeón de los más valientes del Ulster. Parece pues en el texto irlandés que la prueba de la decapitación es una prueba de valor, de desafío a la muerte y al misterio, que se ofrece a los más valientes pero que sólo la acepta uno.

La decapitación de estos guerreros célticos pero también la cabeza oráculo de Orfeo y las cabezas cortadas de algunas figuras de la Biblia, Goliat, Saúl, Holofernes y, sobre todo, la de San Juan Bautista, presentada en un plato a Herodías y que al ver en ella una expresión de reproche muy elocuente, hizo enterrar lejos del cuerpo, o la afirmación de San Juan Crisóstomo de que los mártires se presentaban ante Dios con la cabeza entre las manos, pudieron ser conocidas por los novelistas franceses. Pero éstos tenían además unas fuentes o referencias más próximas y más familiares por el espíritu que las animaba: las *Passio* de algunos mártires que fueron decapitados. Los hagiógrafos de la Edad Media no desdeñaron en introducir lo "maravilloso cristiano" con naturalidad en las biografías de los santos para dar cuenta de los prodigios con que Dios distinguía a los que habían dado su vida por la fe.

Una de las más antiguas es la *Passio Iusti* (hay una redacción del siglo VII); en ella se describe al santo niño decapitado con la cabeza en el regazo (... *in sinu suo* ...) mientras salen de su boca unas palabras que indican a sus familiares en dónde desea ser enterrado. La *Passio Dionysii* es quizá la más conocida y la redacción más antigua es del siglo IX. Dionisio, obispo de París, una vez decapitado, cogió su cabeza y con ella entre las manos se dirigió al lugar en donde quería ser enterrado «...adhuc putebatur lingua palpitans Dominum confiteri ...".[25] La cefaloforía, estática o ambulante, callada o elocuente, se convirtió en un motivo literario en los escritores hagiográficos, e incluso a santos que no fueron decapitados se les otorgó este martirio, de modo que,

---

25 Maurice Coens, *Aux origines de la céphalophorie*, en Analecta Bollandidiana, 74, 1956, págs. 86-114, y *Nouvelles recherches sur un théme hagiographique: la céphalophorie*, en Acad. Royal de Belgique, Bulletin de la Classe de Lettres, Vª serie, 48, 1962, págs. 231-253.

como dice Louis Réau "... il pourrait y en avoir des centaines, car les trois quarts des martyrs finissent par la décapitation, dernier acte de leur Passion."[26]

El motivo de la decapitación fue uno de tantos que atrajeron a los escritores franceses posteriores a Chrétien de Troyes. Le dieron la formulación del *jeu parti* y lo ambientaron dentro de la corte de Arturo de Bretaña; escogieron para que lo protagonizaran caballeros de arraigada tradición literaria como Gauvain y como Lancelot, o Caradós, el nuevo caballero de la corte del rey. Es difícil ver una influencia directa en los cinco textos que aquí se han presentado y las posibles filiaciones que pueden haber entre ellos. Convirtieron en *encantement* lo "maravilloso cristiano", es decir, el milagro, y la prueba de valor y de desprecio del miedo, que era la actitud de los mártires cristianos y también de los guerreros del Ulster, fue introducida dentro del contexto de las novelas corteses y cada novelista trató el aspecto sobrenatural del episodio de manera diferente, atenuando o exagerando la brutalidad de la escena según el *sen*, la intención que quería otorgar a su obra.

En *La doncella de la mula* se atribuyó por primera vez el protagonismo a Gauvain al enfrentarse al gigantesco villano y su hacha y de cuyos extraordinarios poderes no se nos da explicación alguna. Para Gauvain esta aventura no tiene un relieve especial, es una más de las peligrosas pruebas hasta recuperar el freno de la mula, como la del bosque peligroso, el valle de las serpientes, el castillo que da vueltas, el río del diablo o el combate con siete leones.

Para Gauvain, en el *Humbaut*, el episodio es también una aventura más y se presenta de manera similar al de la D.M. (villano gigantesco y horrible, hacha, corto plazo) excepto el final porque en este roman Gauvain ya es ducho en aquella clase de encantamientos y sabe como acabar con el peligroso juego. Se da pues una explicación de los poderes del villano (encantamiento) y una solución para acabar con esta clase de juegos.

En el *Caradós* el episodio no tiene lugar durante un viaje de *queste* como en los textos anteriores sino en la corte del rey Arturo de Bretaña que antes de comer esperaba que *estrange novele/ou alcune aventure bele/ i soit, voianz tot, avenue. / La costume ai ensi tenue/ toute ma vie dusque chi*, (vv. 3327-3331). Este episodio forma parte del desencadenamiento del relato dentro de la tradición de la forma artúrica instaurada por Chrétien de Troyes. Para Caradós no es una aventura más; no sólo será la primera sino que le servirá para conocer a su padre. El encuentro con el padre desconocido es un conocido tema de

---

26 Louis Réau, *Iconographie de l'art chrétien*, Presses Universitaires de France, 1958, págs. 285-288; cita pág. 286.

la literatura, tanto en cantares de gesta: *Aiol, Galiens Li Restorés, Gormont e Isembart.* Como en narrativa: los lais de *Fresne* y *Milón* de María de Francia, *Tydorel, Tyolet* y *Doon* entre los anónimos. El plazo que el caballero concede para devolver el golpe es el de un año que para Caradós transcurre en pocos versos... *cherchant les aventures / et les chevaleries dures / tant que li ans fu acomplis...* (vv. 3441-3443), y la explicación de la súbita recuperación del decapitado está en los mágicos poderes de Eliavrés que en todo el relato nunca se han ocultado, cada vez que se han puesto de manifiesto, dando cabida a lo sobrenatural y a la magia en la novela cortés.

Si en el *Perlesvaus* la búsqueda del Grial es el hilo que une los personajes y episodios del roman, la prueba de la decapitación queda completamente aislada de este tema. Tampoco aparece inscrita en el marco de la corte artúrica y el protagonista no es Gauvain, es Lancelot, aquel caballero de la Tabla Redonda que Chrétien eligió para que fuera el amante de la reina Ginebra, por lo que el episodio queda incluido dentro de la historia de este caballero y de la reina siguiendo la orientación del *Lancelot* en prosa de ir siguiendo los pasos de su vida amorosa. Para Lancelot la prueba de la decapitación es una aventura importante, no una más, y está en relación con el de la Ciudad Desierta (*Gaste Cité*) uno de los motivos de mayor tradición literaria tanto en el mundo céltico como en los romans de la Materia de Bretaña. El plazo que le concede el caballero armado con una hacha es de un año que en el roman se llena en cientos de líneas que relatan las aventuras de Lancelot hasta regresar a la Ciudad Desierta donde se encuentra con el hermano del decapitado ya que éste, lógicamente, había muerto. Por tres veces, como en el *Festín de Bricriu*, el caballero simula golpear a Lancelot y su estremecimiento ante la muerte próxima es una muestra más de la "humanización" que aparece en el *Perlesvaus*. Asumir la dura prueba y llevarla con éxito hasta el final ha servido para que la Ciudad Desierta y sus habitantes recuperaran la fertilidad y la prosperidad de antaño; ha sido una de estas "proezas útiles" que realizaban los caballeros de la Tabla Redonda con las que procuraban un beneficio a la sociedad y que costaban más porque a veces solían conducir a la muerte al caballero.

Parece como si con *El Caballero Verde* se hubiera querido cerrar brillantemente el juego de la decapitación. El texto inglés recoge de la tradición literaria francesa sus mejores aciertos y le da una escenificación extraordinaria: Gauvain como protagonista enfrentándose a un caballero extraña y misteriosamente verde armado con un hacha. Nunca ningún escritor anterior se había alargado tanto en la escena de la decapitación, ni nunca se había tratado el tema de manera tan cruda y tan espectacular, y junto a esta visión mágica y terrorífica, los diálogos y las escenas con la dama que quiere conquistar, enamorar a Gauvain. El balanceo que existe en todo el relato entre lo sobrenatural y el mundo cortés queda perfectamente equilibrado por la figura de Gauvain que pasa de un mundo a otro con naturalidad, con dominio de la situación. Si los escritores nunca le otorgaron encontrar el Grial o enamorarse de verdad, en el *Caballero Verde* sigue siendo él mismo, tal y como fue creado por Chrétien de Troyes, el caballero más valiente del mundo, aquel cuyo valor y cortesía nunca se pusieron en duda.[27]

Una última escena de decapitados; una superación inteligente y a la vez un distanciamiento total del motivo literario aquí estudiado. Lo que fue prueba de valor y de magia en las novelas caballerescas, y el testimonio milagroso de la fe de los mártires en las leyendas hagiográficas, se convierte, ahora, en el símbolo horrible y estremecedor de la discordia, de la ruptura entre la más íntima unión. Si, como dice Borges, "A todos es notorio que los poetas proceden por hipérboles; (...) Dante se prohibe este error; en su libro no hay palabra injustificada»;[28] ahora, cualquier comentario a estos versos estaría de más.

Ma io rimasi a riguardar lo stuolo,	Mas la fila quedéme yo mirando
e vidi cosa, ch'io avrei paura,	y vi una cosa que me da pavura,
114 *sanza piú prova, di contarla solo;*	114 sin poderla probar, seguir contando;
se non che coscienza m'assicura,	mas mi propia conciencia me asegura,
la buona compagnia che l'uom francheggia	buena amiga, del hombre alentadora
117 *sotto l'asbergo del sentirsi pura.*	117 a condición de que se sienta pura.
Io vidi certo, ed ancor par ch'io 'l veggia,	Yo he visto, es cierto, y creo ver ahora
un busto sanza capo andar sí come	un busto sin cabeza que marchaba
120 *andavam li altri della trista greggia;*	120 entre los otros de la grey que llora;
e 'l capo tronco tenea per le chiome,	la testa por los pelos sujetaba
pésol con mano a guisa di lanterna;	transportándola a modo de linterna
123 *e quel mirava noi, e dicea: «Oh me!».*	123 y «¡Ay de mí», repetía, y me miraba.
Di sé facea a sé stesso lucerna,	A sí mismo se hacía de lucerna
ed eran due in uno e uno in due:	y, uno en dos, dos en uno a un tiempo era:
126 *com'esser puó, quei sa che sí governa.*	126 cómo es posible, sabe el que gobierna.
Quando diritto al pié del ponte fue,	Cuando ya estaba al pie de la escollera,
levó 'l braccio alto con tutta la testa,	el brazo levantó y con él la testa,

27 Keith Busby, "Li Buens Chevaliers" ou "uns buens chevallier"? *Perlesvaus et Gauvain dans le Perlesvaus*. Revue Romane. XIX, 1984, I, págs. 85-97.
28 Jorge Luis Borges, *Nueve ensayos dantescos*. Madrid, Espasa-Calpe, 1982, págs. 86 y 88.

129 per appressarne le parole sue,
*   che fuoro: «On vedi la pena molesta*
*   tu che, spirando, vai veggendo i morti:*
132 vedi s'alcuna é grande come questa.
*   E perché tu di me novella porti,*
*   sappi ch'i' son Bertram al Bornio, quelli*
135 che diedi al Re giovane i ma' conforti.
*   Io feci il padre e 'l figlio in sé ribelli:*
*   Achitofél non fe' piú d'Absalone*
138 e di David coi malvagi punzelli.
*   Perch'io parti' cosí giunte persone,*
*   partito porto il mio cerebro, lasso!,*
*   dal suo principio ch'é in questo troncone.*
142 Cosí s'osserva in me lo contrapasso».

129 acercando su voz de esta manera,
    y dijo: «Ven qué pena me molesta,
    tú, que estás entre muertos respirando,
132 y mira si hay alguna mayor que ésta.
    Porque cuentes de mí te estoy hablando:
    yo soy Bertrán de Born, el que solía
135 hacer mal al rey joven confortando.
    Yo sembré entre hijo y padre rebeldía:
    que a David y Absalón más mal no ha hecho
138 Aquitofel con su inducción impía.
    Pues una unión tan íntima he deshecho,
    ay, separado mi cerebro porto
    de su origen, que sigue en este pecho.
142 ¡Así la contrapena yo soporto![29]»

CARADÓS

Mientras estaban tranquilamente sentados conversando vieron que por la puerta del palacio entraba un caballero muy alto montado en un caballo balzán, vestía una pelliza de armiño que le arrastraba hasta el suelo. En la cabeza llevaba un sombrero de rica tela adornado con un aro de oro, ceñía una espada larga con la empuñadura de oro y el tahalí era de delicado orifrés. Llegó a caballo hasta la mesa y dijo en voz alta para que todos le oyeran:

—Rey Artús, que Dios os dé honor y larga vida.

—Que El te bendiga, amigo.

—Rey, os pido un don.

—Caballero decidme cuál y si puede ser lo tendréis.

y el caballero le dijo:

—Ahora lo sabréis: os pido sin ánimo de engañaros dar un golpe con la espada y yo recibir otro.

—Qué es esto, amigo mío? ¿Qué estáis diciendo?

—Rey, os lo explicaré enseguida: si aquí dentro hay un caballero que me pueda cortar la cabeza con esta espada de un solo golpe y yo puedo después recuperarme y sanar, puede estar completamente seguro, de que dentro de un año le daré el mismo golpe si se atreve a esperarme.

Y sin añadir nada más bajó del caballo, desenvainó la espada y la ofreció a todos los caballeros, pero nadie osó tomarla pues todos decían

29 Infierno, XXVIII, Vv. 112-142. Dante, *Divina Comedia*, Introducción, traducción en
    verso y notas de Angel Crespo, Barcelona, Planeta, 1983, págs. 162-163.

que sería muy necio, el que lo hiciera y quisiera tomar parte en una
aventura en la que no obtendría ni fama ni honor.

—¡Ah. señores!, dijo el caballero, ¿qué es esto? ¿Acaso no lo vais a
intentar? Bien podéis ver rey Artús que vuestra corte no es tan rica
como dicen y afirman todos; no hay ni un solo caballero que sea
valiente. En verdad que puedo dar testimonio de ello y que correrán por
todas partes tales noticias que no serán precisamente agradables.

Estaba a punto de marcharse cuando Caradós, que acababa de ser
armado caballero, dio un paso adelante y con rapidez se desembarazó
del manto y lo tiró al suelo. Sea bueno o malo para él se acercó al
caballero y le arrebató la espada de la mano derecha. Mucho entristeció
al rey ver esto y le dijo:

—Buen sobrino, no seria deshonroso para vos que os abstuvierais
de realizar esta proeza. Aquí hay caballeros muy valerosos que golpean
con la espada tan bien como vos o mejor, si quisieran hacerlo. Todos
creen que es una tontería y una necedad que emprendáis tan gran
locura.

Cuando Caradós oyó al rey tuvo tal vergüenza que su rostro en-
rojeció pero no quiso dejarlo sino que se acercó al caballero. Preparó la
espada para asestar mejor el golpe y el caballero se volvió hacia el rey,
bajó la cabeza y estiró el cuello. Caradós golpeó con tal fuerza que la
cabeza voló por delante de la mesa, pero el caballero la tomó con las
dos manos, agarrándola por los cabellos como si estuviera completamente ileso y la unió al cuerpo.

—Caradós, le dijo, me has dado un golpe con la espada.

—Pero poco os importa, le dijo Keus, de hoy en un año no quisiera
estar en el lugar de Caradós ni por todas las riquezas de este país.

—Caradós, buen amigo, le dijo el caballero, dentro de un año volveré, estad seguro de ello pues no dejaría por nada del mundo de encontrarme contigo.

No se quedó ni un momento más y se fue.

El rey quedó muy triste y dolorido y empezó a lamentarse y
también los demás caballeros; casi no quisieron seguir comiendo tan
tristes y mustios estaban. Con gran dolor la corte se despidió y todos
regresaron a sus tierras, pero antes el rey les convocó para que se
reunieran al cabo de un año en Carduel.

(...)

La corte volvió a reunirse en Carduel, en Pentecostés. En el palacio
había tal cantidad de gente como nunca la hubo; ningún noble dejó de
acudir en aquella fiesta en la que Caradós debía perder la cabeza ante el
rey y sus barones. Después de la solemne procesión y de la misa, el rey
llevó a palacio a todos los nobles. El rey tenía el rostro entristecido y

también lo tenian los demás. Cuando estaban todos sentados entró por la puerta aquel caballero que traía tan perverso regalo. A caballo, con la espada ceñida atravesó la sala decorada con pinturas y se dirigió a la mesa en que se sentaba el rey. Sin decir palabra desmontó y luego dijo para que le oyera el rey Artús:

—Caradós, ¿dónde estás? Ven aquí.

—Aquí estoy, dijo Caradós.

—Acércate, le dijo el caballero.

Caradós se quitó el manto y enseguida se dirigió hacia aquel que le esperaba de pie con aspecto muy enojado. El rey, que estaba muy triste, al ver esto no contuvo sus palabras:

—¡Ah, caballero, tened piedad de mi sobrino, no le matéis! Os daré un gran rescate, lo que vos me digáis.

—Dime qué me darás.

—Tendréis todos los arneses de los villanos y de los nobles de esta corte. Jamás nadie dio tantas riquezas como rescate.

—Es poco, rey. ¿Me daréis algo más?

—Sí, le dijo, todo el tesoro y la vajilla de plata y de oro que hay aquí dentro.

—Rey, le contestó, esto no es nada, porque todos los tesoros que hay en el mundo y los que habrán no los cambiaría por él.

Al oir esto el rey dio grandes muestras de dolor y también todos los demás.

—Caballero, parecéis muy cobarde, haced inmediatamente lo que debéis!, dijo Caradós.

Y el caballero alargó el brazo y levantó la espada en alto eligiendo el lugar en donde dar el golpe con gran fuerza. El rey se desmayó y la reina, que supo lo que estaba pasando, salió llorando de sus aposentos con las damas y las doncellas y cuando vio la espada desnuda se le heló la sangre y se llenó de angustia y dolor. Con rapidez se acercó al caballero y le dijo:

—Caballero, buen señor, deteneos un momento y no le matéis. A cambio de él podéis tener como amiga a la dama o a la doncella más bella de las que hay aquí dentro o, si queréis, podéis tenerlas a todas.

—Señora reina, no. No tomaría ni un pelo de la cabeza de todas las damas que hay en el mundo, ni de ninguna de las doncellas que hay a-quí. Marchaos enseguida a vuestros aposentos, mi dulce señora, y rogad a Dios para que se lleve su alma al paraíso.

La reina se cubrió el rostro y se fue llorando y las otras iban dando gemidos detrás de ella. Entonces el caballero alzó la espada y la dirigió al lugar en donde iba a dar el gran golpe; la mayor parte de los que estaban en el palacio se desmayaron, pero el caballero no tuvo intención.

—Caradós, ponte en pie. No te haré hoy ningún otro mal pues eres un caballero muy valiente, seguro de ti mismo y altivo. Ven aquí que te hablaré en privado.

Y se lo llevó aparte, muy lejos de donde estaba el rey.

—Eres mi hijo, te lo digo de verdad y que Dios me guarde.

—Estáis mintiendo libremente delante de todos estos nobles caballeros. Defiendo a mi madre frente a vos de esta acusación.

—No lo harás pues te explicaré como fue. Ella bien lo sabe y yo no te mentiré en nada.

Entonces le contó sinceramente el asunto de la cerda, la yegua y la perra. No le calló lo que él había hecho ni cómo se había acostado con su madre y cómo le concibió.

—Así fuisteis engendrado, le dijo.

—¡Callad, esto no es verdad! Parece un encantamiento o un sueño. Os acuso de una gran calumnia y mentira contra mi madre y aquí mismo la defenderé si añadís algo más.

El caballero dio vuelta con gran rapidez y se fue ante las miradas de todos.

Jamás hubo tanta alegría como la que demostraron todos los del palacio cuando le vieron marcharse (vv. 3332-3571).

HAUMBAUT

(Gauvain y Humbaut) encontraron a un villano que estaba sentado a la izquierda de la puerta (del castillo) y un muchacho le entregó el hacha que sostenía entre las manos.

—Humbaut, le dijo (el villano), aunque se me odie por ello, quiero demostrar mi derecho.

Se puso en pie y no miró hacia ningún otro lugar. Tenía un aspecto maligno; era muy alto, negro, feo y horrible. Miró a los dos caballeros mientras les impedía el paso. Entonces Humbaut le rogó que esperara hasta que regresaran (del castillo), pero él no demostró haberle oido y siguió sosteniendo el hacha entre sus manos.

Dijo Gauvain:

—Algo vamos a tener que hacer aquí ahora mismo ya que reclama no sé qué derecho.

Y dijo Humbaut:

—Os presenta un dilema, ahora mismo os lo diré, aunque es muy cruel la elección pues tanto una como otra son malas: vos le podéis cortar la cabeza primero con este hacha y ya nadie os podrá salvar. Os entregará su cuello con la promesa de que enseguida le ofreceréis el vuestro. El estará cerca de vos sosteniendo el hacha con las manos y sólo os dará un golpe, ni uno más. Ya os he presentado la alternativa, sólo falta que escojáis la que más os guste y no obraréis mal con el villano que os deja escoger.

Gauvain respondió:

—Voy a irme a otro lugar para decidir conmigo mismo qué debo hacer; pero, sea lo que sea, prometo hacerlo. Entregadme primero a mí el hacha y no me aprovecharé de ello sino que me someto a este acuerdo... (laguna).

Y añadió Gauvain:

—Golpearé yo primero... (los vv. 15100-1512 no se entienden pues aluden a disputas que faltan en el texto).

Entonces el villano le entregó el hacha y extendió el cuello hacia delante con toda calma, como quien sabe que está a salvo y no se preocupa en tomar ninguna precaución. Mi señor Gauvain que ya había visto tantas cosas maravillosas le miró atentamente y el otro no parecía asombrado sino que estaba muy tranquilo. Por Gauvain que se sabía alto y fuerte tenía la afilada hacha en la mano. Comprobó cuidadosamente el cortante y se preparó para dar un golpe con toda su fuerza. Os digo con toda verdad que no fue un golpe suave porque la cabeza del miserable voló a más de diez pasos, pero él abrió sus manos y salió corriendo detrás de su cabeza (para agarrarla). Mi señor Gauvain se quedó cerca de él, pues entendía de encantamientos, y agarró al villano por las ropas y a éste le fallaron sus cálculos el encantamiento no sirvió para nada cayó muerto allí mismo y el encantamiento desapareció. Después ya no hubo nunca más esta clase de juegos (vv. 1464-1539).

Animales y espejos

Ignacio Malaxecheverría

Para empezar, simios.

En 1828, el poeta Alejandro Pushkin asistió a una de las reuniones anuales de los ex-alumnos del liceo de San Petersburgo. Junto a su firma y apodo, "el francés", añadió: "cruce entre un mono y un tigre". La frase revela sus lecturas: Voltaire, en *Candide,* define a Francia como "ese país en que unos monos provocan a los tigres"; y en una carta a Madame du Deffand, utiliza la misma metáfora para clasificar a los franceses en monos burlones y tigres truculentos.[1]

Pero aquí —donde citaré a menudo, por deformación profesoral, textos precisamente franceses—, el único lazo entre mono y tigre que podría interesarme en principio es el del uso —mal uso a veces— que hacen de los espejos.

En la antigüedad, el espejo pierde a los simios. Claudio Eliano explica, en un texto hoy incompleto, el modo de cazarlos: "Y un indio, después de usar un espejo ante los ojos de los monos [laguna en el original] exhibiendo espejos no auténticos, sino otros diferentes, a los que ellos atan fuertes lazos. Estos son los artilugios que emplean. Los monos acuden y miran atentamente imitando lo que han visto. Y sale con fuerza de la parte opuesta a su vista una substancia pegajosa que inutiliza los párpados cuando miran atentamente al espejo. Después, privados de visión, son capturados fácilmente, pues son incapaces de escapar".[2]

En la estrofa XLV del *Lais* de François Villon, el propio poeta se presenta bajo los rasgos de un simio viejo, lo que hace comentar a un crítico: "símbolo de la lujuria, el mono se mira en un espejo, que refleja

---

1 V. Nabokov, *Eugene Onegin. A Novel in Verse by Aleksandr Pushkin. Translated from the Russian, with a Commentary,* vol. 3, London, Routledge & Kegan Paul, 1975, p. 136.
2 Claudio Eliano, *Historia de los animales,* Introd., trad. y notas por J. M. Díaz Regañón, Madrid, Credos, 1984, t. I, p. 295 (XVII, 25).

también la vanidad".[3] Cierto es que los versos de Villon para nada mencionan el espejo. Pero es un hecho que, a finales de la Edad Media, el mono, atributo o símbolo de la lujuria, "se mira con frecuencia en un espejo, y la fascinación que sobre él ejerce su reflejo se convierte en la imagen de la esclavitud a la que la sensualidad somete a quien se abandona a ella". Ese mono de la lujuria va atado a una correa que sostiene una mujer, en un dibujo titulado *De fide concubinarium*, de Paul Clearius, hacia 1505.[4] En un grabado alemán sobre madera, de Nüremberg, hacia 1480, una mujer acaricia la barbilla de su amante con una mano; con la otra, le está quitando el dinero de la bolsa. Encima del hombre hay un mono con un espejo, motivo que ilustra adecuadamente la locura que supone el dejarse esclavizar por la pasión. En la misma época, y en ilustraciones que tampoco voy a mostrar, el mono es atributo o símbolo de la vanidad: un grabado ya del XVI muestra a un simio que presenta un espejo a su pareja, ocupada en acicalarse. El lema dice: "se ipsam seducit", es decir, "se engaña a sí misma".[5]

Sirenas

Lujuria y vanidad son precisamente dos de los rasgos que definen a las sirenas. Refiriéndose a ellas, nuestro Torquemada escribe en 1570: "píntanlas con un peine en la mano y un espejo en la otra".[6] Si esta representación no es absolutamente universal, sí es, al menos, muy extendida, y desde luego antigua. Véase esta sirena (fig. 1) con el espejo convexo, plasmada en un tejido copto del siglo IV, y conservada en Dumbarton Oaks.[7] Mucho más modernas son estas otras (fig. 2) de un bestiario de Cambridge.[8] Bajo la barca con tres personajes remando, una sirena-ave, la forma más antigua de este ser fabuloso, sostiene un espejo. Sus pies palmeados anuncian ya lo acuático, la aparición de la sirena-pez, que sostiene quizá un peine en una mano, y, como un

3 J. Dufournet, "Le bestiaire de Villon" en *Epopée animale, fable, fabliau: Actes du IVe Colloque de la Société Internationale Renardienne,* ed. G. Bianciotto et M. Salvat, Paris, PUF, 1984, p. 184.

4 B. Rowland, *Animals with Human Faces. A Guide to Animal Symbolism,* London George Allen & Unwin, 1973, págs. 9-10.

5 Estos ejemplos pueden verse en G. de Tervarent, *Attributs et symboles dnas l'art profane, 1450-1600. Dictionnaire d'un langage perdu.* Genève, Droz, 1958-1964 t. I, pág. 354.

6 A. de Torquemada, *Jardín de flores curiosas,* ed., introd. y notas de G. Allegra, Madrid, Castalia, 1983, pág. 186.

7 J. Baltrusaitis, *Le Miroir. Essai sur une légende scientifique,* Paris, Elmayan/Seuil, 1978, pág. 245.

8 Fl. McCulloch, *Mediaeval Latin and French Bestiaries,* Chapel Hill, The University of North Carolina Press, 1970, pág. 195 (Sidney Sussex Coll. 100, f. 38 v).

Figura 1

Figura 2

doblete de sí misma, un pez en la otra. Véase (fig. 3) con mayor detalle, la sirena del bestiario de Oxford –MS Ashmole 1511—, similar a la anterior;[9] las del salterio de la reina Mary, del primer cuarto del siglo XIV (fig. 4), una de ellas sirena-ave y la otra sirena-pez, sosteniendo un espejo.[10] La del salterio Luttrell (fig. 5), de hacia 1340, ostenta ambos atributos, como el curioso híbrido, de sexo imprecisable, que sonríe en la *Historia del Graal,* de Robert de Boron, a finales del siglo XIII (fig. 6). Otra sirena inglesa (fig. 7), esta vez en una misericordia de Cartmel, sostiene al menos un espejo reconocible, e intriga al espectador con su cola no ya doble, rasgo habitual en la escultura, sino múltiple como los brazos de una divinidad india; es de fines del siglo XIV.[11] La sirena-ave-dragón (fig. 8) que reproduce Clébert,[12] es una marca tipográfica de 1530, perteneciente al impresor parisino Des Champs; numerosos editores escogieron antaño a la sirena como enseña, y sobre todo a la sirena de doble cola, símbolo del conocimiento y de la cultura humanística. En cualquier caso, la coquetería en la ostentación de ambos utensilios, peine y espejo, caracteriza la feminidad·terrible de la sirena, aunque se la vuelva más monstruosa aún si se la dota de una cabeza de cuadrúpedo, como hace Rosalind Dease (fig. 9) en su ilustración para un *Diccionario de bestias fabulosas.*[13] Quienes aman las explicaciones positivistas se alegrarán de saber que el peine, como ha sugerido Robert Graves, podría haber sido un plectrum, utilizado para tañer un instrumento de cuerda..., y el espejo podría ser el propio instrumento, bajo una forma distorsionada. Pero el hecho es que el espejo hace imposible el que nos alejemos de lo femenino. En el *Roman de la Rose,* el *Libro de la Rosa,* la dama Oiseuse (Ociosa), que es Venus sostiene un espejo en su mano que, como dice Alvar, es "su atributo inconfundible".[14]
espejo que, como dice Alvar, es "su atributo inconfundible".[14]

Para Massimo Izzi, "el peine de oro y el espejo de que está provista la sirena (–pez) (y que se hallan por vez primera en una representación de Afrodita, nacida también en el mar de las gotas de sangre de Urano,

  9 *Bestiario Medieval,* ed. I. Malaxecheverría, Madrid, Siruela, 1986, pág. 282 (f. 65 v del MS).
 10 H. Grabes, *The Mutable Glass: Mirror-imagery in titles & texts of the Middle Ages and the English Renaissance,* Cambridge, Cambridge University Press, 1982, ils. 42, 41 y 29.
 11 J. Baltrušaitis, *Le Gothique fantastique. Réveils et prodiges,* Paris, Armand Colin, 1960, p. 169
 12 J. P. Clébert, *Bestiaire fabuleux,* Paris, Albin Michel, 1971, pág. 377 (il.) y 382-83.
 13 R. Barber & A. Riches, *A Dictionary of Fabulous Beasts,* Ipswich, The Boydell Press, 1971, pág. 102 (recogiendo la tesis de Graves) y 103 (il.).
 14 G. de Lorris, *Le Roman de la Rose/El Libro de la Rosa,* ed. C. Alvar, Barcelona, El Festín de Esopo, 1985, v. 557 y notas.

Figura 3

Figura 4

y seductora de primer orden) son respectivamente símbolos del sol y de la luna, o también del principio masculino y del femenino".[15] El ánima junguiana, esa "imagen colectiva heredada de la mujer", que existe en el inconsciente del varón, y con cuya ayuda capta él la naturaleza de las mujeres, aparece reiteradamente en el mito y la literatura como la mujer fatal, la dama inmisericorde, o simplemente como la sirena armada con su espejo.[16]

Basiliscos

Si el espejo que esgrimía el simio era mero atributo de la vanidad, la condición de la sirena —devoradora de hombres, no lo olvidemos— lo hace ya más amenazador. En el caso del basilisco, el espejo es un instrumento letal, un medio de castigo, una defensa. "Quien desee matar a este animal", dece el bestiario de Pierre de Beauvais (1206) a propósito del basilisco, "deberá tener un claro recipiente de cristal o de vidrio, a través del cual pueda ver a la bestia. Pues al tener el hombre la cabeza tras el vidrio o el cristal, el basilisco no puede distinguirlo, y su mirada es detenida por el cristal o el vidrio; cuando el basilisco arroja su veneno por los ojos, es de tal naturaleza que, si choca contra algún objeto, rebota hacia atrás contra él, y ha de morir.

"Este animal representa al diablo, al mismo Satanás que se escondió en el Paraíso (...). El hijo de un rey se dolió de que este animal fuera tan venenoso, y que matase a todo el mundo; y que nadie pudiese matar o contemplar a la bestia. Entonces, entró el hijo del rey en un recipiente mucho más transparente que el vidrio o el cristal; entended que el Hijo de Dios entró en el cuerpo bendito de Nuestra Señora, la Virgen más clara y limpia, María su madre. Entonces, el basilisco arrojó por los ojos su veneno, al contemplar el recipiente en el que se encontraba el hijo del rey; y el veneno chocó contra el recipiente sin poder hacer daño a nadie, salvo a la bestia. Entonces, rebotó el veneno sobre el animal, y éste permaneció languideciente hasta que el hijo del rey se encontró fuera del recipiente en que se hallaba; entended que Nuestro Señor Jesucristo estuvo en el vientre de su madre, por lo que el Enemigo languidecía, hasta que fue clavado en la Cruz, donde murió. Y cuando Dios fue llevado a su sepulcro y resucitó al tercer día, el hijo del rey, Jesucristo, entró en la cisterna vieja y sacó de ella a todos sus amigos, a los que el basilisco había atraído y matado con su veneno, desde que Adán cayera dentro; y condujo a la claridad y a la alegría a todos a los que se llevó consigo. Entended que Dios arrebató a sus

15 M. Izzi, *I Mostri e l'immaginario*, Roma, M. Basaia, 1982, pág. 99.
16 F. Fordham, *Introducción a la psicología de Jung*, Madrid, Morata, 1970, págs. 58-59.

Figura 5

be near.

Figura 6

amigos del infierno, merced a la muerte que quiso sufrir por su pueblo".[17]

Que es quizá lo que llevan ustedes un rato contemplando con mucha paciencia; el capitel de Vézelay (fig. 10) representa lo esencial de la fábula, y si el espejo de vidrio que sostiene el personaje es dudoso, la cabeza de gallo del basilisco es inconfundible. Desde luego, la significación o *senefiance* no siempre es cristiana. Baltrusaitis,[18] que evoca la fábula de la quimera, muerta por Belerofonte del mismo modo, aduce previsiblemente a Narciso, y cita a Caussin, autor de una *Symbolique égyptienne* de 1634, para quien "la bestia que muere por su visión significaría la envidia, la maledicencia de los hombres, que se vuelven contra ellos mismos". La lírica italiana del siglo XIII se apropia de la leyenda del basilisco, para hacer que el monstruo, en un símil amoroso, *se suicide,* como sucede en los versos del siciliano Giacomo da Lentino y en los de Aimeric de Pegulhan: el poeta va alegre a la muerte, pues el mirarse en su amada lo mata. Rasgo que no procede ciertamente de los bestiarios, y que reaparece idéntico en Stefano Protonotario, en el florentino Bondie Dietaiuti, y en Jacopone da Todi.[19]

Brunetto Latini ya se ha olvidado de Jesucristo, de Satanás, y de la mirada letal, al menos en los términos recién vistos: "Sabed", dice en su *Libro del Tesoro,* "que Alejandro los encontró (a los basiliscos) y mandó hacer unas grandes ampollas de vidrio en las que entraban los hombres, pudiendo ver a los basiliscos, que por su parte no los veían, matándolos con saetas; y mediante tal estratagema se libró de ellos, él y su hueste".[20] El falso Juan de Mandeville, en la versión inglesa de los *Viajes,* sostiene que en las islas de Asia hay mujeres con piedras preciosas en los ojos; son tan crueles, que si miran a un hombre encolerizadas, lo matan, "as doth the basilisk". Pero no indica antídoto.[21]

Que la muerte del basilisco, destruido por su propia mirada, sea un préstamo de la leyenda de Quimera,[22] o de la gorgona Medusa, el hecho es que en el siglo XVI aún se creía que el espejo era el medio más seguro para liquidar al monstruo. Ignoro si la creencia de que el huevo del que nacía era esférico tendría relación con el espejo. En

17 P. de Beauvais, *Le bestiaire* en Ch. Cahier y A. Martin, *Melanges d'archéologie, d'histoire et de littérature,* Paris, Poussielgue-Rusand, vol. II (1851), págs. 213-14; cito por mi trad. en *Bestiario Medieval* (v. nota 9), págs. 160-61.
18 *Le Miroir* (v. nota 7), págs. 241-42.
19 M. S. Garver, "Sources of the beast similes in the Italian Lyric in the thirteenth century", *RF* XXI (1905-08), págs. 276-320.
20 Brunetto Latini, *Li Livres dou Tresor,* ed. F.J. Carmody, Berkeley-Los Angeles, University of California Press, 1948, pág. 140.
21 *Mandeville's Travels,* ed. M.C. Seymour, Oxford, Clarendon Press, 1967, pág. 206.
22 Esta sugerencia, y la información que sigue, en Barber, *o.c.* pág. 23.

Figura 7

Figura 8

Ricardo III, de Shakespeare, Ana, viuda de Eduardo, exclama mientras Ricardo la corteja, y ensalza la belleza de sus ojos: "¡Ojalá fuesen basiliscos para matarte en el acto!", frase que evoca extrañamente el símil italiano del suicidio del poeta, aún sin la mención literal de los espejos.

Antes de que el basilisco de Vézelay empiece a resultar odioso, de puro inmóvil, paso a éste, del mismo templo (fig. 11), dibujado en los vetustos *Nouveaux Mélanges d'Archéologie* de Cahier y Martin.[23] La pregunta obligada es: ¿se trata realmente de la escena del basilisco al que desafía un guerrero, campana de vidrio en mano? El Padre Cahier no cree que se trate dos veces la misma escena en un templo, y opina que el ser que presenta al monstruo esa especie de huevo, es una esfinge. No veo explicación a la presencia de la esfinge, ni al personaje a horcajadas sobre el monstruo; ni veo en parte alguna la cresta del basilisco, que sí aparece en el capitel anterior, y que suele ser un rasgo identificatorio no desdeñable. En el salterio del duque de Rutland[24] (fig. 12), el basilisco amenaza el escudo del personaje, o quizá sería preciso decir de "los personajes", si no se trata de una representación simultánea o desdoblada. Desde sus almenas, el basilisco de un bestiario (fig. 13) —se trata del MS Harley 3244 del Museo Británico— se enfrenta a un guerrero;[25] se ilustra tambien aquí el carácter mortífero de su mirada. Si en estas imágenes lo que los adversarios del monstruo sostenían no era en realidad sino un escudo, el grabado de las *Fábulas de Esopo* de Sebastián Brant, de 1501, que vemos a continuación (fig. 14), no es equívoco: el monstruo se refleja en el espejo que sostiene el soldado, que aparta prudentemente la mirada. En la obra, moderna, de la que he tomado la ilustración, la lámina no ha sido entendida: no se trata de la mirada mortífera de un *dragón*, sino de la de un basilisco, perfectamente reconocible por su cresta.[26]

El prestigio de este monstruo es innegable: uno de ellos aparece en el tesoro del duque de Berry, ilustrando esa manía medieval, y a lo mejor moderna, que Eco denomina "gusto por la recopilación y el inventario";[27] en *El otoño del patriarca*, Bendición ordena "...que saquen las gallinas de los nidos cuando esté tronando, para que no empo-

23 Ch. Cahier y A. Martin, *Nouveaux Mélanges d'archéologie, d'histoire et de littérature sur le Moyen Age. Curiosités mystérieuses*, Paris, Firmin-Didot, 1874, pág. 203.

24 Reproducido en Baltrusaitis, *Le Miroir*, pág. 242 (ca. 1260, Belvoir Castle, Inglaterra).

25 En Rowland, *o.c.*, pág. 30 (f. 59 b).

26 Cl. Kappler, *Monstres, Démons et merveilles à la fin du Moyen Age*, Paris, Payot, 1980, pág. 177 (f. 182 v).

27 U. Eco, "La Edad Media ha comenzado ya", en *La nueva Edad Media*, de U. Eco *et al.*, Madrid, Alianza, 1974, pág. 31, nº 2.

Figura 10

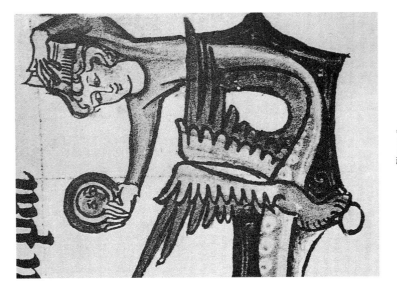

Figura 9

llen basiliscos".[28] En cuanto a su significado, "el basilisco-caradrio", dice Izzi, "representa el binomio muerte-vida".[29] (Pido perdón a los entendidos por recordar que el caradrio es un ave que cura a los enfermos si fija en ellos su vista, y los deja morir al apartarla). A un nivel más profundo, Chevalier se pregunta si el basilisco no es una imagen del incosciente, temible para quien lo ignora y que domina a quien no lo reconoce, hasta desintegrar y destruir la personalidad; por eso hay que mirarlo, dice Chevalier, y admitir su valor, para no convertirse en víctima suya.[30]

La creencia en el espejo como arma eficaz contra este monstruo es antigua, y de amplia difusión: antigua, porque se atribuye ya a Aristóteles. En el *Diccionario infernal,* leo: "Verdad es (…) que si el basilisco puede matar, también se le puede matar a él, presentándole la lisa superficie de un espejo; los vapores empozoñados que lanza de sus ojos se estrellarán en el cristal y por reflexión le enviarán la muerte que intentaba dar. Aristóteles es quien ha enseñado esta particularidad".[31] El surrealista Roger Caillois[32] añade que la superficie de un agua en calma no es menos fatal para el basilisco. Que el espejo sea un arma no es cosa nueva, ni únicamente europea: los trajes de los shamanes siberianos van frecuentemente adornados con espejos, que reflejan las acciones de los hombres, o también protegen al shamán, durante su viaje, contra los dardos de los malos espíritus.[33] En China, muchas casas tienen —o tenían— espejitos sobre la puerta, para ahuyentar a los demonios. Pero en Europa el basilisco es endémico; según leyenda que recoge Peter Lum,[34] Inglaterra estaba en su día infestada de estos monstruos; un valiente se envolvió en espejos y recorrió el país para no dejar ni uno. En Varsovia, en 1587, un criminal convicto cubierto de una prenda de cuero con espejos cosidos, bajó a una bodega y dio muerte a un basilisco. En Islandia podría haber vivido el *skoffin,* al que sólo mataba la vista de otro *skoffin.* Willy Ley[35] cuenta la historia del basilisco de Viena, muerto gracias a un espejo, y Carl Gustav Jung[36]

28 G. García Márquez, *El otoño del patriarca,* Barcelona, Seix Barral, 1985, pág. 374 (col. "Summa Literaria" 9).
29 Izzi, *o.c.,* pág. 114.
30 J. Chevalier y A. Gheerbrant, *Dicctionnaire des symboles,* Paris, Seghers, 1974, t. I, pág. 180.
31 J.A.S. Collin de Plancy, *Diccionario infernal,* Barcelona, Taber, 1968, pág. 144.
32 R. Caillois, *Méduse et Cie.,* Paris, Gallimard, 1960, pág. 134.
33 Véase Chevalier, *o.c.,* t. III, pág. 224 (citando a U. Harva, *Les représentations religieuses des peuples altaiques,* trad. de l'alld. par J.-L. Perret, Paris , 1959).
34 *Fabulous Beasts,* London, Thames & Hudson, 1952, págs. 42-44.
35 *El pez pulmonado, el dodó y el unicornio,* Madrid, Espasa-Calpe, 1963, pág. 71.
36 *L'homme á la découverte de son âme. Structure et fonctionnement de l'inconscient* Paris, Payot, 1975, pág. 291.

Figura 11

Figura 12

menciona el basilisco de Basilea, ciudad indicadísima para albergarlo. Hasta en la leyenda catalana, los ladrones de tumbas se protegen con un espejo del basilisco que guarda las sepulturas.[37]

Espejo, monstruo y muerte se reúnen en el motivo del vampiro, cuya imagen, como es notorio, no se refleja en los espejos. "El motivo del espejo", dice Izzi,[38] "aún siendo extraño a los testimonios históricos y folklóricos sobre el vampiro, es una transposición de la conexión entre el poder mágico de los espejos y el tabú de la muerte: cuando se cubren los espejos en las cámaras mortuorias es para evitar que se refleje, y por consiguiente se concentre en ellos, la imagen de la muerte, que podría influir negativamente sobre quienes se reflejasen a continuación".

Uno de los entrevistadores de Borges sugiere al maestro: "en cuanto uno comprueba si es cierto o falso que los pájaros solitarios cantan, el pájaro deja de estar solo". Borges ríe, y asiente: "Eso es cierto. Es como la idea del basilisco, ¿no?, que mata a los hombres. ¿Cómo hicieron para darse cuenta? Si no hay testigos".[39] La debilidad de esta *boutade* es palmaria, y no merece detenerse en ella. Prefiero llamar la atención de todos sobre el efectivo suicidio, en sentido estricto, que opera el basilisco enfrentado al espejo, y que lo acerca inquietantemente a la doctrina de los poetas italianos del siglo XIII, al catoblepas de Flaubert, que se devora las patas (y sobre el que escribí en otra ocasión), al castor medieval que se automutila castrándose, al *uroboros* universal que se muerde la cola, o al monstruo-león de la leyenda de Shiva que se autodevora hasta que de él no queda más que el rostro (casi como el gato de Cheshire, en *Las aventuras de Alicia,* obra en la que por cierto, tampoco faltan espejos interesantes). *Mutatis mutandis,* podría afirmar ahora, como lo hice a propósito del catoblepas, que merced al espejo "el aspecto devorador del monstruo ha perdido su eficacia primera, se ha visto reducido por eufemización o inversión (...). Si la antífrasis es una conversión en sentido religioso, como lo afirma Gilbert Durand, lo visto me parece ilustrar el "gran esquema cíclico de la conciliación de los contrarios". Las figuraciones de muerte, o al menos de peligro mortal, características del basilisco primitivo, contienen una "excitación al exorcismo, una invitación imaginaria a emprender una terapéutica mediante la imagen". Se ha producido un paso del régimen *diurno* al régimen *nocturno* de la ima-

---

37 F. Sánchez Dragó, *Gárgoris y Habidis. Una historia mágica de España,* Madrid, Hiperión, 1978, t. I, p. 160 (citando a Estadella y Tomeo).

38 Izzi, *o.c.,* p. 198.

39 Borges el memorioso. Conversaciones de Jorge Luis Borges con Antonio Carrizo, México, Fondo de Cultura Económica, 1983, pág. 45.

egula aūt sicut scorpiones aren
tia query exhibantur: et postq
ao Aquas uenerint idcorphō
bas et limphaticos faciunt. Sibi
tus telem est qui et regulus: sibilo
eium occidit auch moideat.

Figura 13

Figura 14

gen, ese régimen —recuerdo las palabras de Gilbert Durand— cuya "actitud más radical (...) consiste en sumergirse en una intimidad sustancial y en instalarse mediante la negación de lo negativo en una quietud cósmica de valores invertidos, de valores exorcizados por el eufemismo".[40]

Tigresa

Sin llegar a la categoría de tigre —o de tigresa, debería yo decir—, un animal, que es comadreja o armiño, se contempla en un espejo a los pies de la Templanza, en los tarots denominados de Mantegna; de la misma época —el Renacimiento— es un cuadro de Hans Baldung Grien, que se conserva en el Museo Nacional de Estocolmo, y en el que una pantera se mira en el agua que mana de una fuente.[41] Pero el tigre en el espejo conoce una difusión universal. El tipo 1168 A de los cuentos que recogió el finlandés Antti Aarne[42] se titula "El demonio y el espejo", y reza así: "El hombre tiene un espejo en su bolsa. Dice al demonio o al tigre que ha capturado otros demonios —o tigres—, y le muestra la bolsa, donde ve su reflejo y, al confundirlo con otro demonio o tigre, se escapa". Este cuento está recogido en lugares tan distantes entre sí como la India y los estados norteamericanos de Georgia o Virginia, por lo que no sorprende su ubicuidad en los textos medievales, en los que significa alternativamente seres cuya naturaleza es tan distinta como el fraile predicador, el diablo, la Virgen María y la amante o el amante de la poesía cortés.

En la literatura antigua y medieval, puedo reducir a cuatro tipos la leyenda del tigre y el espejo. Los denominaré A, B, C y D. El primero A, no está ampliamente representado en los textos, y otro tanto sucede con el tercero, C. En cambio, B y D abundan.

La historia arranca de Plinio —tipo A. "Este", dice el naturalista refiriéndose al tigre, "nace en Hircania y en la India. Es un animal de temible rapidez, que sobre todo se aprecia cuando le arrebatan toda su camada, que siempre es numerosa. El cazador que la ha acechado, se la lleva sobre un caballo de los más rápidos, y la hace pasar sucesivamente a caballos de refresco. Pero cuando la madre encuentra el lecho vacío —pues, en efecto, los machos no se ocupan de su prole—, se precipita tras el ladrón, al que sigue por su olor. Este, al acercarse el rugido, arroja al suelo uno de los cachorros; la tigresa lo

40 I. Malaxecheverría, "Eléments pour une histoire poétique du catoblepas" en *Epopée animale* (v. nota 3), pág. 352.
41 Tervarent, *o.c.*, t. I, págs. 379-80.
42 *The Types of the Folktale. A Classification and Bibliography*, trad. S. Thompson, Helsinki, Suomalainen Tiedeakatemia, 1981, pág. 368.

Figura 15

Figura 16

toma en sus fauces, y, azuzada por su carga, vuelve a su cubil, reanudando luego la persecución, y continúa el juego, hasta que, una vez llegado el cazador a su nave, la fiera exhibe en vano su furor en la orilla".[43] Historia que quizá conoce deficientemente Claude Kappler. En la ilustración (fig. 15) que encabeza el capítulo tercero de su interesante libro *Monstres et merveilles á la fin de Moyen Age* y que es la lámina "De tygribus", tomada de las *Fábulas de Esopo* de Sebastián Brant, el pie indica que se trata de un viajero que se encuentra con tigres monstruosos.[44] Pues, no. El "viajero" es en realidad un cazador, y no "se encuentra" con ningún tigre, sino que lo burla arrojándole uno de los bellísimos cachorros que le ha robado, fase inmediatamente anterior a la de los espejos. San Ambrosio, tres siglos después de Plinio el Viejo, dice que el cazador le arroja "sphaeram de vitro"; la fiera, engañada por su propia imagen, cree que es el cachorro y deja de perseguir al cazador. Nuevas esferas retrasan a la tigresa, que "et vindictam amittit et sobolem".[45] Tal es el tipo B. El C es el recogido en el *Fisiólogo armenio,* fechable en el siglo V, según el cual (cito la versión moderna de Carlill) "dicen que guarda a sus crías en una bola hueca de cristal. Cuando descubre que han robado a su cachorro, se lanza tras las huellas del ladrón, tan veloz como el viento, y le da alcance por mucha distancia que medie entre ellos. Entonces, el ladrón entrega al tigre su cachorro encerrado en la bola de cristal, y el cuidadoso animal teme romperla y hacer daño al pequeño. Se la lleva a su guarida haciendo rodar la bola ante sí".[46] El Padre Cahier afirma que esta "invención incalificable" nace de una mala comprensión de textos anteriores: la bola de cristal-espejo ha sido tomada por una esfera. Pero es que la última frase del texto armenio también presenta dificultades: "Los artistas la representan con forma de león", traduce Pitra; para él, esto se refiere a la frecuente figuración del león con una pata apoyada en una esfera. En una extraordinaria pirueta exegética, Cahier relaciona esa esfera con cierta leyenda en virtud de la cual el león teme el rechinar de las ruedas de los carros, y hace, por cierto, un comentario sarcástico sobre el insoportable ruido que producen las carretas de Vizcaya, como si las carretas, en la Francia rural del siglo pasado, fueran silenciosas.[47] En

43 Pline L'ancien, *Histoire Naturelle,* 1. VIII, ed. A. Ernout, Paris, Les Belles Lettres, 1952, págs. 46-47 (VIII, XXV).
44 Kappler, *o.c.,* pág. 69.
45 Véase el texto de San Ambrosio en J.P. Migne, *Patrologiae Cursus Completus. Series Latina (PL),* Paris, 1844-1864, t. XIV, col. 265.
46 J. Carlill (trad.), *Physiologus* en *Epic of the Beast,* London, Carlill & Stallybrass, 1924, págs. 189-90.
47 Cahier y Martin, *Nouveaux Mélanges* (v. nota 23), pág. 138; J. B. Pitra, *Spicilegium Solesmense,* Paris 1855, t. III, pág. 390; Cahier y Martin, *Mélanges* (v. nota 17), t. II, pág. 110, nº 41.

Figura 17

Figura 18

cualquier caso, repito que este tipo C, como el A, no vuelve a darse en los textos, al menos en los que conozco.

' Vuelven al tipo B —el de la fiera engañada por su imagen en la esfera de vidrio—, Petrus Damianus, para quien el cazador es el predicador, y el tigre representa demonio,[48] y *De Bestiis,* que precisa lo que el cazador arroja: "sphaeram de vitro, id est, speculum rotundum".[49] El bestiario de Cambridge (CUL II, 4,26) aclara que la tigresa, engañada por su propia imagen, que identifica con su hijo, se detiene y pierde la presa; al serle arrojadas nuevas bolas de vidrio, "se enrosca en torno al vano reflejo y se tiende como para amamantar al cachorro",[50] frase que traduce precisamente la ilustración que contemplamos (fig. 16). Pierre de Beauvais, en su bestiario, dice que la tigresa pierde al cachorro, por gozar viendo en los espejos "la beauté de sa bonne taille", frase que va a marcar un giro inesperado, al menos en la interpretación de los motivos que llevan a la fiera a ser engañada, como indicaré enseguida. En cuanto a la significación, Pierre de Beauvais añade: "Los espejos son los grandes festines, los grandes placeres del mundo, que anhelamos; prendas, caballos, mujeres hermosas, y todos los demás pecados, como los que el cazador representa en su espejo, que arroja a la cara del hombre".[51] Lo que vemos inmediatamente (fig. 17) es precisamente una ilustración de un manuscrito de Pierre de Beuvais: el cazador, a pie, se lleva un cachorro; el tigre, alado —rápido como el viento— contempla dos espejos que hay en el tronco de un árbol; en otro bestiario del Museo Británico (fig. 18) el cazador monta a caballo, mientras el tigre, rayado y manchado (así no hay quien se equivoque sobre si es tigre, leopardo, etc.), abraza y muerde —supongo que cariñosamente— una esfera o espejo circular.[52] Véase lo mismo en una bellísima imagen del bestiario de Oxford (fig. 19), conservado en el MS Ashmole 1511 de la Bodleian Library, en un bestiario inglés del siglo XII (fig. 20) y en otro anglo-normando,[53] conservado en la biblioteca de Douai (fig. 21), ilustraciones todas ellas de la eficacia del espejo esférico convexo. Una tigresa moteada se contempla en otro

48 Petrus Damianus. De bono, XIV, col. 775, citado en *Le Proprietá degli animali. Bestiario moralizzato di Gubbio, a cura di Annamaria Carrega, Lilbellus de natura animalium, a cura di Paola Navone,* Genova, Costa e Nolan, 1983, pág. 499.

49 *De Bestiis,* III, 1 (*De tigride*) en Migne, *PL* (v. nota 45), t. CLXXVII.

50 T.H. White, *The Bestiary. A Book of Beasts,* New York, G.P. Putnam's Sons, 1960, págs. 12-13; la ilustración pertenece a *Il Bestiario di Cambridge. Il manoscritto II, 4, 26 della Cambridge University Library,* Milano, Ricci, 1974, pág. 52.

51 P. de Beauvais en Cahier, *Mélanges,* t. II, págs. 140-41.

52 McCulloch, *o.c.,* pág. 195 (Paris, Arsenal 3516, f. 200; Brit. Mus. Add. 11283, f. 1).

53 Respectivamente en el *Bestiario Medieval* editado por Siruela, pág. 261, y en Baltrušaitis, *Le Miroir,* págs. 248-249 (New York, P. Morgan; Douai, ca. 1260).

Figura 19

Figura 20

espejo, en los *Duodecim Specula* (1610)[54] de Jan David (fig. 22). Una *Image du Monde* de 1245 presenta a los cazadores de la India arrojando espejos de vidrio, que las tigresas toman por sus cachorros; los rompen con las patas, y no encuentran nada en el interior. A veces, piensan tanto en mirarse, y quedan tan prendadas de su imagen, que puede atrapárselas vivas.[55] Lo que nos conduce directamente al cuarto tipo, el D, de la leyenda de los tigres y los espejos. En el *Bestiario de Amor* de Richart de Fornival, que es un traslado de la doctrina del *Physiologus* a la retórica amorosa, un tratado de estrategia en el que el poeta enamorado describe las tácticas, errores, aciertos y fracasos de su campaña galante, utilizando las "propiedades naturales" de los animales, tradicionalmente descritas por los autores de bestiarios, puede leerse: "¿Acaso, pues, contribuyó la vista a mi captura? Ciertamente que sí, fui más atrapado por mi propia vista que lo es el tigre por el espejo; pues, por grande que sea su ira cuando le han robado sus cachorros, si encuentra un espejo, se verá forzado a fijar sus ojos en él. Y tanto placer encuentra en contemplar *la belleza de su hermosa estampa,* que olvida perseguir a los que le han robado sus cachorros, y se detiene como cazado en una trampa. Y los cazadores astutos colocan ahí el espejo con deliberación, para desembarazarse de él..."[56] El error —voluntario o no— de quien adaptara el texto de Pierre de Beauvais consiste en la humilde alteración del sentido de un posesivo: la belleza de *su* hermosa estampa. "Su" deja de referirse al cachorro, para apuntar a la propia tigresa. A partir de ahí, el camino es previsible. En el *Bestiario de Amor rimado,*[57] la tigresa disfruta contemplando su propia belleza, por lo que olvida su dolor. Astutamente, el cazador *cuelga un espejo en el camino, en lugar en que pueda verlo la tigresa.* Y la significación, un poco traída por los cabellos, es que Amor ha burlado al amante con la belleza de la dama. ¿Será lo que expresa la imagen del MS Bodley 764, en el Bodleian Museum,[58] donde la tigresa se mira en la esfera de vidrio? (fig. 23). En cualquier caso, los poetas italianos y provenzales del siglo XIII recogen prácticamente toda la doctrina expuesta, desde Inghilfredi hasta Cavalcanti, pasando por Richart de Berbezilh, Stefano Protonotario, Pallamidesse di Firenze, Dante da Maiano, Carnino Ghiberti y Chiaro Davanzati, uno de cuyos poemas termina así:

54 Grabes, *o.c.,* il. 23.
55 *L'Image du Monde, de Maître Gossouin. Rédaction en prose. Texte du MS BN, FF nº 574, par O.H. Prior,* Lausanne, Imprimeries Réunies, 1913, pág. 114.
56 C. Segre, ed., *Li Bestiaires d.Amours di Maistre Richart de Fornival e li Response du Bestiaire,* Milano-Napoli, Ricciardi, 1957, págs. 40-42.
57 A. Thordstein, *Le Bestiaire d'Amour rimé,* Lund-Copenhague 1941 ("Etudes Romanes de Lund" II), v. 963 ss.
58 En Rowland, *o.c.,* pág. 150 (f. 6 B).

Figura 21

Figura 22

>Voi siete il cacciatore viguroso,
>La tigra è Amore e io son la Follía,
>Che vo ciercando il mal ch'è perilglioso.[59]

Brunetto Latini, el enciclopedista, no recoge la idea de Richart de Fornival, y lo que según él mueve a la tigresa a volver y revolver las esferas es "la pitié de ses filz"; en cambio, en una canción anónima a la
Virgen, fechable en el siglo XIII, se alude al poder fascinante de la belleza de María:

>Tigre en mireour,
>En ire et en plour
>Solaz et risee.[60]

Siguen la doctrina B, es decir, la de San Ambrosio, el enciclopedista
Tomás de Cantimpré, así como, ya en el siglo XVII, Edward Topsell;
para ambos, en las esferas de vidrio se *representa* a los cachorros; la
tigresa se las lleva rodando a su guarida, donde las rompe y ve que ha
sido burlada.[61] La esfera engañosa sigue derrotando a la madre en Alberto el Grande, en Bartolomé el Inglés y en el Bestiario de Gubbio,
para el que nosotros somos "la tigra" y los cachorros son las virtudes.
El cazador es el enemigo, que hace ver lo que no es.[62]

El tipo cuarto, o D, se manifiesta también en el *Fisiólogo* valdense;
la tigresa disfruta tanto viéndose y mirando su forma, que es capturada
mientras está en ello, de donde se deriva la siguiente significación:
trátase de hombres y mujeres que gozan tanto con su belleza corporal,
que no se empeñan en otra cosa sino en acicalarse, olvidando así los
mandamientos de Dios.[63] En el bestiario toscano-veneciano, "lo tiro"
adora mirarse al espejo; pierde a sus hijos por haberse parado a ad-
mirarse en los espejos que va sembrando el cazador (o sea, el
demonio).[64] Esta mujer-tigre (fig. 24), una miniatura de la escuela

59 Garver, *o.c.*, págs. 283-84, 292, 297, 300, 316-17 y 319.
60 Brunetto Latini, *o.c.*, pág. 196; la canción anónima en P. Bec, *La Lyrique française
    au Moyen Age (XIIᵉ-XIIIᵉ siècles). Contribution à une typologie des genres poéti-
    ques médiévaux. Etudes et textes,* Paris, Picard, 1977, t. II, pág. 79.
61 Véase respectivamente *Thomas Cantimpratensis. Liber de Natura Rerum. Editio
    Princeps secundum codices manuscriptos,* H. Boese ed., Teil I: Text, Berlin-New
    York, Walter de Gruyter, 1973, IV, XCVII; E. Topsell, *The History of Four-Footed
    Beasts and Serpents and Insects,* London, Frank Cass & Co., 1967, t. I, págs. 549-
    50.
62 Respectivamente, J. Berger de Xivrey, *Traditions Tératologiques,* Paris, Imprimerie
    Nationales, 1836, pág. 525, nº 6; *On the Properties of Things. John Trevisa's
    Translation of Bartholomoeus Anglicus De Proprietatibus Rerum. A Critical Text,*
    Oxford, Clarendon Press, 1975, t. II, pág. 1255 (XVIII, 104); best. de Gubbio en *Le
    Proprietà* etc. (v. nota 48), pág. 67.
63 A. Mayer (ed., "Der /Waldensische Physiologus", *RF* V (1890) nº 51.
64 M. Goldstaub & R. Wendriner, *Ein Tosco-Benezianischer Bestiarius,* Halle a.S.,
    Max Niemeyer, 1892, págs. 31-32.

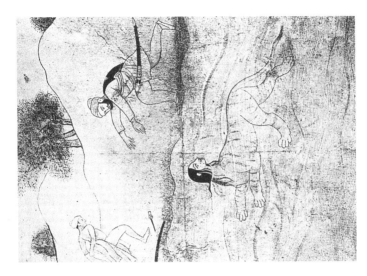

Figura 24

Figura 23

Kangra, del siglo XVIII, conservada en Bombay, ilustra a la perfección el aspecto absolutamente femenino de la tigresa.[65] Los bestiarios catalanes, que siguen el tipo D, salvo en un caso, identifican al cazador con el diablo, y al cachorro con el alma.[66] En cuanto a *Proprietez des bestes,* dada su naturaleza, sigue lo dicho por San Ambrosio.[67]

Puede, en todo caso, minimizarse la importancia del espejo en la leyenda del tigre: es lo que hace Florence McCulloch, la gran papisa del bestiario, en un artículo de hace veinte años. Tal espejo, dice, "jamás sirve de puerta que se abra sobre la vida interior, ni es jamás el medio de un conocimiento más profundo de uno mismo; pero su poder de inmovilizar al que se mira en él tiene interés por lo que revela de la psicología humana. El animal es tan incapaz como el hombre de pasar ante un espejo sin mirarse en él. De lo que resulta que esta leyenda nos presenta una especie de *speculum naturae humanae en miniatura".*[68] Evidente, señora McCulloch. Y previsible. Menos previsible y más inquietante es ir en busca de paralelos y de reflejos del espejo, sobre todo del espejo esférico, en el mito universal. Jung, en su *Simbología del Espíritu,* y a propósito del cuento del espíritu en la botella, señala que ésta, como *vas Hermeticum* de la alquimia, estaba cerrada "herméticamente", es decir, sellada con el signo de Hermes, y tenía que ser de *vidrio,* y además, de ser posible, *redonda,* ya que necesitaba representar el universo, en el que fue creada la tierra (...) Caesar von Heisterbach (siglo XIII), menciona una visión del alma en la que ésta aparece como una *vasija esférica de vidrio".*[69]

En la misma dirección apunta Baltrušaitis, al indicar que el tema de los personajes metidos en redomas esféricas resulta de una degeneración de la idea del cosmos cristalino, y conduce también a una fábula infernal, de la que existen incluso ejemplos tibetanos. Sin ir tan lejos, una bula papal de 1326 alude al demonio encerrado en una redoma, y hay una transposición de la leyenda al reino animal en el *Speculum Humanae Salvationis* (de 1324), donde se dice que un polluelo de avestruz es encerrado en un recipiente de vidrio por el rey Salomón. El avestruz consigue liberar a su cría gracias a un gusano milagroso, fábula que está tomada de la *Historia escolástica* de Petrus

65 H. Mode, *Animales fabulosos y demonios,* México, Fonde de Cultura Económica, 1980, pág. 86.

66 *Bestiaris,*ed. S. Panunzio, Barcelona, Barcino, 1963-64, t. II, págs. 55-57. (MS *B,* XX), t. I, págs. 86-89 (MS *A,* XIX) y t. II, pág. 116 (MS *G*).

67 Véase Berger de Xivrey (v. nota 62), págs. 523-24.

68 "Le Tigre au Miroir: la vie d'une image de Pline à Pierre Gringore", *RSH* 130 (1968), pág. 150.

69 C.G. Jung, *Simbología del Espíritu. Estudios sobre fenomenología psíquica,* México, Fondo de Cultura Económica, (1962) 1981r, pág. 63.

Figura 25

Figura 26

Comestor, y se lee también en Gervasio de Tilbury y en Vicente de Beauvais (*Speculum Naturale* XX, 170).[70]

La idea de estar encerrado en un recinto de vidrio es, en efecto, recurrente en la antigüedad y en la Edad Media, y no ya en una pequeña esfera, sino en un ámbito mayor. En una plegaria cátara que editó René Nelli, tras las promesas del Diablo a los hombres, "subieron a un cielo de vidrio, y tantos se elevaron hasta él, tantos cayeron y perecieron..." Ese cielo de vidrio, dice Nelli, cielo ilusorio, corresponde a una creencia efectiva del siglo XIII; se trataba de una imagen tradicional.[71] Imagen que ha dado tema, por lo menos, a una novela contemporánea, en la medida en que estoy informado: en *El mundo es de cristal*, de Morris West, la protagonista, Magda, sueña que se ve encerrada, desnuda, dentro de una bola de cristal que rueda y rueda en un desierto de arena roja como la sangre. En una visión diurna, "ve" naranjas convertidas en bolas de cristal: una Magda, desnuda, está recluída dentro de cada fruta. Ninguna de las Magdas puede hablar con las demás —como las mónadas de Leibnitz. En otros sueños, vuelve a estar presa dentro de una gran bola de cristal que sigue rodando. Otro personaje burlón hace rodar la bola y la golpea hasta producirle rajaduras, mientras Magda está acurrucada en el interior, como un feto. Magda visita al gran analista Carl Gustav Jung, personaje de la novela, y le cuenta que, a su juicio, la bola de cristal es ciertamente una prisión; para él, la bola es claramente un útero, y también una cárcel. Durante las sesiones con Jung, Magda vuelve a sentirse dentro de la bola, rodando y rodando... Para Jung, Magda está aprisionada en un mundo transparente, en un globo de vidrio que es a la vez "una prisión, un lugar de exhibición, un útero, una cápsula dentro de la cual ella puede mantenerse viva y segura, fuera del alcance de manos hostiles".[72] Y no me atrevo naturalmente a decir que esta sea la bola del tipo C de mis tigres; simplemente las pongo en paralelo. Como pongo en paralelo todo eso con la afirmación de Vladimir Nabokov en su autobiografía, *Speak, Memory:* a los cincuenta, ve su propia vida como una espiral de color dentro de una pequeña esfera de cristal.[73]

---

70 J. Baltrusaitis, *Le Moyen Age fantastique. Antiquités et exotismes dans l'art gothique*, Paris, Flammarion, 1982, pág. 202, nº 61.

71 R. Nelli y R. Lavaud, *Les Troubadours. II Le trésor poétique de l'Occident*, Paris, Desclée de Brouwer, 1978, t. II, págs. 1027-29.

72 M. West, *El mundo es de cristal*, Barcelona, Vergara, 1983, págs. 13, 30, 60, 80, 131, 135, 170, 173 y 243.

73 V. Nabokov, *Speak, Memory. An Autobiography Revisited*, New York, Putnam's Sons, 1970, pág. 275.

Figura 27

Figura 28

Unicornios

Uno de los "Sonetos a Orfeo", de Rilke, dice así:
Oh, éste es el animal que no existió.
No lo vieron, y, sin embargo, amaron
su andadura y sus modales, su cuello,
y aún la luz sosegada de sus ojos.
No existió, no. Pero porque lo amaron
fue un animal puro. Diéronle espacio
Y en este espacio, claro y libre, alzó
grácil la cabeza y no le hizo falta
existir. No le nutrieron con grano,
sólo con la eventualidad de ser.
Y ésta le dio tal fuerza al animal
que un cuerno creció en su frente. Unicornio.
Se acercó todo blanco a una doncella,
y fue en su espejo de plata y en ella.[74]

¿Qué espejo es éste, que reúne a la doncella y al unicornio? Lo esencial
de la leyenda es sabido. El unicornio, bestia feroz, solo se rinde ante
una virgen en cuyo regazo se apoya mansamente o en cuyos pechos
bebe, según las versiones. Ello permite que los cazadores se apoderen
del temible animal.

En principio, hay un efecto "de espejo" en los dos unicornios
enfrentados (fig. 25) del claustro de la catedral de Tudela.[75] El tema es
desconocido en Francia, dice Debidour. El problema es que puede
tratarse de dos antílopes u oryx, vistos de perfil. De hecho, no es fácil
ver unicornios con el cuerno hacia atrás. Mâle indica que en la columna
de Souvigny, el artista, fiel a una tradición del arte oriental, le ha
representado el cuerno en esa posición; y afirma Mâle que el unicornio
con el cuerno hacia atrás está en el *Fisiólogo* griego; remite a
Strzygowski, al salterio Khludov y al salterio de Utrecht. Desde luego,
el *Fisiólogo* griego nada dice de semejante cuerno; a cambio, Uranga e
Iñiguez también consideran unicornios a los del claustro de Tudela, y
una arqueta de Silos, conservada en Burgos, muestra un unicornio alado con el cuerno en semejante forma.[76] Discusiones aparte, hay unicor-

---

74 R.M. Rilke, *Antología Poética,* Estudio, versión y notas de J. Ferreiro Alemparte,
    Madred, Espasa-Calpe, 1982, pág. 151.
75 I. Malxecheverría, *El bestiario esculpido en Navarra,* Pamplona, Institución
    Príncipe de Viana, 1982, pág. 233.
76 Véase respectivamente V.H. Debidour, *Le Bestiaire sculpté du Moyen Age en Fran-*
    ce, Paris, Arthaud, 1961, Indice; E. Mâle, *L'art religieux du XIIe siècle en France,*
    Paris, Armand Colin, 1966, págs. 324-25; J. E. Uranga y F. Iñiguez, *Arte Medieval*
    Navarra, Pamplona, Aranzadi, 1971, t. III, pág. 169; L.M. Lojendio y A. Rodríguez
    Castilla Románica, Madrid, Encuentro, 1981, t. II, il. 38 ("La España Románica" 3).

Figura 29

Figura 30

nios enfrentados en un dibujo —acuarela y tinta sobre papel—
realizado en Pennsylvania Oriental entre 1795 y 1830 (fig. 26).[77]

Pero, al margen de efectos especulares, de simetrías, la dama que
cautiva al unicornio sostiene un espejo en el esmalte translúcido de
Munich, que ahora contemplamos (fig. 27); en una consola de la catedral de Pamplona, de la que ofrezco una vista general (fig. 28) y el
detalle (fig. 29), o en una arqueta de Birmingham (fig. 30). Lo mismo
puede verse en una talla de Rouen, en una arqueta francesa conservada
en la Walters Art Gallery de Baltimore, en la catedral de Lyon, en
Basilea, Oxford y Siena.[78] La ilustración (fig. 31) de las *Decretales de
Smithfield* tiene el mérito de presentar una explicación: para Grabes, la
mujer atrae y doma al unicornio con el espejo de su virginidad, o sea,
que se trata de la Virgen, "espejo de castidad".[79] Otras representaciones relacionan al unicornio con el espejo, sin que exista una dama que
directamente muestre el utensilio a la bestia; en San Domenico de
Siena, Adán aparece bajo los animales del Paraíso (ave, leopardo, león
y unicornio) y se mira en un espejo. El unicornio figura en Clarholz
junto a un cierno y varios monos, uno de ellos provisto de espejo, con
lo que el círculo que he iniciado hoy empieza a cerrarse. Lo mismo
sucede en un cofrecillo conservado en Londres, en el Victoria and Albert Museum: hay un unicornio, y también un mono con espejo.[80] Pero
la plasmación más famosa del motivo que nos ocupa se halla sin duda
en el tapiz de Cluny, en la llamada Tapicería de la Dama y el Unicornio, y precisamente en la alegoría de la vista, de la que muestro un
aspecto general (fig. 32) y otro más detallado (fig. 33). Para Bertrand
d'Astorg, en los tapices de Cluny se trata de la casada, amada como
soltera. Cuando Jean de Chabannes se casa con Claude La Viste, viuda
de Geoffroy de Balzac, a la que amaba ya antes, le dice que acepte los
seis tapices que ha encargado al efecto. D'Astorg imagina así los términos de la ofrenda: "Aceptadlos como un reflejo, igual que mis sentidos, durante largos años, fueron el reflejo de los vuestros. Pues los
cinco sentidos representados son los míos bajo la apariencia de los
vuestros. Hacia mi vista, tendéis el espejo para que yo distinga en él la
imagen de vuestra inocencia; la música que tocáis, la recoge mi oido

77 A. Eliot, M. Eliade, J. Campbell y D. I. Lauf, *Mitos*, Barcelona, Labor, 1976, pág.
    153 (Museo H.F. Du Pont Winterthur).

78 J.W. Einhorn, *Spiritalis Unicornis. Das Einhorn als Bedeutungsträger in Literatuir
    und Kunst des Mittelalters*, München, Wilhelm Fink VErlag, 1976, il. 103 y 101; *El
    bestiario esculpido en Navarra* (v. nota 75), il. pág. 237; Einhorn, il. 102 (Birmin-
    gham), y págs. 352 (Rouen), 351 (Baltimore), 318 (Lyon), 320 (Basilea), 342 (Ox-
    ford), 344 (Siena), 347 (Oxford).

79 Grabes, *o.c.*, il 54 y pág. 162.

80 Einhorn, *o.c.*, págs. 395 (Siena), 443 (Clarholz) y 448.

Figura 31

Figura 32

interior (...). Esta confusión de sensaciones, cuando nos amábamos de lejos, ¿no es la promesa de la unión de las almas que hará de nuestros dos seres uno solo, según la promesa platónica?"[81] Baltrušaitis estima que ese unicornio del Museo de Cluny "parece estar fascinado por esa transfiguración".[82] Los ejemplos de espejos como atributos de la vista abundan: en un dibujo grabado por Joh. Th. de Bry (1561-1623) en el fondo de una bandeja de plata, cinco mujeres simbolizan los cinco sentidos, y la que encarna la vista sujeta un espejo en la mano izquierda. Y Tervarent cita otros varios ejemplos, flamencos y holandeses, del siglo XVI.[83]

Quizá no sea esto sino otra expresión de esa "peregrinación interior" que examina el islamista Henry Corbin, quien, citando el *Jasmin des Fidèles d'Amour,* dice que el estado de Majnûn "absorbido" por Leyla, implica la transmutación del amor humano en amor divino y el final de la dualidad en una *única* "dualitud": Majnûn, "amante" de Leyla, es el "ojo-espejo" mediante el cual Dios se contempla a sí mismo".[84]

Para concluir, hago pública confesión de impotencia al no haber podido descubrir un animal que sea un "espejo dinámico". En el fabliau *Du vair palefroi,* se ha escrito, "el color (del caballo) designa su vocación de espejo vivo que refleja todos los demás colores sin transformarse él mismo. La imagen de este caballo, colocada al inicio del relato, localiza en él la especularidad del procedimiento narrativo, de manera que todos los elementos que se reflejan en esta estructura altamente repetitiva se ordenan en torno a ese espejo dinámico que los atraviesa y los domina. (...) A caballo-espejo, el joven Guillaume cruza un sendero secreto del bosque, para contemplar sin cesar la imagen de su amiga..."[85] Yo he visto cosas más sencillas —o quizá más complejas— en los cinco animales de que me he ocupado. He visto la relación entre espejos y el tema del "emboîtement" o gulliverización, al referirme a los tigrecillos encerrados en la bola de vidrio. He visto, con Durand,[86] y a propósito de las sirenas, o del simio, que el espejo no solamente es procedimiento de redoblamiento de las imágenes del yo, y de ahí símbolo del doblete tenebroso de la consciencia, sino que se

81 B d'Astorg, *Le Mythe de la Dame à la Licorne,* Paris, Seuil, 1963, págs. 137-38.

82 Baltrusaitis, *Le Miroir,* pág. 251.

83 Tervarent, *o.c.,* t. I, pág. 274.

84 G. Durand, *L'âme tigrée. Les pluriels de Psyché,* Paris, Denoël-Gonthier, 1980, pág. 174.

85 P. Harris-Stäblein, "Le rôle de la bête dans la structuration dynamique des fabliaux: *Du vair palefroi*" en *Epopée animale* (v. nota 3), págs. 577-78.

86 G. Durand, *Les structures anthropologiques de l'imaginaire. Introduction à l'archétypologie générale,* Paris, Bordas, 1973, págs. 109 y 238.

Figura 33

Figura 34

relaciona también con la coquetería, constituyendo el agua, al parecer, el espejo originario (casos de Ofelia, Narciso, Acteón...). He visto, con Frappier,[87] que en un magnífico estudio recorre los espejos medievales desde Narciso a los trovadores, cómo la dama, "espejo" del amante en la lírica cortés, lo es en un sentido muy concreto en el caso del basilisco. He disfrutado con la leyenda que Borges recoge o inventa, y sitúa en la época fabulosa del Emperador Amarillo: "En aquel tiempo", escribe Borges, "el mundo de los espejos y el mundo de los hombres no estaban, como ahora, incomunicados. Eran, además, muy diversos; no coincidían ni los seres ni los colores ni las formas. Ambos reinos, el especular y el humano, vivían en paz; se entraba y se salía por los espejos. Una noche, la gente del espejo invadió la tierra. Su fuerza era grande, pero al cabo de sangrientas batallas las artes mágicas del Emperador Amarillo prevalecieron. Este rechazó a los invasores, los encarceló en los espejos y les impuso la tarea de repetir, como en una especie de sueño, todos los actos de los hombres. Los privó de su fuerza y de su figura y los redujo a meros reflejos serviles. Un día, sin embargo, sacudirán ese letargo mágico.

"El primero que despertará será el Pez. En el fondo del espejo percibiremos una línea muy tenue y el color de esa línea será un color no parecido a ningún otro. Después, irán despertando las otras formas. Gradualmente diferirán de nosotros, gradualmente no nos imitarán. Romperán las barreras de vidrio o de metal y esta vez no serán vencidas. Junto a las criaturas de los espejos combatirán las criaturas del agua.

"En el Yunnan no se habla del Pez sino del Tigre del Espejo. Otros entienden que antes de la invasión oiremos desde el fondo de los espejos el rumor de las armas".[88]

Ese Tigre del Espejo, tan caro a Borges, me consuela de la ausencia de peces en mi elenco. Me gustaría poder colocar en paralelo el texto de Borges con las teorías modernas sobre la antimateria, como apunta Barber,[89] pero no soy capaz. Me quedo con las indicaciones de Cirlot[90] sobre la relación entre luna y espejo, por la condición reflectante y pasiva de éste, que "recibe las imágenes como la luna la luz del sol" y con la identificación junguiana de *espejo* e *intelecto*, "que trata siempre de persuadirnos de que nos identifiquemos con sus percepciones (sus

87 J. Frappier, *Histoire, mythes et symboles. Etudes de littérature française*, Genève, Droz, 1976, págs. 149-68 ("Variations sur le thème du miroir, de Bernard de Ventadour à Maurice Scève").

88 J.L. Borges y M. Guerrero, *Manual de zoología fantástica*, México, Fondo de Cultura Económica, 1957, págs. 14-15.

89 Barber, *o.c.*, pág. 106.

90 J. E. Cirlot, *Diccionario de símbolos*, Barcelona, Labor, 1969, pág. 205.

'reflexiones')"; el espejo es una de las metáforas favoritas del intelecto en Schopenhauer, señala Jung,[91] e ilustra su texto con un aguafuerte de Rembrandt representando a Fausto ante el espejo mágico, imagen (fig. 34) que, a pesar de su calidad, ofrezco a todos para terminar.

91 C.G. Jung, *Psychologie et Alchimie*, Paris, Buchet-Chastel, 1970, págs. 150 y 151 (fig. 55).

Simbolismo y esoterismo en la Filosofía islámica: Ibn Sina y Sohravardi

Miguel Cruz Hernández

1.- *La sabiduría: fantasía y realidad.* Suele tomarse la sabiduría, y más aún cuando recibe el nombre de filosofía, como la otra cara tanto de la realidad cotidiana como de la creación maravillosa; entiendo yo, muy al contrario, que nada más fantástico que el saber humano, pues no puede existir como tal si la actualidad presente no es puesta entre paréntesis. De aquí que los sabios siempre fueran tenidos por orates, unas veces divinos o santos y otras demoníacos y perversos, las más de ellas tolerados por la santa ignorancia; cuando no es así y ya pueden salir hasta en la televisión, es porque se ha logrado encajarlos en el encasillamiento que tanto molestaba a don Miguel de Unamuno. Pero para que la sabiduría presente una fachada impersonal y tolerable necesitaba un vehículo aparentemente sólido y tangible: la escritura, y a ésta no se hubiera llegado sin el símbolo y el secreto; al fin de cuentas el sistema de signos gráficos es el resultado final de un rizado de simbolismos, y la escritura empezó siendo el primer esoterismo.

La filosofía fue en su origen un símbolo esotérico de un peculiar hombre llamado Sócrates, pues era la inclinación hacia el saber que se busca. Cualquiera puede amar algo, persona o cosa; pero eso de tender eróticamente (pues así lo entendió Platón) no a la sabiduría conocida, que era la de los llamados presocráticos, o a la sagrada de los misterios y mitos, que era la del pueblo, resultaba mucho más esotérico que Dionisios y Hermes. El común de los humanos tenía solucionadas las cosas con el saber sacralizado, lo que generalmente se entiende por religioso, con fórmulas nominales tan creídas como no entendidas, como ahora descansa en otras estupendas nominalizaciones científicas: la igualdad de oportunidades, la codificación genética, la ecología, el siglo XXI: Se dice amén, pero sin entender de la misa la media. En un momento de la vida histórica,

---

1 Hemos prescindido de los signos diacríticos de los términos árabes, avésticos y persas, que poco dicen a los no conocedores de dichas lenguas y que los especialistas suplen con facilidad. Para evitar el error de leer la *w* como *guan* en los nombres propios ha sido sustituido por la *v*.

que es una fracción bien pequeña de la larga existencia de la especie humana; entre setecientos y seiscientos años antes de nuestra era, y en lugares muy distintos entre sí y difícilmente comunicables entonces, surgieron unos sapientes que intentaron desdivinizar el saber: Lao Ze y Confucio en China, el Buda en la India, Zarathustra en el Irán, Tales y otros sabios en Grecia; a los que pudo, el establecimiento los sacralizó y hasta los convirtió en cabeceras religiosas, cuando no divinizó: como al Buda de carne y hueso en el Buda increado. Los que más se resistieron fueron los griegos, y así y todo a Sócrates le parecieron demasiados hieráticos los sabios; por eso la acusación de impiedad que llevó a Sócrates a la muerte no fue una tontería. De tal impiedad socrática surgió lo que ahora se llama la filosofía, bien trabajada por Platón, Aristóteles, los estoicos, los neoplatónicos, etc. Lo curioso del caso es que tal saber de tan sospechoso origen le hiciese luego tanto tilín a las religiones monoteístas: judaísmo, cristianismo e Islam.

La filosofía era entonces la sabiduría: la explicación de todo; y por lo que vamos sabiendo, al menos la de Aristóteles dio muchas veces en el clavo. Pero si tuvo éxito no fue tanto por lo que se entendió de ella, sino por lo que se le hizo decir. Naturalmente, Aristóteles es clarísimo, como las matemáticas; pero para quien está en el ajo. En realidad su terminología está llena de símbolos (la actualidad, la potencialidad, la esencialidad, las categorías, la mente) y sus escritos conservados, y no dados a la luz en vida del maestro, sino casi cuatro siglos después, ya recibieron el nombre de esotéricos; los "publicados" en vida de su autor y llamados exotéricos se perdieron. Y no digamos de Platón, del que se dice que puso en la puerta de la Academia el peregrino rótulo: *Nadie entre sin saber geometría,* o de Heidegger a quien se atribuye no permitir la entrada en su seminario a quien no supiese griego. Esto último es incierto, pues ya he contado en otras ocasiones que soy testigo de que no examinaba de la lengua de Homero a sus alumnos, ni falta que hacía, ya que solía aclarar las explicaciones en su peculiar alemán con abundantes términos y frases en griego.

2.- La estupenda aventura de la "falsafa" islámica.

El Islam es una sabiduría religiosa total, completa, eficaz y viva. Tan total como para sólo admitir una sociedad: la *umma;* no dos como el cristianismo que distingue entre la sociedad civil y la Iglesia. Tan completa, que existen estados islámicos que han abolido cuantas normas jurídicas habían sido introducidas y han restaurado la única ley: la *sari'a,* y la aplican. Tan eficaz como cualquiera que visite los países islámicos, y no esté entontecido por las nominalizaciones, puede comprobar. Y tan viva, como para seguir creciendo y extendiéndose por el mundo. Sin embargo, a los musulmanes también, y muy precozmente, les hizo tilín la filosofía de los griegos, atribuyendo a los cristianos el mérito de presentársela. Así escribe Ibn Jaldún: "Los árabes al principio eran ignorantes. Pero tras las conquistas se despertó en ellos el deseo de conocer las ciencias filosóficas, tanto por que los obispos y los sacerdotes tributarios les habían hablado de ellas, como porque el conocimiento humano tiende de un modo natural al conocimiento de estas materias". El párrafo no tiene desperdicio, ya que los árabes islamizados no eran tan ignorantes; los obispos y sacerdotes cristianos sometidos no deberían haber sido tan escuchados en el menester sapiencial, y lo de *tender de un modo natural al conocimiento* es una frase del comienzo del libro Alfa de la *Metafísica* de Aristóteles; como se ve se había hecho tan connatural que se había convertido en un axioma.

Ante la filosofía de los griegos, los musulmanes tuvieron las mismas tres posturas que los judíos y los cristianos: Primera, tomar lo que convenía para construir la teología especulativa que en árabe se dice *Kalám;* segundo, construir estupendos sincretismos religiosos esotéricos llenos de los más maravillosos simbolismos, en lo que destacaron los isma°ilíes; y tercero, intentar una filosofía islámica cuya vida fue un prodigio, pero cuyo final fue, gracias al genio de Averroes, tener que cerrar la tienda. Tan seguros estaban de que eran los continuadores de los griegos que al primer "filósofo" islámico, al-Kindí, le llamaron "el filósofo de los árabes", y al segundo, al-Farabí, el "segundo maestro"; el primero, claro está, era Aristóteles. No se molestaron en traducir los dos términos principales al árabe, sino que arabizaron los griegos: de *philosophia* hicieron *falsafa* y de *philosophós, faylasúf.* Pero mientras la teología especulativa mantuvo una línea dialéctica viva hasta hoy, y el esoterismo isma°ilí en sus mil y una formas aún colea, la *falsafa* solo duró del siglo IX al siglo XII. Fue necesario llegar al siglo XIX para que resucitase, llevada de Europa al mundo árabe-islámico por los árabes formados en la Europa romántica y positivista.

He llamado "estupenda aventura" a la *falsafa* islámica porque lo es, y tal es mi impresión después demás de cuarenta años trabajando en su historia. En cinco siglos más bien escasos recorrieron lo que los europeos cristianos emplearon casi quince; y si los escolásticos latinos de los siglos XIII y XIV pensaron cómo lo hicieron, que fue mucho y bien, fue gracias a que les llegó la *falsafa* islámica, tanto como para citar como *autoridades,* junto a los Evangelistas y Santos Padres, a Alkindi, Alfarabi, Avicena, Avempace, Averroes (y los escribo así para que se vea la buena maña con que latinizaron sus nombres). Pero fue *una* aventura porque desaprovecharon a Averroes, y cuando más se quedaron con un Avicena al que le quitaron toda su salsa, y eso en países donde las especias es el pan de cada día. Por esto, para ver las simbolizaciones y el esoterismo, he escogido al *faylasú* Ibn Sina, nuestro Avicena, que es el que más fama tuvo, y tiene, en el Islam; por tener, hasta dos tumbas, pues junto a la modesta antigua, el último Sha del Irán le construyó una grandiosa y moderna. Y de los pensadores no "filósofos" estrictos, he preferido a Sohravardí que fue seguidor de Ibn Sina, pero al modo sincrético, y cuyos símbolos y esoterismo pueden ser el *non plus ultra* del género.

3.- *El esoterismo de Ibn Sina.* Ibn Sina fue una figura de cuerpo entero. Era de etniaturco-iraní, escribió en árabe y persa; fue aún más famoso como médico que cual filósofo; sirvió a los príncipes que pudo, ocupando cargos visiriales; dio con sus huesos en la cárcel, lo que le sirvió para redactar en ella una de sus más famosas "historias simbólicas"; redactó obras inmensas, como el *Sifá'* que en la edición de El Cairo, llamada del Milenario, tiene una veintena de volúmenes; como el *Canon de la Medicina,* que en Europa estuvo de texto en las Universidades hasta el siglo XVI y en Egipto hasta el XIX; y otros más pequeñas, pero hasta más de doscientas, y quizás hasta una en verso. Su más fiel discípulo, que completó la autobiografía del maestro, dice que ni la enfermedad le impidió su activa vida sexual; y él mismo cuenta que, cuando estaba cansado al atardecer y debía continuar el trabajo, se tomaba un vaso de vino y se pasaba escribiendo hasta el alba. Su padre y su hermano menor, lo cuenta en su autobiografía, eran fervorosos musulmanes si^{c}íes isma^{c}ilíes, si él lo hubiese sido lo habría referido. Como no presumió de que lo fuera, luego lo considerarían suyo tanto los *sunníes* como los *si^{c}íes.*

La última obra de Ibn Sina iba a titularse *Hikmat al-masriqiyya,* Sabiduría oriental, pero de ella sólo escribió el prólogo y la parte de lógica. Y aquí viene lo bueno, pues en el prólogo del *Sifá'* había escrito: "Tengo otro libro [diferente] de aquellos otros dos, en el cual he expuesto la filosofía según lo que es en su naturaleza y de acuerdo con las exigencias de un modo de opinar despreocupado de la dirección seguida por los colegas y en el cual, quién está en desacuerdo con aquellos, no ha temido contradecirles. Se trata de mi libro sobre *al-Hikmat al-Masriqiyya* [la filosofía oriental]. Este libro [al que prologa], *al-Sifá'* es más extenso y está más de acuerdo con las ideas que profesan nuestros colegas peripatéticos. Quien busque la verdad, limpia de cualquier disimulo, sólo tiene que recurrir a aquel otro libro *[al-Hikmat al-Masriqiyya* = Filosofía oriental]. Pero quien busque la verdad de manera que complazca a los colegas, que es la más común y que contiene informaciones cuya comprensión no necesita del recurso al otro libro *[al-Hikmat al-Masriqiyya* = Filosofía oriental], le basta con leer este libro, [al-Sifá'].

De la proyectada *Hikmat al-Masriqiyya* Ibn Sina sólo escribió la parte lógica, titulada *Mantiq al-masriqiyyín* en la que no hay novedades respecto de la del *Sifá',* más aún: reduce el acertado uso de la lógica estóica utilizado en la mayor y más famosa de sus enciclopedias. Pero si aparecen algunos párrafos que merecen reproducirse.

1º. "Nos hemos propuesto la composición de una exposición acerca de los puntos de discrepancia entre los investigadores, sin atenernos a una postura previa, ni a una costumbre, ni a un uso establecido y sin miedo a una discrepancia entre nuestro [pensamiento] y aquello a lo que están acostumbrados los estudiosos de los libros de los filósofos griegos. Pues su hábito procede de escasa atención, de falta de sentido crítico y por inercia de lo que han leído en los libros de vulgarización, que hemos realizado para el común de los filosofantes entusiasmados con los peripatéticos".

2º. "Reconociendo plenamente el mérito de su gran maestro [Aristóteles] en todo aquello en que ha advertido lo que se les había escapado a sus maestros[...] que es el máximo de lo que un hombre puede hacer cuando es el primero en adiestrarse en distinguir lo confuso y en corregir lo corrompido, los que le suceden deben organizarse y cubrir las lagunas que puedan encontrar en su construcción y sacar las consecuencias [que se derivan] de los principios por aquel establecidos. Pero ninguno de los que le sucedieron [a Aristóteles] han sabido realizar dicha obligación. Han perdido el tiempo en comprender lo que había dicho bien, y se han aferrado fanáticamente a los errores que había cometido[...], sin concederse un respiro para reflexionar".

3º. "Por lo que a nosotros [Ibn Sina] se refiere, nos fue bien fácil comprender lo que decían, desde el momento mismo en que nos ocupamos de ello. No debe extrañar que algunas ciencias nos hayan llegado de otros pueblos diferentes del griego; de ello nos ocupamos cuando éramos muy jóvenes, ya que Dios nos concedió la gracia de que pudiéramos abarcar en poco tiempo lo que los antiguos nos habían transmitido. Hemos podido comparar esto, punto a punto, en aquella rama del saber que los griegos llamaron *al-Mantiq* [lógica]. Es probable que los orientales la llamasen con otro nombre. Hemos advertido en lo que concuerdan y en lo que discrepan. Hemos intentado explicarlo todo en cada uno de los casos; de este modo lo que es verdadero aparece como cierto y lo que es falso se muestra como incierto".

4º. "Sin embargo, como los estudiosos del saber son partidarios entusiastas de los peripatéticos griegos, no podíamos permitirnos mostrarnos en desacuerdo con la mayoría. Así, pues, a ellos nos unimos, y nos adherimos fanáticamente a los peripatéticos, ya que éstos, [al menos] eran los más dignos entre sus sectas para ser seguidos fanáticamente. [Así] hemos concluido aquello que habían intentado hacer sin conseguirlo[...] Si a veces nos hemos permitido manifestar nuestra discrepancia con ellos en algún punto, ha sido solamente cuando se trataba de algo que en modo alguno se podía tolerar; pero en la mayoría de los casos hemos silenciado sus faltas. Entre las razones [de nuestra conducta] estaba el temor a manifestar el desacuerdo con lo que a ojos del ignorante es tan claro que no dudan de su verdad, aunque tengan que negar la luz del día. [También] hay otras cuestiones tan sutiles que los ojos de nuestros contemporáneos no pueden percibirlas. En efecto, la suerte nos ha hecho convivir con gentes desprovistas de inteligencia[...] que consideran herejía la profundización especulativa y error la divergencia con lo comúnmente admitido.[...]. Si hubiéramos encontrado entre ellos un hombre avispado, le hubiéramos informado de lo que nos parece que es la verdad".

5º. "Hemos compuesto este libro *[al-Mantiq al-Masriqiyyin]* para sólo mostrarlo a nosotros mismos; es decir, a quienes son para nosotros como uno mismo. En cuanto al común de las gentes que se ocupan de esta materia, les hemos dejado en el *Sifá'* lo que les bastaba e incluso más de lo que precisaban y les daremos en los *Lawahiq,* lo que pueda convenirles, aparte de todo lo que haya recibido".

Algunos de los investigadores de Ibn Sina han empleado mucho tiempo y sutileza en intentar interpretar a qué se refería el pensador oriental y cuál hubiese sido el supuesto contenido ideológico de la nonnata *Hikmat al-masriqiyya.* Naturalmente, no era la filosofía griega y cabía que fuera alguna sabiduría de las que pululaban por el entorno de Avicena: restos mazdeos, gnósticos y maniqueos, sabeos, siᶜíes imamíes (duodecimanos) e ismaᶜilíes (septimanos), yazidíes, etc. Si él escuchaba las discusiones de su padre y hermano sobre las cuestiones ismaᶜilíes, que no debían ser otras sino las de los *Rasá' il Ijwán al-Safá',* al cabo estaba de tal esoterismo y del sincretismo mazdeo-islámico que luego veremos en Sohravardi. Por tanto, lo importante no es el contenido, sino el modo del continente, el botijo en que echa su mejunje, y ese es bien claro: el esoterismo; y le parece tan natural que le llama "la verdad, limpia de cualquier disimulo". Pero esto a los ojos de los sabios, porque a los de los profanos "hay otras cuestiones tan sutiles que los ojos de nuestros contemporáneos no pueden percibirlas". La intención esotérica es, por tanto, evidente.

4.- *La expresión mediante escritos simbólicos en Ibn Sina.* Uno de los primeros editores occidentales del Ibn Sina árabe, Mehren, llamó a algunas de sus obras *Traités mystiques* y el título levantó la polvareda, pues parece que un personaje tan ajetreado, traído y llevado, trabajado y dado al sexo y al vino, no se adecúa con la imagen tradicional del místico. Naturalmente, Mehren nunca pensó que Avicena fuese un místico carismático al modo de al-Hallay e Ibn 'Arabi, o Santa Teresa y San Juan de la Cruz; tampoco yo lo creo. Pero un pensador por lejano que esté de la personal ascética y de la contemplación mística, si que puede estudiar y sistematizar intelectualmente la mística. Por eso desde mis años más mozos, cuando realicé mi tesis doctoral sobre Avicena (1946), llamé a dicha faceta de su labor mística intelectual, y a Dios gracias no he tenido que apearme de tal denominación. Las obras que creo incluidas en dicha dimensión son tres historias simbólicas: *Risala Hayy ibn Yaqzan, al-*

Quissa Salaman wa Absal y *Risala al-Tayr;* las tres tenían sus precedentes y luego darían origen a una larga cola, que llega hasta al-Andalus y Occidente gracias a la obra de Ibn Tufayl *Risala Hayy ibn Yaqzan,* conocida en occidente por *El filósofo autodidacta;* y en el Oriente siguen tan vivas que una obra de teatro iraquí de nuestros días se llama *al-Tayr,* el pájaro, como la de Avicena. Otras obras no son tan simbólicas, pero sí tienen su misión esotérica, como otras cinco que incluyó Mehren en su obra citada, y tres o cuatro obras más (cuatro si contamos a las azoras 113 y 114 del *Alcoran* por separado). El *Poema sobre el Alma,* que edité y traduje también en mis años jóvenes, dejémosle por ahora, pues su autoría es más dudosa.

a) *Hayy Ibn Yaqzan.* La historia simbólica de Hayy Ibn Yaqzan fue escrita por Avicena durante su prisión en la fortaleza de Firdayyán, cerca de Hamadán. Según la versión que se ha conservado, refiere que corriendo el país se encontró con un anciano de extraordinaria fortaleza a pesar de su avanzada edad. Se llamaba este anciano Hayy ibn Yaqzan (el Viviente hijo del Vigilante) y había nacido en Jerusalem; siendo su oficio el vagar por todo el mundo según las rutas que le había enseñado su padre a quien debía el conocimiento de todas las ciencias. Ya acompañado de este viejo, fue introducido el autor de la narración en una fuente milagrosa que le abrió las puertas del mundo (del conocimiento), después que se hubo purificado en sus aguas (del conocimiento místico) puede atravesar los desiertos del mundo (de la ignorancia) y aún precaverse del infierno (de las pasiones estrictamente corporales). Las fuentes de la que proceden estas aguas son: la lógica y la metafísica, y se encuentran más allá de las tinieblas perpetuas que rodean al polo (al mundo sensible); allá donde se extiende la llanura sin límites siempre alumbrada por el Sol Eterno (El mundo inteligible alumbrado por el Intelecto Agente).

En cuanto al mundo que vivimos está rodeado de otros dos mundos: uno al Oeste y otro al Este. El mundo occidental es el de la materia; el oriental el de la forma (de donde la "filosofía oriental" —*Hikmat al-Masriqiyya*— es la filosofía de la forma en oposición a la "filosofía occidental" que es la filosofía de la materia). En el mundo occidental hay un gran mar (*Alcorán*, XVIII, 84) por donde se oculta el sol; y a su lado un continente desierto y estéril, sólo débilmente alumbrado por el sol; es el mundo de la materia todavía no informada por las formas. El mundo oriental es también una región triste; es la morada más inferior del mundo de las formas. Está formada por una llanura sin seres vivos, una mar extensa, una atmósfera de aire comprimido y hálitos de ardiente fuego. Si atravesamos esa llanura llegaremos a un país montañoso donde aparecen ya los minerales; en otro un poco más alejado encontramos ya las plantas y en otro posterior los seres animales; hasta que se llega a la región donde encontramos al hombre. En esta región el sol se levanta entre los dos cuernos de Satán; uno que vuela y otro que camina (la fantasía desordenada y las pasiones tumultuosas). Aquí encontramos seres fantásticos; hombres que vuelan, serpientes con cabeza de cerdo, hombres de un solo brazo o una sola pierna, etc. Atravesando este país se entra en otro más elevado donde los seres son ayudados por los *Yinn* (genios). Y tras este país se entra en el mundo de los ángeles y en el de las ideas; hasta llegar por fin al Palacio del Gran Rey (Dios) que está rodeado por los muros del Intelecto Agente que es su intermediario. En él encontramos a Dios velado por el esplendor de su propia belleza.

b). *Salaman wa Absal.* De esta "historia simbólica" hay dos versiones: una hermética de origen griego y supuestamente traducida al árabe por Hunayn b. Ishaq. En ella Salaman es concebido *in vitro* fuera de claustro materno alguno, depositando el semen de un familiar del fabuloso rey Hermano, constructor de las Pirámides, en una mandrágora. Al no tener madre hubo que buscarle una nodriza y se le encontró a Absal; y cuando la criatura creció se enamoró de su nodriza. Por más que se quiso separar a los amantes, nada se consiguió, salvo que se exilasen allende el mar de Occidente. Y en vista de tan enamorada tozudez, recurrieron a arrojarse al mar en el que se ahogó Absal y supervivió Salaman, pero tan desconsolado como es de suponer. Por lo cual el sabio condujo al superviviente y triste Salaman al *Sarapeion,* y a fuerza de ejercicios místicos consiguió que se le apareciese la forma de Absal; pero tras cuarenta días, la forma que aparece es la de Afrodita, con el resultado previsible: Salaman se enamora de ella.

La otra versión que al parecer fue la seguida por Avicena es la siguiente: "Salaman y Absal eran hermanos gemelos. La mujer de Salaman se enamoró de su cuñado Absal que es descrito como el José coránico y tradicional, un varón de extraordinaria belleza y castidad. La mujer de Salaman pidió a éste que invitase a su hermano a casa para que sirviese de modelo de virtud a sus hijos. Y cuando estuvo allí le declaró su amor, pero Absal la rechazó. Entonces la mujer de Salaman pidió a éste que casara a su hermano Absal con la hermana de ella, y conseguido ésto comunicó a su hermana su proyecto, que consistía en que ambas compartirían el lecho de Absal. La noche de bodas, la mujer de Salaman ocupó el lecho de Absal en sustitución de su propia hermana. Pero Absal no se decidía a poseerla, por lo que ella apoyó fuertemente su pecho contra el de Absal con tal pasión que éste sospechó que su compañera estaba experimentada en trances de amor, ya que las vírgenes amantes no abrazan de tal modo. Entonces un relámpago iluminó el rostro de su compañera y confirmó sus sospechas. Absal marchó entonces a la guerra y conquistó todo el mundo mucho antes que lo hiciera Alejandro, y a su regreso volvió a rechazar los avances de su cuñada. Esta despechada sobornó a los soldados de Absal que le abandonaron herido en el campo de batalla, pero una hembra recién parida le alimentó a sus ubres hasta que curó. Cuando Absal volvió a casa de su hermano, su cuñada lo envenenó dándole una bebida empozoñada en complicidad con su cocinero y el mayordomo. Salaman desolado por esta muerte se entregó a la vida de piedad, revelándole Dios los autores del crimen, a los que hizo beber el mismo veneno que habían dado a Absal".

c). *Risalat al-Tayr.* Un pájaro narra primero su suerte desgraciada, el encuentro con otros en igual situación y la decisión de salir de su cautiverio. Tras grandes esfuerzos atraviesan ocho grandes montañas, que son descritas al modo como San Juan de la Cruz narraría siglos más tarde los caminos místicos llenos de montes, valles, llanuras y collados; así hasta llegar a la mansión del Gran Rey. Los pájaros (acaso treinta, pues se trata de un juego de significado con la palabra persa *simorg* que leída *si-morge* es treinta) son las almas, y el Gran Rey, Dios.

No entraré en los posibles significados de los escritos simbólicos de Avicena, porque Sohravardi nos va a ilustrar sobre ello, aunque su interpretación vaya mucho más allá de la de su maestro, pues nos dice que él empieza donde Avicena termina.

5.- *La "conversión" de Sohravardi.* Sihab al-Din Yahyà Sohravardi nació en 549/1154 em Sohravard, ciudad al noroeste del Irán actual. Estudió en Merageh, en el Azerbayyan. Vivió en Isfahan, trasladándose después a Anatolia, siendo protegido de los *selyquíes* de Rum y después por el gobernador de Alepo, al-Malik al-Zahir hijo de Salah al-Din, el Saladino de los cruzados. Pero poco después fue acusado por los alfaquíes de creer que Dios siempre puede crear un Profeta, siendo ejecutado en la fortaleza de Alepo el año 587/1190, cuando apenas tenía treinta años. Sus discípulos le llaman *al-Sayj al-maqtul* (el ejecutado) y sus partidarios al-Sayj Sahid (el mártir).

La biografía le atribuye cuarenta y nueve obras. Para los propósitos de esta ocasión deben citarse las siguientes:

Kitab al-talwihat al-lawhiyya wa-l-arsiyya (Libro de las elucidaciones inspiradas de la Tabla y del Trono), pub. por Corbin en "Opera Metahisica et mystica", I, Istanbul, 1945.

Kitab al-Hikmat al-Israq (Libro de la sabiduría luminosa), pub. por Corbin en "Opera metahysica et mistica", II, Teherán, París 1952.

Risala fi i 'tiqad al-huqama' (Tratado acerca de la confesión de la fe de los sabios). Pub. Por Corbin; dem. y trad. al francés por el mismo en "L'archange empourpré", París 1976.

Qissat al-gurbat al-garbiyya (Relato del exilio occidental), pub. en ídem.

Risalat al-tayr (Tratado del pájaro), trad. persa de la obra en árabe de Ibn Sina, pub. por Sayyed Husayn Nasr en "Opera Metaphysica et mystica", III, prólogo de H. Corbín, Teherán-París, 1969.

Awaz-e parr-e Yebrayel (El murmullo de las alas de Gabriel), pub. en ídem.

'Aql-e sorj (El intelecto [o arcángel] de púrpura) pub. en ídem.

Mu'nis al-'Ussaq fi-l-haqiqat al-'isq (Manual de los "fieles de amor" sobre la esencia del amor), pub. en ídem.

Logat-e Muran (La lengua de las hormigas), pub. en ídem.

Safir-e Simorg (El encanto de Simorg), pub. en ídem.

Según Sohravardi Ibn Sina había esbozado el programa de una gran *filosofía oriental*, pero no llegó a realizarlo al ignorar la raíz del saber: la "fuente oriental" *(al-asl al-masriqi).* Consiste ésta en un sincretismo islamo-iranio, en la vuelta a los *sabios jusrawaníes.* "Existía entre los antiguos iraníos una comunidad dirigida por Dios *(al-Haqq)* quien guió a los sabios eminentes, totalmente distintos de los *almayisi* (magos). Su excelsa sabiduría de la Luz, doctrina por lo demás testimoniada por la experiencia de Platón y de sus predecesores, es la que yo he restablecido en mi libro titulado *Hikmat al-israq* (sabiduría lumínica). Para tal empresa no he tenido predecesor alguno".

El propósito de Sohravardi fue plenamente aceptado por la escuela oriental iraní. Así, el principal sistematizador del sistema iluminativo de la *Si*ᶜ*a,* Mullà Sadra Sirazi, llama a Sohravardi jefe de la *escuela de los orientales,* restaurador de la sabiduría de los *sabios* del Irán, expositor de los principios eternos de la *Luz* y de las tinieblas. Abu-l-Qasim Kaziruni escribió que, "al igual que al-Farabi renovó la filosofía de los *masaiyyun* (peripatéticos) y por tal razón merece el calificativo de *Segundo Maestro,* así también Sohravardi restablece y renueva la filosofía de los israqiyyun (iluminativos) en numerosos libros y tratados".

La renovación de Sohravardi procede de una *conversación* espiritual que le condujo desde la *falsafa* a la *hikma.* En una visión extática pudo completar la totalidad de los entes lumínicos que conocieron Hermes y Platón, que fueron "proclamados" por Zarathustra, y que "arrebataron" al bienaventurado rey Kay Jusraw. La brillante irradiación de los "Seres de la Luz" muestra la inefable "Luz de Gloria". Así el *Xvarneah,* excelso principio lumínico, cuya mostración la tradición atribuye a Zarathustra, es la raíz iluminativa de la realidad que Sohravardi desarrolla entorno a tres dialécticas esenciales: *metafísica de la luz, cosmovisión de las luces* y *destierro del hombre.*

6.- *La restauración esotérica de los "sabios persas".* Los antiguos "sabios persas", *pahlavyyun,* son: 1. Yamasp, discípulo de Zarathustra, casado con la hija de éste, Puratsista. 2. Frasaostra, hermano del anterior, suegro de Zarathustra, pues éste casó en terceras nupcias con la hija Hvôoi y 3. Bozormehr, médico de Josraw Anusravan; acaso, Burzoe, traductor al pehleví del *Calila e Dimna.* Los "predecesores" son: 1. Gayomar, el hombre primordial (Adán). 2. Tahmuras o Tasema Uruya, el sometedor de los demonios, y 3. Fereydun (avéstico, Thraetaona; pehlevi, Fretun). Las *Anwar qahira* son los *rayoman* o *xvarrhmand*, a saber: 1. Bahman. 2. El ángel guardián del cono de la llama o fuego, en avéstico Arta Vahista, en pehlevi Ordibehest. 3. El ángel del sol, Sahrivar, en avéstico Xsathra Vairya. 4. La luz arcangélica, Esfandarmoz, en avéstico Spenta Armaiths. 5. El ángel del agua, Jordad, en avéstico Haurvatat. 6. El ángel de las plantas, Mordad, en avéstico Amertat.

Lo que Sohravardi toma de los antiguos "sabios persas" es la visión de la sabiduría como un *saber de alborada* vencedor de las *tinieblas exteriores,* que hace brillar la *Luz interior* que nace de la *fuente oriental* en la que brilla el *Xvarnah,* la *Luz de la Gloria,* que enciende a los *Seres de la Luz.* Es, por tanto, la *Luz de las luces (Nur al-anwar).* Los Seres de la Luz son *Luces sabedoras (Anwar al-qahira), victoriales,* como el arcángel San Miguel, vencedor de Satanás es el *Angelus Victor* de la liturgia cristiana. El primer arcángel victorial de la "Luz de las luces" es Bahman, el viejo *Vohu Manah* avéstico, el primogénito de los *Amahraspandan.*

La "Luz de las luces" y el Primer arcángel victorial de la Luz, Bahman, están unidos por la efusión del amor entre amante y Amado, y de esta última relación procederá el cosmos y el orden del ser mediante complicadas uniones hipostáticas, que podrían simplificarse en los "cuatro mundos" siguientes: a) Inteligencia puras *(al-Yabarut),* o luces arcangélicas de los dos rangos superiores. b) Luces gobernadoras de los cuerpos *(al.Malaqut).* c). Esferas celestes y mundo elemental *(al-Mulk),* representantes del doble intermediario *(barzaj)* y d). Mundo imaginal (al-mital) equidistante medial entre el estricto inteligible y el mundo sensible. Las "Luces dominadoras primigenias" proceden de la efusión intelectiva amorosa de la "Luz de las luces" y la original "Luz emanada primigenia". Se origina así el descenso neo-platónico, llamado por Sohravardi *tabaqat al-tul.* "orden vertical", al que pertenecen las arcangélicas "Luces soberanas supremas" o "mundo de las madres" (usul a'lawn).

El "segundo mundo" da origen a los "ángeles anímicos", o almas celestes y humanas, a los que llama "Luces comandantes" *(al-anwar ispahbad).* El "tercer mundo", el de los cuerpos, también tiene un intermediario entre el celeste y el elemental: el *barzaj* que es la Tiniebla como respectividad de la Luz, o sea: el *Ahriman* mazdeo. Este mundo es platónico, o sea, fundamentado tan sólo en las estrictas esencias. Su desarrollo escapa de la intención de este trabajo. Por último, el "cuarto mundo" es un extraño cosmos de "imágenes suspendidas" *(mutul mu'allaqa)* como formadas en un espejo, cuya sutilidad permite un cosmos sutil en el que reside la "patria de los dirigentes" por los que los cuerpos son, constituyendo tres "ciudades místicas" llamadas *Hurqalyá', Yabalgá'* y *Yabarsá'.*

7.- *La liberación del destierro*. La interpretación mística esotérica descubre en el "mundo imaginal" el *drama* constitutivo de la humanal historia, se trate de toda la especie humana o del hombre concreto. La historia externa o conjunto sucesivo de hechos carece de auténtico sentido humano; la historia fáctica es una mera sombra de la realidad. La historia real es la trascendental, la *metahistoria,* y su método explicativo no es el recurso al testimonio de los sentidos, de los testigos, o a los textos que los conservan; es necesario *proyectarla* hasta el mundo de las "Luces comandantes". Cuando se elevan hasta dicho mundo a través de la peculiar dialéctica de la "narración simbólica", se adquiere la conciencia de la adecuación trascendental de los acontecimientos humanos.

La exposición de la metahistoria condicionadora del ascenso aparece en la "Narración del exilio occidental", e indica la situación de quién ha sido alejado del "oriente de las luces de la sabiduría" y ha caído en las negruras del ocaso. El estado del hombre en la presente vida terrena es un destierro en un mundo ajeno y, por tanto, enajenador: no es nuestro mundo. El cosmos del que he sido arrojado es el de las "Luces comandantes", pues nuestra alma pertenece a ellas; el "ocaso" en que ahora habitamos es el antípoda del estado original. El "camino de ascenso" se convierte en la difícil ruta de regreso al origen perdido, guiados por la "imaginación activa".

8.- *A guisa de ejemplo*. Avicena fue uno de los pensadores islámicos más leído, traído y llevado en el Medioevo y aún en el Renacimiento, los investigadores aún no le hemos soltado; y todo ésto en lo que suele llamarse Occidente. En cuanto al mundo árabe e islámico, no diré nada, pues todo fue referido antes al mencionar su triple conmemoración milenaria y la anécdota de las dos tumbas. Pero cada cual lo interpreta a su manera: para Averroes fue un tergiversador de Aristóteles; para Guillermo de Auvernia, San Buenaventura, San Alberto Magno, Santo Tomás de Aquino, el beato Duns Escoto y un etcétera muy largo, poco menos que un Padre de la Iglesia. Y como hay gustos para todo, despistado por un texto de algún poeta tan extraordinario como mal informado, un padre de la Patria, ilustró el "Diario de Sesiones" haciéndolo morir en la Península Ibérica, víctima de la Santa Inquisición. Sin embargo, Sohravardi, que se tenía por su seguidor, lo vió como un esforzado esotérico que, pese a todo, se quedó a las puertas de la verdadera Sabiduría simbólica: el Esoterismo Supremo. ¿Quién lleva la razón?

La respuesta es muy sencilla: todos. Cada uno tomó lo que necesitaba y leyó lo que más le convenía. A quien necesitaba filosofía aristotélica, el peripatecismo neoplatonizado; a quien filosofía como *ancilla theologiae,* síntesis; a quien Sagrado Exoterismo, simbología esotérica; y a quien dialéctica barata, leyenda frailuna medieval. Pero en el fondo no hay tanto de error, pues toda abstracción tiene una gran dosis de fantasía, esoterismo y simbología; y el error, aunque sería mejor decir el pecado, reside en no ver o querer ocultar la otra cara, faceta o aspecto que no se utiliza, se desconoce, se desvaloriza o simplemente no se lee. "¿Místico intelectual el avispado de Avicena, o el ambicioso buscaperras de Ibn al-Jatib?: falso místico querrás decir. tan seguros están que ni por mientes se les ha pasado leer los *Hayy ibn Yaqzan, Salaman wa-Absal* y *al-Tayr* del primero, o en endiablado *Kitab al-ta' rif bi-l-hulbb al-Sarif* del segundo. Pero nada hay más fantástico que la vida misma.

Escenas de terror en la literatura artúrica

Victoria Cirlot

El miedo ha existido siempre o como dice H.P. Lovecraft, "la emoción más antigua e intensa de la humanidad es el miedo y el tipo de miedo más antigo e intenso es el miedo a lo desconocido".[1] Pero no siempre el miedo ha interesado al arte. En la historia de la humanidad existen épocas en que el impulso estético se ha concentrado en las imágenes de terror, como si en esa concretización objetiva, en el apresamiento de lo horrible dentro del marco, se lograra conjurar por acto mágico la angustia instalada en la mentalidad colectiva. La tenebrosa iconografía del último gótico plasma ese "miedo social" desencadenado, según sostuvo Jean Delumeau, por un acontecimiento catastrófico, la peste negra que asoló Europa en la segunda mitad del siglo XIV.[2] Con todo, el dato real no es imprescindible para la imaginación del terror. A finales del siglo XVIII, en pleno Siglo de las Luces, la llamada novela "gótica" se abrió a las regiones de la oscuridad, y en las primeras décadas del siglo XIX se inaugura con E.T.A. Hoffmann el género de lo fantástico que R. Caillois definió como "el juego con el terror".[3] El misterio, lo invisible, lo irracional, lo desconocido, situaba al ser ante un abismo provocador de ese sentimiento de miedo tanto en el personaje de ficción como en el receptor. No es extraño que el romanticismo, al bucear en la experiencia interior, en el mundo de los sueños y en las inexploradas zonas del alma[4] viera

---

1 H.P. Lovecraft, *Supernatural Horror in Literature*, Nueva York, Ben Abranson, 1945. También en *Dagon and other macabre tales*, Londres. Panther Books, 1969. págs. 141-221.

2 J. Delumeau, *La peur en Occident, XIVe-XVIIIe siècle*, París, Fayard, 1978. Para la estética del gótico desde esta perspectiva, ver J. Baltrusaitis, *Le moyen âge fantastique. Antiquités et exotismes dans l'art gothique*, París, Flammarion, 1981.

3 Citado por M. Schneider, *Histoire de la littérature fantastique en France*, París, Fayard, 1964 (reed. 1985), pág. 8. Ver también R. Caillois, *Au coeur du fantastique*, París, Gallimard, 1965.

4 A. Béguin, *L'âme romantique et le rêve: Essai sur le Romantisme allemand et la Poésie française*, París, José Corti, 1939 (trad. al cast. en Buenos Aires, Fondo de Cultura Económica, 1946 y reediciones).

aparecer un conjunto de obras concentradas en configurar una atmósfera inquietante, por inspeccionar las alteraciones y los trastornos ocasionados por el terror. Desde E.T.A. Hoffmann hasta Edgar Poe, en menos de cincuenta años, se construye el modelo de un género en donde las mejores imágenes de terror no son meros artificios liberadores o catárticos, sino que además están destinadas a "quebrar el alma", a "buscar las cuerdas secretas" que hacen resonar en el interior del hombre su contacto con esferas suprasensibles.[5] La mayor parte de estas obras habrían quedado relegadas al olvido si no hubiera sido por la pasión que despertaron en escritores como Jorge Luis Borges. Poco valoradas por la crítica que, acostumbrada a clasificar y enjuiciar sobre esquemas clásicos, se topó con textos en muchas ocasiones descuidados en la forma, resueltos en estilos muy propios e irrepetidos, ajenos a las tendencias y a las modas. Obras frenéticas eclipsadas por la serenidad de las clásicas, como aquéllas escritas algunos siglos antes y de las que voy a hablar esta tarde. Las imágenes de terror irrumpieron en la literatura medieval, concretamente en el género artúrico, en un momento preciso de su construcción y evolución. ¿Por qué de pronto, en contra de la ética y de los valores caballerescos, el caballero sudó y se le paralizaron los miembros? ¿Cuál era el espectáculo que se escenificaba ante sus ojos? ¿En qué plano significativo se sitúa la estética del terror en la novela artúrica?

Lo sobrenatural y el terror no constituyen elementos necesariamente dependientes. Cuando la materia de Bretaña sustituyó a la materia antigua y con ella penetró lo maravilloso, no se concibió que el suceso extraordinario tuviera que atemorizar al caballero abierto a la aventura. Ni los personajes de María de Francia ni los de Chrétien de Troyes experimentan miedo. Cuando Erec penetra en el espacio "encantado por nigromancia" de la Alegría de la Corte, nada le produce espanto, ni siquiera las estacas con las cabezas clavadas.[6] La Aventura

---

5 Así se expresaba Jean-Jacques Ampère en *Le Globe* (2 de agosto de 1828) al comentar la obra de E.T.A. Hoffmann: "Autre chose est d'ébranler profondément nos âmes, en allant y chercher les cordes secrètes qu'y font résonner la terreur de l'inconnu...", cit. por M. Schneider, p. 147.

6 Chrétien de Troyes, *Erec*, ed. de W. Foerster, Halle, Niemeyer, 1934 (3ª ed.). Cito por esta edición. Ver también la ed. M. Roques, en "CFMA" 80, París, Champion, 1973. Ver traducción de C. Alvar, V. Cirlot, A. Rossell, en Madrid, Siruela, 1987. La aventura se desarrolla entre los vv. 5446 y 6164. Chrétien repite constantemente que le "debería producir miedo" y que todos "sienten miedo", menos el héroe. En concreto, la escena de las cabezas clavadas en las estacas se describe así: "Mes une *mervoille* veoit,/qui poïst feire grant *peor*/au plus hardi conbateori /de trestoz çaus que nos savons,/.../car devant aus sor peus aguz/avoit hiaumes luisanz et clers..." (vv. 5774-5781). *Mervoille y peor* constituyen planos asociados, en principio, pero justamente a Chrétien parece interesarle romper esa lógica asociativa.

de la Fuente y la terrible alteración meteorológica que se desencadena después de derramar el agua en el mármol, nada atemorizan a Yvain.[7] En *Li Chevalier de la charrete* Chrétien esboza un instante de terror: *li jorz vet declinant,* al caer el día, cuando ya comienza a oscurecer, Lancelot llega al Puente de la Espada, debajo del cual corren aguas negras y espantosas, tan horribles como si se tratara del río del diablo; el puente es distinto a todos los demás, es una espada, por tanto estrecho e hiriente, imposible de atravesar, y al otro lado, esperan dos leones o dos leopardos que como dos vampiros "chupan la sangre de las venas". Todos se espantan, menos Lancelot que sabe que los seres monstruosos que le aguardan, no son reales sino meras ilusiones.[8] En la obra de Chrétien de Troyes el miedo que puede provocar lo sobrenatural existe, pero es aniquilado por la suprema virtud caballeresca, el valor, y también por el propio escepticismo y la ironía con que el escritor de la Champaña presentó la 'materia. Hacia el año 1190 se observa un profundo cambio en el tratamiento de lo maravilloso y ese cambio tuvo que ver con la aceptación de que el caballero sintiera miedo sin que ello disminuyera su valor. Un miedo justo y razonable ante situaciones extrañas. La imaginación novelesca comienza a recrearse en el terror. Fue Renaut de Beaujeu en *Le bel Inconnu* quien comenzó a introducir a su personaje y a su público en las dimensiones desconocidas.

Es la hora del crepúsculo. El bello Desconocido cabalga por un bosque y "no es maravilla si tuvo miedo y temió sus aventuras".[9]

---

7 Chrétien de Troyes, *Yvain,* ed. de W. Foerster. Halle, Niemeyer, 1912 (rep. Slatkine 1977). Ver trad. de I. Riquer, *El caballero del león,* Madrid, Alianza, 1988. La Aventura de la Fuente, según le sucede al protagonista del relato, transcurre entre los vv. 747-906. Las terribles agitaciones meteorológicas que suceden después de que Yvain derrame el agua no suscitan ni un solo comentario de Chrétien acerca de la reacción de Yvain. Tan sólo cuando se encuentra con el villano, Yvain se santigua "más de cien veces, por la maravilla de cómo la Naturaleza podía haber hecho obra tan horrible y villana" (v. 796-9).

8 Chrétien de Troyes, *Le Chevalier de la Charrete,* ed. M. Roques, en "CFMA" 86, París, Champion, 1972. Ver trad. de L.A. de Cuenca y C. García Gual, en Madrid, Alianza, 1983. La Aventura del Puente de la Espada comprende desde el v. 3003-3141. Los dos leones son simplemente algo que él cree haber visto (*qu'il i cuidoit avoir veüz quant il estoit/de l'autre part,* vv. 3119-21, pero en el otro lado, *si cuida estre deceüz* (comprende que se ha engañado). L. Carasso-Bülow, *The Merveilleux in Chrétien de Troyes Romances,* Ginebra, Droz, 1976, llegó a la conclusión de que Chrétien "racionaliza" los elementos maravillosos procedentes de la materia bretona a través de lo que denominó la técnica de "compensación" o *counterbalancing*: "he creates mystery, in seemingly non-magical episodes, and he reduces the magical by rationalizing, socializing and humanizing obviously fantastic episodes" (pág. 36).

9 Renaut de Beaujeu, *Le bel Inconnu,* ed. P. Williams, en "CFMA" 38, París, Champion, 1978 (1ª ed. revisada en 1929). Ver trad. de V. Cirlot, Madrid, Siruela, 1983. La aventura de la Yerma Ciudad o Ciudad Desierta (*Gaste Cité*) comprende los vv. 2493-3452. Ver un análisis estructural de la obra en mi edición, págs. 113-122.

Delante de él se extiende la Ciudad Desierta, la *Gaste Cité*. El Desconocido, así llamado porque desconoce su nombre, ha llegado al lugar de su aventura, al final de su errancia. Penetra en la Ciudad Desierta. Antiguos palacios destruidos. Se adentra por las calles sin habitantes. No se entretiene y se dirige a una sala donde encuentra a unos juglares sentados en las ventanas sosteniendo cada uno de ellos un cirio encendido y tocando además diversos instrumentos musicales. Al ver al caballero, le saludan con grandes voces y el Desconocido sitió espanto (*fu il en grant esfroi*) lo que no le impidió maldecirlos, tal y como le habían indicado que debía hacer. Una escena que debía producir también el miedo del auditorio pues la imagen alude en el texto, como en las fachadas de las iglesias de la época, a las regiones infernales según ha señalado A. Fierz-Monnier.[10] Es éste un descenso a los Infiernos, la prueba que el caballero deberá afrontar para encontrar aquello que busca. Pero ¿qué es lo que busca el Desconocido? El Desconocido se detiene en medio de la sala y se apoya en su lanza para "esperar allí su aventura". De pronto ve salir de una cámara oscura a un caballero verde sobre un caballo también verde y combaten hasta que el extraño caballero verde retrocede para refugiarse en una cámara cuya entrada le está vedada al Desconocido: grandes hachas caen para golpearle y se tiene que retirar de nuevo a la sala. No es el combate caballeresco lo que le atemoriza, sino la oscuridad que ahora reina en la sala. "Estaba todo tan oscuro que no puede encontrar a su caballo y empieza a rogar a Dios que no le ocurra ningún mal ni vergüenza". La oscuridad se ha apoderado del Desconocido y la imposibilidad de ver es la causa del miedo. Los juglares vuelven a encender sus cirios y desde ese momento *de rien ne s'est espaventés*. Recupera su caballo y vuelve a aparecer un caballero, ahora un caballero negro y gigantesco. Un ser procedente de otro mundo, pues cuando el Desconocido logra derribarle y matarle "salió de su cuerpo una humareda, horrible y espantosa". Y cuando el Desconocido lo toca para saber si aun está vivo, "el cuerpo se deshizo en una flema". Y dice Renaut de Beaujeu: "Así le cambió la figura, pues era de mala naturaleza". Mutaciones maléficas, contra las que sólo sirve el gesto mágico, cristiano, en este caso, la señal de la cruz. El Desconocido se santigua y de nuevo lo someten al terror de la negrura[11] hasta que aparece la serpiente que le besa y con el

---

10 A. Fierz-Monnier, *Initiation und Wandlung. Zur Geschichte des altfranzösischen Romans in zwölften Jahrhundert von Chrétien de Troyes zu Renaut de Beaujeu*, Berna 1951. Un completo análisis de este episodio y una comparación con la *Nekyia* de los griegos, págs. 154-167.

11 "Li cierge furent enporté,/ si i faisoit oscurté/ que on n'i pooit rien veoir,/ tant i faisoit oscur et noir". (vv. 3081-3084). Se trata aquí claramente del miedo *de* la oscuridad, a no ver, como señala J. Boutonnier, a confundir la realidad con la ficción,

Beso Terrible concluye la aventura. El terror no ha sido en vano, ni un sufrimiento inútil. El Desconocido asciende del submundo y en lugar de oir la voz del padre, oye la voz de un hada que le dice: "Mal te nombró el rey Artús cuando te llamó Bello Desconocido. Tu nombre de bautismo es Guinglain. Te puedo contar toda tu vida: Mi señor Gauvain es tu padre y te diré quién es tu madre. Eres hijo del hada Blancemal que te dió armas y espadas y luego te envió al rey Artús". El desconocido encuentra identidad. El héroe ha sufrido la transformación pero antes se le ha exigido el contacto con las fuerzas oscuras y tenebrosas. En el relato no se cuestiona acerca de la realidad de lo ocurrido ni tampoco se duda de la realidad del espacio infernal, ni de la de los caballeros infernales. En cualquier caso a Renaut de Beaujeu le interesa profundizar en los planos de la realidad y de la visión onírica o la ilusión: Guinglain está acostado en una cámara en el palacio de la Isla de Oro. En la cámara de al lado duerme la Doncella de las Blancas Manos que le ha prohibido la entrada. Como el deseo amoroso no le permite conciliar el sueño, Guinglain se levanta y cuando ya piensa acceder a la cámara vecina, de pronto compueba que se encuentra en una estrecha plancha debajo de la cual corren aguas profundas. No se puede sostener y cae. El cuerpo entero le queda colgando y sólo se agarra con las manos a la tabla. *S'il a paor ne m'en mervelle* (nada me maravilla si sintió pavor) interviene el narrador. La sensación de caída le provoca la angustia y le obliga a gritar pidiendo socorro. Cuando llegan los servidores lo encuentran agarrado a una percha de gavilán. La comicidad se apodera ahora de la escena y el protagonista se avergüenza de haber sentido miedo. Al cabo de un rato, piensa que todo ha sido *fontomerie*, visión o sensación engañosa, falsa, fantasmática, y vuelve a intentarlo, y cuando ya está en la puerta, un peso espantoso está a punto de quebrar todos sus huesos, pues le parece sostener todos los arcos de la sala. La angustia (*angousse*) le hace gritar de nuevo y cuando llegan los criados, lo ven agarrado a la almohada de su cama. La contraposición de escenas busca despertar la risa, pero también introducir la duda sobre la realidad y el sueño. En cl relato se explica como encantamiento del hada[12] pero hacia el final del *roman* de Renaut de Bgeaujeu encontramos a un Guinglain que se despierta en medio del

---

a carecer de seguridad por la desaparición de la luz (*Contribution à la psychologie et à la metaphysique de l'angoisse*, París 1945).

12 Las dos visiones ilusorias (sobre el concepto *fantomerie* o *fantome* ver L. Foulet Glossary of the first continuation, t. III. parte 2 de W. Roach, *The Continuations of the Old French Perceval of Chrétien de Troyes*, Philadelphia 1955, p. 111 ('imaginación vana', 'algo opuesto a cosa verdadera'), se desarrollan entre los vv. 4551-4662. La explicación del hada en los vv. 4915-5016.

bosque, estupefacto de que todo el palacio y la Isla de Oro entera junto a la Doncella de las Blancas Manos haya desaparecido. En el público puede quedar la duda de si no todo habrá sido sueño de Guinglain, una duda que nos desliza del ámbito de lo maravilloso al claro terreno de lo fantástico, al menos según la clasificación de Tvetan Todorov.[13] La supuesta ingenuidad medieval ante lo maravilloso aparece aquí sutilmente borrada. En *Li bel Inconnu* los elementos maravillosos, las imágenes de terror se relacionan para dar forma a la experiencia de la interioridad. Se condensan en los dos momentos cruciales en el desarrollo de Guinglain como individuo: en la fase justamente anterior al reconocimiento de sí mismo y del otro en la sexualidad.

"Tal y como cuenta la escritura, aquella noche fue negra y oscura". Así comienza una aventura de Gauvain en la *Primera Continuación*. La nocturnidad se apodera del escenario de las aventuras artúricas. La errancia del caballero en la novela de Chrétien transcurre normalmente durante el día y el atardecer es el momento oportuno para buscar hostal, para descansar y conversar junto a un amable huésped, para que si hay aventura, acontezca en el interior de la sala de un castillo. Gauvain, sin embargo, va errante por el bosque oscuro, en medio de una espantosa tempestad.[14] De pronto encuentra una capilla y al entrar ve un altar

---

13 T. Todorov, *Introduction à la littérature fantastique*, París, du Seuil, 1970, en donde sotuvo la diferencia entre lo fantástico, lo maravilloso y lo extraño, definiendo lo fantástico como el momento de la duda experimentada por un ser que sólo conoce las leyes naturales frente a un suceso en apariencia sobrenatural; en el caso de lo maravilloso, habría una aceptación de lo sobrenatural y ello no provocaría ninguna reacción particular ni en los personajes ni en el lector implícito, págs. 29-59. Se suele sostener que en el mundo medieval no existe una diferenciación clara entre estos ámbitos, cf. Carasso-Bülow, cit., o también D. Poirion, *Le merveilleux dans la littérature française du moyen âge*, en "Que sais-je". París, P.U.F., 1982, o una reflexión sobre el plano de lo maravilloso en la cultura medieval en *El món imaginari i el món meravellós a l'edat mitjana* (Schmitt, Arola, Cardini, Alvar, Ruiz Doménec, Puchelle, Airaldi, Espadaler), Barcelona, Fundació Caixa de Pensions, 1986 con la última bibliografía sobre el tema.

14 M.L. Chênerie, *Le chevalier errant dans les romans arthuriens en vers des XIIe et XIIIe siécles*, Gienbra, Droz, 1986, aprecia: "La nuit, par son mystère, sa menace, mais aussi sa douceur, connaît une vogue grandissante dans le romanesque du XIIIe siècle. /.../ Elle assure le décor fantastique de cortèges de blessés mystérieux, de guérisons vainement attendues ou miraculeuses; elle redouble l'effet terrifiant des orages, des tempêtes et autres prodiges plus ou moins diaboliques". pág. 264. Aunque se debe a W. Haug la consideración de que es propio de la estética del roman posclásico alemán (s. XIII) esa contraposición de luces y sombras: "Eine poetische Konzeption, die von diesem Nacheinander abrückt und folglich die Welt als eine Verflechtung von Lichtem und Dunklem erscheinen lässt, wird letztlich nur mehr eine fantastische Szenerie bieten können" ("Paradigmatische Poesie. Der spätere deutsche Artsroman auf dem Weg zu einer nachklassischen Aesthetik", en *Deutsche Vierteljahrschrift für Literaturwissenschaft und Geistesgeschichte*, 56, 1980, págs. 204-231; la cita en la pág. 212.

descubierto, sin telas, en donde estaba colocado un candelabro de oro puro con un grueso cirio ardiente que proporcionaba una gran claridad". Gauvain decide pasar allí la noche, cuando ve que por la ventana que estaba detrás del altar, entra dentro una mano negra y horrible. La mano coge el cirio y lo apaga. En esto, oye una voz que se queja y toda la capilla comienza a crujir. Gauvain se santigua y sale de la capilla. La noche se ha apaciguado, pero en la prosecución de la errancia el terror no dejó de invadir a Gauvain, pues aunque esas otras aventuras no se narran, el autor anónimo de la Continuación afirma: "Las grandes maravillas (*merveilles*) que encontró y que mucho le espantaron (*dont maintes fois s'espoënta*) nadie las debe relatar ni contar". Este silencio que impone el autor, se debe a que estas aventuras están relacionadas con el Graal.[15] Con todo, sí se relata el pavor de Gauvain en el interior del castillo del Graal al quedarse solo con un muerto que yace sobre una parihuela. Y recalca el autor que "nadie se debe maravillar si sintió miedo ni si tuvo pavor (*s'il paor ne s'il douta*).[16]

En esta novela en verso los secretos del Graal se encuentran acompañados de toda una serie de manifestaciones que el autor las concibió como escenas de terror. La oscuridad, la soledad, son las causas directas de esa sensación, pero es la búsqueda de lo sagrado y su proximidad lo que realmente provoca los extraños acontecimientos pavorosos. Junto a la cercanía con lo *tremendum* y *faszinosum* parece sugerirse otro motivo de inquietud en la noche de errancia del sobrino del rey Artús. Gauvain salió aquella noche negra y oscura no por una aventura propia, sino por la de otro caballero muerto sorpresivamente. Gauvain asume la responsabilidad del viaje del caballero muerto y cuando sale de la corte "no sabe a donde va, ni a qué tierra, ni siquiera sabe la necesidad que va buscando".[17] Se introduce en el mundo del "otro" es-

---

15 *The Continuations of the Old French Perceval of Chrétien de Troyes,* vol. I. *The First Continuation,* ed. W. Roach, Philadelphia 1949. Esta aventura comprende los vv. 13003-13063.

16 V. 13171. La visión del muerto y la soledad es lo que provocan el miedo de Gauvain en su visita al castillo del Graal: "Aval la sale regarda/ come hom iriez et effraez,/ qu'il n'ert de rien asseürez,/ si voit tres enmi une biere/ qui longue estoit de grant maniere./ Et si tost con veüe l'a,/ sa main lieve si se saigna,/ car ce sachiez qu'il ot paor" (vv. 13179-13183). "Mesire Gavains s'enbroncha,/ qui grant ire et grant paor a/ por che qu'il est laiens toz seus". (vv. 13207-9).

17 El suceso del caballero desconocido ocurre entre los vv. 12707 y 13002: todo comienza en la corte de Artús. El rey está ausente y la reina juega al ajedrez con el rey Urien, acompañados por Keu y Gauvain. De pronto aparece un caballero que pasa de largo ante ellos sin saludarles. La reina se siente afrentada y Keu sale en su busca. Como siempre, el senescal fracasa en la empresa. Gauvain logra brillantemente el cometido. En el encuentro con el caballero aparentemente descortés, éste le confiesa que de ningún modo puede abandonar el viaje emprendido. A pesar de esto,

bozándose así el tema del doble que problematiza el hallazgo de la identidad. Aunque quizás el tema del doble, que de algún modo aparece siempre ligado al personaje de Gauvain, se construye con mayor intensidad en un *roman* que concluye el género artúrico en verso a finales del siglo XIII: *L'Atre périlleux*.

El sol se ha puesto. Gauvain llega ante los muros de una ciudad que ha cerrado sus puertas. Al comprobar que los de la ciudad no piensan abrirle, Gauvain da media vuelta y sin haberse alejado demasiado encuentra una capilla con un cementerio, rodeado todo por un muro. Gauvain decide pasar allí la noche. Se quita la lanza y el escudo, descincha al caballo y se sienta sobre una tumba. El autor anónimo de esta novela adelanta a su público que "jamás en su vida había escapado de un pavor (*paour*) semejante como el que le asaltó aquella noche.[18] Nos encontramos en un espacio que ya a mediados del siglo XIII constituye un tópico del terror. Se da entrada a un motivo repetido en la tradición literaria, el motivo del "cementerio peligroso" en donde los personajes se enfrentan a caballeros encantados como ocurre en *Amadas et Ydoine* o a un combate de carácter alegórico entre vicios y virtudes en donde la oración salva a la Dandrane de la novela en prosa *Perlesvaus*.[19] A pesar del carácter tópico de la escena, la imagen adquiere aquí profundos valores significativos. Gauvain está sentado en una tumba de mármol gris que de pronto comienza a moverse debajo de él. La lápida empieza a levantarse de modo que sus pies ya no tocan el suelo. Va en busca de otro asiento "pues nada le gustaba aquel". No ha andado cuatro pasos, cuando la tumba queda totalmente al descubierto y abiertamente ve que dentro yace una doncella. La imagen es sorprendente y en nosotros sugiere asociaciones inmediatas con otras imágenes, procedentes de la pintura simbolista del siglo pasado. La doncella de la tumba, yacente como una Ofelia, se levanta. Mi señor Gauvain se santigua y no es extraño. Cree encontrarse ante una aparición, con uno de esos seres que retornan del Otro Mundo.[20] Junto al

---

Gauvain le convence y regresan juntos, pero al entrar en los pabellones sucede un hecho extraño: "Li chevaliers et crie en haut:/ Ha, sire Gavains, je sui mors" (vv. 12882-3). Antes de morir el caballero le encomienda sus armas y su caballo (v. 12890).

18 *L'Atre Périlleux*, ed. B. Woledge, en "CFMA", París, Champion, 1936. Ver mi traducción en Madrid, Siruela, 1984. La aventura del "Cementerio Peligroso" ocurre desde el v. 1131 hasta el v. 1424.

19 Ver sobre este motivo A.M. Cadot, "Le motif de l'Atre Périlleux: la christianisation du surnaturel dans quelques romans du XIIIe siècle", en *Marche Romane, Medievalia 80*,1980, págs. 27-35, cf. también mi "informe sobre el seminario *L'Atre Périlleux*, novela artúrica del siglo XIII", en *Medievalia* 6, 1986, págs. 75-107.

20 Una reflexión sobre el sentido de la muerte y los "aparecidos" en la época feudal en J.C. Schmitt, "Les revenants dans la société féodale", en *Le temps de la réflexion* III, 1982, París, Gallimard, 1982, págs. 285-306.

sentimiento de temor le invade un absoluto anonadamiento, porque "desde que había nacido y había sabido reconocer la belleza, jamás había visto nada tan hermoso". La doncella comienza a hablar. Ella le conoce. Le llama por su nombre: "Gauvain, mucho me maravilla que tengáis miedo (*paour*) de mí" y Gauvain le responde que "Veo lo que jamás he visto, así que no es maravilla si me he asustado un poco". Añadiendo que ningún caballero del rey Artús por valiente que fuera, se habría quedado tranquilo si la hubiera encontrado de aquel modo. La hermosa doncella prisionera le explica su historia que es la historia del Cementerio Peligroso: el diablo la posee como posee el Cementerio que ha convertido en su hostal. Ella espera que Gauvain combata con el diablo y así se liberen ella y el lugar de su espantosa presencia. Terror a las fuerzas ocultas, a lo demoníaco que adquiere aquí presencia física, absoluta realidad. Terror también a la muerte y es que la muerte persigue a Gauvain en este roman artúrico. Nada más salir de la corte del rey Artús, Gauvain se encuentra con doncellas que lloran desconsoladamente. Cuando él les pregunta qué les ocurre, ellas responden que Gauvain, el sobrino del rey Artús ha muerto, que ellas han visto como tres caballeros lo despedazaban y desfiguraban y que con Gauvain ha muerto toda la flor de la caballería.[21] La afirmación es sorpresiva e inexplicable para Gauvain. Comprende que le han robado el nombre y continúa la persecución del caballero que le ha infamado en la corte del rey Artús. Durante la persecución y la errancia le asalta la poderosa imagen de la doncella prisionera de la tumba. Gauvain vence al diablo, pero ¿quién es la doncella? ¿quién es el caballero al que persigue tenazmente? Después del combate con el diablo y a la salida del sol, Gauvain parte del lugar acompañado de la doncella. Divisan al caballero al que Gauvain persigue y de pronto la doncella del sarcófago adquiere en el relato nuevos rasgos pues ella sabe perfectamente quién es el caballero desconocido y gracias a ella Gauvain escapa de una muerte segura. El caballero es Escanor de la Montaña y lo prodigioso en él consiste en que su fuerza aumenta con el sol, aunque desde nonas en adelante se va debilitando. La doncella se revela además profundamente conocedora de Gauvain a quien le recuerda que su madre, un hada, le predijo que a nadie debía temer sino a aquél.[22] Nada le atemoriza a Gauvain el combate con Escanor de la Montaña después del Cementerio Peligroso, ni siquiera sabiendo quién es. Al igual que Guinglain en la Ciudad Desierta, Gauvain ya ha descendido a los Infiernos y ya está preparado, no para conocer su identidad, sino para terminar con ese oponente que comparte con él la misma característica.

21 El suceso se desarrolla en el *AP* en los vv. 456-660.
22 *AP*, vv. 1552-1602.

Gauvain es aquél cuya fuerza aumenta al mediodía, como se conoce suficientemente por la tradición.[23] Realmente, Gauvain combate contra alguien que tiene su mismo rostro, contra su otro yo, contra su doble o gemelo. La percepción de esta realidad y el éxito de la empresa se la debe a esa extraña doncella del sarcófago que parece simbolizar su memoria y su conciencia. De nuevo el terror viene suscitado no sólo por lo sobrenatural sino también por esa apertura hacia la interioridad.

Aunque la novela artúrica no se dejara absorber en su totalidad por el terror, algunos escritores posteriores a Chrétien de Troyes, como Renaut de Beaujeu o los anónimos de las *Continuaciones* y el *Cementerio Peligroso* sí configuraron auténticas escenas de terror en determinados momentos de sus relatos. De un modo muy sobrio, permitieron que sus héroes fueran apresados por el miedo en algunos instantes de su recorrido errático. La introducción de las escenas terroríficas supuso un cambio en la estética artúrica. La oscuridad y nocturnidad alternan con la luz diurna, habitual de la aventura y abren un doble plano que hace contrastar el mundo sensible del suprasensible. "La Noche, decía Albert Béguin es para el romántico y para el místico ese reino de lo absoluto adonde no se llega sino después de haber suprimido todo lo que nos ofrece el mundo de los sentidos".[24] En la novela artúrica, la noche es el tiempo del enfrentamiento del ser consigo mismo, con sus propios misterios, con su propia oscuridad. Como en los mejores relatos fantásticos del siglo XIX, el terror es un sentimiento natural suscitado por el enigma interior. En *Li bel Inconnu* o en *L'Atre Perilleux* las escenas de terror se adecuan a los acontecimientos situados en lo sobrenatural pero al mismo tiempo corresponden en la lógica simbólica de la narración al despliegue de la interioridad del ser. Miedo ante el descubrimiento del nombre, ante el cambio que conduce a la madurez. Miedo ante la mujer. Miedo al ser desdoblado, ante la culpa y el pecado. La novela artúrica no es ciertamente psicológica en el sentido de que no se dedica a la introspección del individuo en términos teóricos. Sin embargo no desconoce la absoluta soledad del ser humano ni sus profundidades abismales. No se expresa en términos psicoanalíticos, pero utiliza otros, las nociones simbólicas que, según Carl Gustav Jung, aun continúan emergiendo como arquetipos desde nuestro inconsciente. La diferencia fundamental entre un relato fantástico del siglo pasado y la novela artúrica en verso de la primera mitad del siglo XIII consiste esencialmente en la forma de expresión. La construcción de la realidad es muy semejante,

23 Cf. mi nota 6, p. 137 en mi traducción de la obra (cit.).
24 A. Béguin, cit., pág. 485 (de la ed. cast.).

al menos en lo que respecta a la percepción de un mundo fantástico y en el modo de conjurar los fantasmas que atenazan al individuo. De ahí la modernidad de estos textos cuyo público en su época debió de ser tan reducido como el de los cuentos fantásticos del siglo XIX. Rescatados del olvido, deben entenderse más que como los primitivos orígenes del género fantástico, como paralelas en sus hallazgos y en sus resultados, como un conjunto de obras posclásicas en las que el terror contribuyó a forjar una renovada estética y a plantear desde otros significados la errancia del héroe, entre el mundo de las sombras y las tinieblas, y el mundo de la claridad.

María de Francia

Luis Alberto de Cuenca

A mí la Edad Media me empezó a gustar hace mucho. La culpa la tuvieron los tebeos del *Guerrero del Antifaz* y, sobre todo, tres libritos de la nunca bien ponderada colección Araluce: *Sigfrido, La canción de Rolando* y *Los caballeros de la Tabla Redonda*. Nunca olvidaré las ilustraciones, a todo color, de esos libros. Las de *Los caballeros...*, de José Segrelles, eran particularmente asombrosas. Yo entonces no sabía que lo que me gustaba de esos y de otros libros que caían en mis manos era la fantasía, la estupenda y maravillosa fantasía que palpitaba en ellos, pero, aunque todavía no supiese nombrar lo que luego iba a ser mi mayor afición, lo cierto es que la literatura fantástica iba echando raíces en mi alma y la Edad Media iba ocupando el lugar de excepción que ahora ocupa en mi espíritu, y ambas –la literatura fantástica y la Edad Media– se fundieron temprano en mi vida, de modo que no puedo concebir un Medievo que no sea fantástico ni una fantasía que no sea, de una manera u otra, medieval.

Porque la literatura fantástica no tiene dos siglos de edad, ni es fruto de la revolución industrial, ni es hija de la brutal y despiadada escalada de la razón, ni es compañera –conflictiva– del materialismo dialéctico. La literatura fantástica es tan vieja como el libro del Génesis, el poema mesopotámico de Gilgamés o la *Odisea*. Y en la Edad Media tiene un altar que, a lo largo de ocho o diez siglos, no ha descuidado el culto del prodigio y la maravilla.

(Entre paréntesis: el realismo sí que es un fenómeno propio de las letras contemporáneas, tan proclives a albergar en su seno latidos y experiencias de toda índole, de manera que Borges y Stoker, Machen y Howard, Potocki y Le Fanu son, a pesar de su cronología posterior a la Revolución Francesa, escritores tradicionales, esto es, autores que suscitan el interés en sus lectores, que emocionan, divierten y, desde luego, prescinden del consejo, la amonestación y el ejemplo, lo que, en mi delirante imaginación, los convierte ni más ni menos que en autores medievales, que a la adjetivación "enorme y delicada" con que solía referirse Paul Verlaine a la Edad Media sumo yo epítetos como "disparatada y fantástica", que eso es para mí el Medievo).

Hecho este inciso, seguiré hablando de mi infancia. Antes, hace unos treinta años, cuando los niños estábamos muy ocupados leyendo *El Guerrero del Antifaz* o libros de la colección Araluce y, eso sí, ocupadísimos inhibiéndonos sexualmente, no nos quedaba casi tiempo para ejercitarnos en la barbarie. Tendría yo catorce años cuando cayó en mis manos la antología de *Cuentos de terror* que Rafael Llopis publicó en Taurus en 1963. La devoré de cabo a rabo. Siempre recordaré con envidia el miedo primeval que sentí al leer alguno de aquellos relatos. Junto al libro de Llopis, en casa de mis padres podían encontrarse las novelitas de Nodier de Calpe, las *Obras completas* de Conan Doyle de Aguilar (aquel *Sir Nigel,* aquella *Compañía Blanca*), Chesterton, Stevenson y Dennis Wheatley, lo que no estaba mal como *appetizer,* pero faltaba la Edad Media propiamente dicha, ese tiempo poblado de gigantes y enanos, de doncellas cautivas y reinas adúlteras, de cálices sagrados y caballeros sin tacha, de hadas, magos y dragones como tienen que ser los dragones, y espadas como deben ser las espadas. Sin embargo, los libritos citados de Araluce paliaban esa ausencia y teñían todo lo demás de Edad Media, lo trasladaban todo al Medievo.

(Por entonces, y henos aquí dentro de otro paréntesis, todavía no me había enterado de que en Francia había gente dispuesta a fabricarle todo un *pedigree* a la literatura fantástica, y de que tipos como Caillois, Castex, Vax y Todorov hablarían muy pronto en sus libros del *gothic tale* sin el menor rebozo, exigiéndole a la lectura algo más que ese sofocante callejón sin salida que producía el enfrentamiento con los novelistas rusos del siglo pasado, con Proust, Mann, Joyce o Musil, por citar algunos ejemplos; por entonces, aún no sabía que un profesor de Oxford, medievalista por más señas, un tal J.R.R. Tolkien, estaba a punto de convertirse en uno de los autores más leídos del siglo con sus historias "medievales" ambientadas en la Tierra Media y protagonizadas por gente mediana tan aguerrida como Bilbo y Frodo Baggins, con su *Señor de los Anillos,* su *Hobbit* y su *Silmarillion;* gracias a Dios, la Edad Media que tanto me divertía y tanto me hacía soñar, iba incluso a ponerse de moda, y el beneficio que de aquello iba a derivarse sería ampliamente superior a los inevitables daños).

Ahora los niños tienen menos miedo que antes. Ya no descubren la Edad Media en los libritos de Araluce, sino en los elegantes volúmenes de Siruela que se compran sus padres. Los mayores han decidido que la cultura va por barrios, no por familias, y, entre otras cosas, que la expresión corporal es una disciplina esencial en la formación del individuo. No parece, pues, fácil que la Edad Media, que ya está de moda (y está bien que lo esté), vaya a producir "monos" de ausencia en los niños de ahora (y es una lástima que eso también se haya acabado). Ha llegado, pues, el momento de prescindir de toda consideración sociológica y quedarnos en casa. De quedarnos en casa con el horror y la fantasía de siempre en nuestras estanterías, con el de Homero, Chrétien de Troyes, Borges o Tolkien. No vaya a ser que, al cruzar la calle, nos topemos de bruces con ese compañero de colegio que solía abusar entonces de su estatura o su dinero y que, ahora, nos diga que se muere por las novelas de errantes caballeros y princesas lejanas (él, precisamente él, que se llevaba a la terraza a las únicas chicas apetecibles de los guateques), o que es director de una revista punta de publicidad o de diseño, o que su pueblo (o sea, el mío y el de todos ustedes) lo ha elegido diputado autonómico o senador. Y de ese horror, amigos, no va a librarnos nadie.

Cambiando de tercio, les diré que a lo largo de la Edad Media nadie tuvo muy claro dónde comenzaba lo real y dónde lo fantástico. Eso es lo más fantástico del Medievo. Marco Polo, por ejemplo, se empeña en situar geográficamente el hábitat de los animales más peregrinos, se esfuerza por encontrar patria al unicornio o a la anfisbena. Por otra parte, ¿conocen ustedes algo tan radicalmente fantástico como un rinoceronte o una jirafa? Esta atractiva mezcla de realidad y fantasía es una de las notas que caracterizan al Medievo.

Oí hablar por primera vez de María de Francia en la Universidad Autónoma de Madrid, hacia el año 1970. Fue también la primera vez que escuché la palabra *lai*. El responsable de mi iniciación fue Emilio Náñez, mi profesor entonces de Literatura Francesa en segundo curso de Filología (que entonces se llamaba, pomposamente, Filosofía y Letras, una denominación mucho más medieval). Náñez nos repartió unas fotocopias con el texto en francés antiguo de uno de los *lais* de María, el *Laüstic* o "ruiseñor". De aquel *Lai,* uno de los más breves de la colección, surgió la lectura de toda la serie y, cinco años después, en 1975, derivó la primera traducción castellana de nueve de los *Lais* de María de Francia. Los publiqué ese mismo año en Editora Nacional, colección Alfar, núm. 7, texto bilingüe. Dos o tres años más tarde, una amiga de Emilio Náñez, Ana María Valero, traducía los doce *Lais* de María en Selecciones Austral de Espasa-Calpe. En 1987 se publicaron en Siruela los *Lais* completos a mi cuidado. Eso, y alguna traducción aislada de alguno de los *Lais,* es todo lo que puede decirse de la suerte de María de Francia en castellano.

Pero esta charla versa sobre María de Francia, y ni siquiera la he situado cronológicamente. Conviene, sin embargo, referirse primero al sustrato cultural de donde procede María. El mundo épico acaba de perder su hegemonía. El mundo novelesco viene a sucederlo. Veámoslo de forma más poética, pero sin perder de vista el tema que nos ocupa.

La sociedad en la Alta Edad Media se constituye sobre los prestigios de la espada. Juglares borrachos de hazañas ajenas recorren los caminos, destilando en el alambique de su memoria la sangre heroica derramada en combate, con vistas a componer sus violentos y alegres cantares de gesta. Han escuchado de labios de los juglares que los precedieron relatos de guerreros que vivieron antaño, en un prestigioso pasado, e hilvanan esas míticas historias en la riada de sus versos. Historias en las que los héroes dedican sus últimos pensamientos a sus espadas, no a sus damas, como Rolando en la *Chanson*. Historias en las que las damas, como Jimena en el cantar del Cid, han de sufrir en un monasterio todo el destierro de sus esposos, solas y, desde luego, inasequibles a la seducción de los monjes que las rodean. Sagas de los antiguos germanos que nos hablan de traiciones descomunales y batallas sublimes cuyo final es el Walhalla, en las que Brunilda la guerrera resplandece tan sólo por su condición de valquiria, en las que Crimilda es sólo una promesa de venganza. Como en la sociedad homérica de los siglos oscuros, de esa "Edad Media" helénica que tuvo el privilegio de alumbrar la *Ilíada* y la *Odisea,* también en el Alto Medievo la mujer no es más que un pretexto del músculo varonil para ponerse en movimiento, un hermoso botín del que surgen disputas, el origen de una contienda.

Esta situación se prolongó hasta el siglo XII, centuria dominada por la idea de la mujer, tanto en el Mediodía provenzal como en el Norte de Europa (sobre el tema acaba de publicar un libro muy curioso José Enrique Ruiz Doménec, titulado *La mujer que mira (crónicas de la cultura cortés)* y publicado por Jaume Vallcorba en su "Biblioteca Filológica", Barcelona, 1986). En ese punto, glosando un estupendo prólogo de Paul Tuffrau a su recreación en francés moderno de los *Lais* de María de Francia (París, 1959), comenzó a oírse allá a lo lejos una melodía extrañísima que parecía proceder de la Bretaña francesa, también llamada Armórica, uno de los lugares donde el espíritu céltico se conservó más y mejor; las mujeres, cansadas de la épica, que les negaba cualquier tipo de protagonismo, escucharon con delectación infinita esa música rara y desconocida que derretía literalmente los corazones; una luz sobrenatural se insinuaba dulcemente a la par que la música sonaba, una luz que transfiguraba y subvertía el marco adocenado de la vida; y el viejo Sueño Céltico apareció en medio de la Romania con su cortejo de hadas, de caballeros en busca de aventura, de amantes consumidos por el deseo.

A nadie le extrañó a partir de entonces que las naves pudiesen discurrir por el océano sin piloto (en la *Odisea,* otro espléndido sueño indoeuropeo a caballo entre la épica y la novela, es la voluntad del piloto, y no los remos, quien empuja las naves de los feacios, en el país encantado y luminoso de Esqueria). A todo el mundo le pareció normal que las ciervas hablasen, que las hadas raptasen a sus caballeros favoritos y los condujesen a Avalon, que ciertos jóvenes enamorados se metamorfosearan en pájaros para visitar a sus amadas (y para proveer de ejemplos a psicoanalistas futuros, añadiríamos). Y todo ello sucede bajo la tierna férula de Amor. Es Amor, una mezcla de Eros griego y ángel cristiano (de los que pueblan pórticos y biblias miniadas), quien conduce la nave fantasma, hace hablar a la cierva, rapta al héroe y convierte en pájaro al enamorado. Amor mata, Amor embriaga, Amor siembra melancolía por todas partes, Amor distribuye por igual momentos de dulzura irrepetible y saetas de angustia. Amor es una especie de filtro mágico que inunda de belleza o de horror los corazones. Y si de Amor se trata, es evidente que su compañera inseparable, la Muerte, no puede andar lejos.

Para los celtas el País de los Muertos, donde habitan los dioses y las hadas, no está vedado al simple mortal. Un río, como en la mitología grecolatina, constituye la frontera entre nuestro Tiempo y la Eternidad. A menudo es posible atravesar ese río, y sin pagar por ello al barquero un tributo excesivo. El Otro Mundo se sitúa a veces en una supuesta isla, Avalon (hoy se tiende a identificar el topónimo con Glastonbury, en el condado inglés de Somerset), y está destinado a aquellos héroes que reúnen en su persona el valor y la pureza imprescindibles (ni siquiera tienen que haber muerto, lo que supone cierta ventaja si comparamos el Otro Mundo céltico con el Walhalla germánico). Y es que los celtas, como dice Gustave Cohen en su precioso librito *La grande clarté du Moyen Age* (París, 1945), sólo se encuentran a sus anchas en el Más Allá, adonde se dirigen las miradas de sus profundos ojos grises, miradas irreales y arcaicas teñidas de melancolía. Y esta atmósfera céltica de misterio y ensueño, esta niebla feérica inconfundible no se refleja en ninguna parte mejor que en los *Lais* de María de Francia.

Pues bien, esta maravilla armoricana (y no sólo armoricana; piénsese en Cornualles, Gales, Irlanda, Escocia, en toda la Britania presajona), siempre inconclusa, imprecisa y decididamente fantástica, este prodigio céltico tan arraigado en las más oscuras creencias de los hombres que sobrevive a todo intento de racionalización, va a trastornar el orden épico imperante en Europa, feminizando la literatura y sumergiéndola en el mar de los mitos sagrados más añejos. Sin embargo, el poeta y el lector del siglo XII, como dice el penetrante Pierre-Yves Badel en su estupenda *Introduction à la vie littéraire du Moyen Age* (Paris, 1969), no perciben el origen religioso pagano de los temas bretones. Así, sobre el terreno maravilloso de la fantasía céltica, el escritor construye e impone su visión caballeresca y cortés de la sociedad y del amor.

Entramos en contacto, pues, con la otra gran melodía del momento, esta vez menos nebulosa y mucho más ordenada, la *courtoisie*, de inequívocas raíces provenzales. Una *courtoisie* erótica que Andrés el Capellán codificó en sus tres libros *de Amore* (recientemente traducidos al castellano por Inés Creixell, dentro de la misma "Biblioteca Filológica" de Quaderns Crema, dirigida por Jaume Vallcorba, que alberga el libro arriba citado de Ruiz Doménec sobre la mujer en la sociedad cortés).

Una *courtoisie* que, partiendo de las once canciones de Guillermo de Aquitania (1071-1127), uno de los poetas más modernos, irreverentes y hasta nihilistas de las letras universales, impregna todo el quehacer literario de la época, trascendiendo ampliamente el ámbito de la lengua de *oc*.

Quiénes son los principales protagonistas y más calificados intérpretes de esta moral del Sur, de este nuevo desafío del matriarcado preindoeuropeo de los pueblos mediterráneos, es pregunta bien fácil de responder: los caballeros, la *élite* de escogidos aristócratas (de aristócratas en el sentido etimológico, como es natural) que apuntalan con sus hazañas los muros del sistema social que representan y protagonizan. Pero, atención, no incurramos en la equivocación de reducirlo todo a la sociología: la *courtoisie* no llega a ahogar en ningún momento la maravilla y el disparate. Bajo la envoltura cortés y caballeresca aún puede uno llenarse los pulmones con el aire limpio y antiguo, mágico y prodigioso (como en el drama de Calderón) del sustrato, aún puede respirarse la inconfundible atmósfera de Bretaña.

Con María de Francia, una mujer (por más que alguna que otra reciente teoría se obstine en identificarla con un señor con toda la barba), la Materia Céltica queda definitivamente soñada según los moldes conceptuales de la *courtoisie* provenzal. Veamos a continuación quién es María, o, por lo menos, quién no lo es, que poco se sabe de nuestra anfitriona en este gran banquete de fantasías.

En el epílogo que clausura su recopilación de fábulas esópicas (*Ysopet*), traducidas del inglés al dialecto normando (y publicadas recientemente en castellano por Anaya), ella misma nos dice:

Marie ai nun, si sui de France.

Ello parece solamente querer decir "originaria de Francia". Y es que María elige como vehículo de expresión la lengua literaria de Normandía (la empleada por Wace en su traducción de la *Historia regum Britanniae* o "Historia de los reyes de Britania" de Geoffrey de Monmouth, obra que trasladé al castellano hace unos años; la empleada en el *Eneas*). Hablaban dicha lengua los normandos que, al mando de Guillermo el Conquistador, pasaron a Inglaterra desde el continente, afianzándose en la isla tras la victoria de Hastings (1066) sobre los sajones de Haroldo. Los normandos que aparecen bordados en la maravillosa Tapicería de Bayeux, con su nuca afeitada frente a unos bigotudos sajones, entre preparativos guerreros, naves, diálogos y augurios de conquista. Todo indica, pues, que María de Francia vivió y escribió en la Inglaterra anglonormanda. Si no, no hubiese hecho pública su procedencia al final de sus *Fables* ("si sui de France"). Pero, ¿quién es María?

No es, desde luego, María de Champagne, hija de Luis VII de Francia y de Leonor de Aquitania, a quien Chrétien de Troyes dedica su *Caballero de la Carreta* (otro libro que tuve la fortuna de traducir a nuestra lengua, en colaboración con mi amigo Carlos García Gual). Probablemente tampoco sea María, abadesa de Shaftesbury entre 1181 y 1215, hija natural de Godofredo Plantagenet y hermanastra de Enrique II de Inglaterra. Ni María de Meulan o Beaumont, viuda del barón Hugo Talbot de Cleuville e hija del conde Galerán de Beaumont, uno de los destinatarios de la *Historia* de Geoffrey. El anticuario Fauchet, en el siglo XVI (en el Renacimiento los eruditos, siguiendo a los viejos romanos, se autollamaban anticuarios aunque no vendiesen cosas antiguas), le dio el nombre de María de Francia, fundándose para ello en el verso citado del epílogo del *Ysopet*. Es todo cuanto sabemos, lo poquísimo que sabemos a ciencia cierta de ella.

En el prólogo de sus *Lais* (verso 43) puede leerse:

En l'honur de vus, nobles reis...

Parece que el monarca a quien van dedicados sus poemas no es otro que Enrique II, rey de Inglaterra desde 1154 (murió en 1189) y auténtico Arturo redivivo por afición y por talante (acaso también con fines propagandísticos en un país recién conquistado que necesitaba recobrar el pulso perdido; también Alejandro de Macedonia, al conquistar Egipto, asumió la condición de hijo de Amón-Ra y se coronó faraón del Alto y del Bajo Egipto), imagen arquetípica de soberano extranjero embrujado por los hechizos milenarios de la tierra que sus ancestros habían conquistado, en este caso la vieja Britania. Sin embargo, puede tratarse también de su hijo Enrique (coronado por su padre en 1171 y muerto antes que éste, en 1183), pero parece mucho más probable la primera alternativa. Los *Lais* serían, por lo tanto, anteriores a la muerte de Enrique II, en 1189 (recordarán ustedes a Enrique II en películas como *Becket* o *Un león en invierno,* encarnado por Peter O'Toole).

Las deudas evidentes que presenta María en relación con el *Brut* de Wace (la traducción francesa de la *Historia* de Geoffrey), que se compuso en 1155, y con el *Eneas,* que puede fecharse hacia 1160, hacen que los *Lais* se hayan tenido que escribir en data posterior a 1160 y anterior a 1189. Por otra parte, en la novela *Ille et Galeron,* de Gautier (o Gutierre) de Arras, se desarrolla el mismo tema de *Eliduc* (último de los *Lais* de María), trasladándolo a un plano de relato moral y realista. Hoy día se viene fechando *Ille et Galeron* en 1178. Entre *Eneas* (hacia 1160) e *Ille et Galeron* (1178) hay, pues, que situar la fecha de composición de los *Lais* de María de Francia. Con respecto a Chrétien de Troyes, la enigmática escritora a la que algunos han puesto barba parece desconocer sus *romans* conservados (*Erec*, primero de la serie, data aproximadamente de

1170). De modo que ha de ser entre 1160 y 1170 cuando deben fecharse los *Lais*. En torno a 1165, como afirma el ilustre romanista Salvatore Battaglia.

De las otras dos obras de María, el *Espurgatoire Saint Patrice*, un viaje al Más Allá muy popular a lo largo del Medievo (y con prolongaciones en el Barroco: piénsese en el *Purgatorio de San Patricio* de nuestro Juan Pérez de Montalbán), es posterior a 1189, pues se refiere a *San* Malaquías, y este personaje no fue canonizado hasta el 6 de julio de ese año. María de Francia tradujo su *Espurgatoire* del latín, de una leyenda escrita por el cisterciense Enrique de Saltrey. En cuanto a las *Fables*, también llamadas *Ysopet*, en el caso de que estén dedicadas a Guillermo de Mandeville, conde de Essex, como parece más que probable, datarían del lapso de tiempo comprendido entre 1167 y 1189, y se situarían cronológicamente entre los *Lais* y el *Espurgatoire*.

Me he referido a los *Lais* de María de Francia sin que en ningún momento me haya asaltado la tentación de traducir el término al castellano. Pero, ¿qué son exactamente los *lais* con minúscula?

Lai es una palabra de origen céltico. Designaba en sus orígenes un canto semilírico, seminarrativo, compuesto por un bardo bretón para perpetuar el recuerdo de un suceso notable, de una *aventura*.

En época de María de Francia, juglares procedentes en su mayoría de la Bretaña Armoricana interpretaban dichas canciones, acompañándose del arpa o de la cítara. En ellas se recogían las leyendas y tradiciones más difundidas en Bretaña, siempre por métodos orales y al modo primitivo.

Si los temas, pretendidamente históricos, de los *Lais* de María estaban ya desarrollados en los *lais* juglarescos, es algo que nunca podremos llegar a saber con certeza. De lo que nadie duda es de que en los *Lais* con mayúscula hay tradición oral y tradición libresca al cincuenta por ciento. María ha relatado *par rime* las maravillosas historias de los antiguos bardos célticos, pero no ha podido por menos de incluir en sus poemas la experiencia de sus lecturas eruditas. Conoce a Ovidio, es capaz de citar en el prólogo de sus *Lais* al gramático Prisciano, maneja el *Brut* de Wace, el *Eneas* y una novela de *Tristán* hoy perdida que sería con toda probabilidad el arquetipo de los *Tristanes* conservados (novela que está en la base del brevísimo *Lai* "La madreselva", delicioso apunte narrativo que figura entre lo mejor que salió de la pluma de María). La misteriosa autora se dispuso, como ella misma dice, *a grevose ovre comencier*, tomando las fábulas bretonas como arranque de su actividad literaria. Pero los *lais* juglarescos no son para ella sino un punto de partida –todo lo sugestivo que se quiera– sobre el que actúan su cultura y su pensamiento, típicamente adscritos a un siglo tan "renacentista" (y acaso sobren las comillas) como el siglo XII.

Por otra parte, lo que básicamente interesa a nuestra escritora son las circunstancias que concurrieron (siempre en un pasado remoto y, por lo tanto, prestigioso) para que un *lai* fuese compuesto. Este carácter etiológico, tan de moda en la vieja Alejandría helenística, donde Calímaco de Cirene llegó a escribir un poema titulado *Aetia,* "Las Causas", se hace visible en todos los *Lais* de María de Francia. El cuento resultante (cuento debe llamarse, en recto castellano, a todo desarrollo breve de una *aventura,* aunque en esta ocasión se emplee el verso en vez de la prosa habitual) reelabora y amplía la estructura del *lai* propiamente dicho, de la canción juglaresca original. Pero el título de ese cuento es siempre el título del *lai.* María se cuida mucho de consignarlo, a veces bajo varias formas idiomáticas: *Bisclavret* ("El hombre-lobo"), en normando y en francés; *Laüstic* ("El ruiseñor"), en bretón, con sus equivalentes semánticos en francés y en inglés. De esa manera el *lai* llega a identificarse con el cuento que se proponía desarrollarlo, y aquella palabra de origen céltico que designaba un canto juglaresco y, por tanto, anónimo pasa a designar un género literario de las letras francesas medievales, difícil de definir por la nebulosa impresión de sus contornos teóricos y formales, pero parangonable con el cuento tradicional en lo que atañe a técnicas y resultados. (No es de extrañar, pues, que los primeros *Lais* de María de Francia que pudieron leerse en castellano, aunque en versión muy alejada del original, figuraran en la preciosa *Antología de cuentos de la literatura universal* reunida por Ramón Menéndez Pidal, Barcelona, Labor, 1953).

Uno de los principales rasgos distintivos del *Lai* (entendido ya en su acepción de género creado por María de Francia dentro de la literatura francesa medieval, *vid.* Juan Paredes Núñez, *Formas narrativas breves en la literatura románica medieval,* Granada, 1986, y Horst Baader, *Die Lais. Zur Geschichte einer Gattung der altfranzösichen Kurzerzählungen,* Francfort, 1966) es la omnipresencia en sus intrigas y argumentos de Amor, el dios que no conoce la piedad, el dios ciego e invicto, que, como decíamos más arriba, no pierde la tipología de sus orígenes clásicos, pero está fuertemente medievalizado.

El amor es siempre, en María, un amor secreto, sembrado de peligros y de obstáculos punto menos que insalvables. El *Lai* de *Eliduc,* por ejemplo, plantea un triángulo erótico con muy particulares consecuencias: Guildeluec, la mujer legítima, renunciará a Eliduc, su marido, en favor de la amante de éste, Guiliadun. En el *Lai* de *Equitán* se narra la pasión de un monarca por la esposa de su fiel senescal, hombre "leal y esforzado", y la subsiguiente relación adúltera entre ambos amantes (es el viejo tema bíblico de David, su fiel general Urías y Betsabé). Los amores de Milón, protagonista del *Lai* que lleva su nombre, son ya de un aburguesamiento que ahoga, hasta cierto punto, la maravilla; nos llegarían a aburrir, de no ser por un rarísimo cisne mensajero y por un combate entre padre e hijo, ignorantes de su parentesco, que recuerda el *Hildebrandslied* y un pasaje del *Libro de los Reyes* o *Shahnamé* del persa Firdusi. En los demás *Lais* es igualmente Amor dueño y señor de asunto y de personajes. Pero un amor lleno siempre de angustia, mórbido, "nutrido de silencios y de secretos", como ha señalado acertadamente Giovanni Macchia. Un amor que crece y muestra su cara trágica en la soledad. Al héroe de *Guigemar,* por ejemplo, el amor se le antoja una herida dentro del corazón. Al rey Equitán una angustia de amor lo hace temblar en todos sus miembros. Lanval, en su *Lai* homónimo, perderá los favores de una hada del folklore céltico más añejo al revelar a la impúdica esposa de Arturo su fantástica relación amorosa (un caballero nunca debe hablar de sus conquistas femeninas si quiere seguir siéndolo).

Es el amor prohibido, el amor imposible, el que la amordazada siente hacia el prisionero, el de la condenada a muerte hacia el emplazado, ese tipo de amores que dan juego en literatura, el tipo de amores que codificará tan pulcramente Andrés el Capellán en sus tres libros *de Amore*. Es la otra gran locura del momento, la que, engastándose en el sustrato céltico como una joya en un metal precioso, civiliza el prodigio inefable de Bretaña con las leyes rimadas de la *courtoisie* provenzal.

Insertos en el marco de una literatura "cortés", caballeresca y cristiana, los *lais* bretones sufren, no cabe duda, importantes cambios. Sin embargo, la maravilla céltica, por más que se haya visto entretejida con los hilos corteses del amor provenzal, conserva la fantasía suficiente como para lograr el apetecido equilibrio entre el folklore primitivo y el arte de salón o, como dice Jean Rychner (el más conspicuo editor de los *Lais* de María, París, Champion, 1973), "entre la ingenuidad de la fábula y la consciencia de la aventura aristocrática y psicológica".

El clima de María de Francia es el de los *lais* tradicionales, esto es, un clima fantástico, entreverado de insinuaciones y neblinas. Pero sobre ese clima actúa la *courtoisie,* aportando elementos cotidianos, precisos y reales. Así, en el *Lai* de *Fresno,* la doncella con la recién nacida en los brazos atraviesa el bosque secular de los cuentos folklóricos, el bosque inevitable; y lo atraviesa tan cargada de enigmas que casi nos sorprende comprobar cómo, al otro lado de ese bosque, puede encontrarse una ciudad en la que todo nos parece extraordinariamente cotidiano, y hasta vulgar, desde el ladrido de los perros hasta la presencia del portero de la abadía.

Lo cotidiano, lo vulgar, no es, desde luego, lo "cortés": quizá el ejemplo de *Fresno* sea un ejemplo límite. El choque entre la maravilla céltica y la *courtoisie* (choque que funde y acomoda, no que disgrega) puede constatarse con más pureza en *Guigemar*: el héroe, conducido por una nave encantada, llega al país donde una hermosísima dama vive recluida en una habitación, víctima de los celos de su esposo; en las paredes de su cuarto está representada Venus en el instante de arrojar al fuego un códice con los *Remedia amoris* de Ovidio. O en el *Lai* de *Lanval,* donde una hada bretona se presenta, radiante de belleza fantasmagórica, ante una corte de justicia organizada según los moldes anglonormandos de la época. O en el *Lai* de *Yonec,* donde el caballero susceptible de convertirse en pájaro, antes de hacer el amor con la heroína, ha de recibir la eucaristía bajo sus dos especies; *Yonec,* esa increíble fábula surreal que, desde el momento en que es herido a traición su alado protagonista, no cesa de acumular imágenes de pesadilla en el deambular de la amante en busca de su amado moribundo; *Yonec,* ese sueño obsesivo dentro de la más pura realidad (acuérdense ustedes de *Lady Halcón,* el magnífico filme de Richard Donner, para ilustrar la atmósfera de ese *Lai* y del mundo de María de Francia en general).

Porque es precisamente dentro de la realidad cotidiana de la vida donde más atractiva resulta la presencia de la maravilla irracional. La técnica de María es, por ello, parangonable con la del realismo fantástico, que tantos cuadros, libros y películas inolvidables tiene ya en su casilla, invitándonos siempre a la fantasía desde el agobio de lo cotidiano. Lo maravilloso no se va consumiendo poco a poco en la hoguera del tedio racional, sino que es la vida lo que se vuelve, de un modo u otro, maravilla. Desde la elegante ventana (la imagen es del antedicho Jean Rychner) de un "cortés" castillo normando, María de Francia contempla un paisaje hecho de leyendas y mitos antiquísimos. E inscribe ese castillo donde se encuentra en el paisaje que está viendo. Inscribe la "cortesía" que la rodea en el prodigio, en el vértigo de lo irracional, en la veloz y subyugante diligencia de lo fantástico (y estoy pensando en esas diligencias que conducen a los viajeros a Transilvania, a la vecindad de un Conde palidísimo de afilados colmillos). Y de semejante composición, a caballo entre el *pop* y el manierismo, dimanan signos simbólicos que trascienden toda consideración simplista —psicológica o moral— de los *Lais* de María.

En *Lanval* y *Yonec,* quizá las muestras más depuradas de realismo fantástico en María de Francia, el mundo céltico de las hadas y el mundo provenzal de los amantes corteses se interpenetran dolorosamente. Lanval huirá a la "isla" de Avalón (una fuga *sui generis,* pues marcha en pos de la inmortalidad) y el padre de Yonec caerá en la trampa tendida por el viejo celoso. Ambos *Lais* ejemplifican a la perfección la imposibilidad *real,* no literaria, de la fusión de dos mundos que son completamente irreductibles a la unidad. Temo que todo esto tenga que ver, a la postre, con aquella figura humana de perfecta blancura que interrumpe el relato de Arturo Gordon Pym. Aunque la literatura se complazca en fundirlas, fantasía y realidad seguirán siempre rumbos diferentes, por culpa de la naturaleza que lo ha dejado escrito de ese modo.

Goethe, que conoció tal vez, en su vejez, la edición de las obras de María al cuidado del barón de Roquefort (París, 1820, dos volúmenes), veía en los *Lais* un lugar privilegiado desde donde aspirar, a pleno pulmón, el inimitable perfume de los siglos. Tuviera o no la *Stimmung* de los germanos, esa *Stimmung* que informa obras fantásticas como las de Hoffmann, Tieck o Novalis, María de Francia nos ha legado, entre otras cosas, la melancolía, que es algo así como un dolor muy maquillado que ha dado un juego enorme en literatura. Una melancolía mágica, como la que preside las obras acaso más importantes de la literatura universal o, por lo menos, las más divertidas. La lectura de sus *Lais,* medio cuentos, medio poemas, resulta hoy, a tanto tiempo de su muerte, del mismo valor iniciático que suponía leerlos en la segunda mitad del siglo XII, poco antes de que el rey Ricardo Corazón de León partiera para la Cruzada. Los que aprendimos a disfrutar de la Edad Media y de la fantasía en nuestra lejana niñez, en aquellos libritos de la colección Araluce y en comics como *El Príncipe Valiente* o *El Guerrero del Antifaz,* sabemos que en los *Lais* se dan cita nuestras obsesiones más queridas. E incluso nos divierte que nadie sepa cómo fue el rostro de la mujer que los escribió.

Los Mitos del Dragón

Juan Eslava Galán

Ignoramos el sentido del dragón, escribe Borges, *como ignoramos el sentido del universo, pero algo hay en su imagen que concuerda con la imaginación de los hombres, y así el dragón surge en distintas latitudes y edades.* Con poética exactitud esa frase borgiana de *distintas latitudes y edades* nos remite a la intemporal universalidad de los mitos del dragón cuyo variable camino nos proponemos recorrer. Aún hoy, casi en los umbrales del siglo XXI, el sorprendente éxito de la endeble película "Tiburón" (1975), la más taquillera de la historia del cine, sólo puede ser cabalmente comprendido si admitimos que el mito del dragón —es decir, de la bestia acuática maligna a la que el héroe humano ha de enfrentarse— perdura vivo en los misteriosos pliegues de lo que se ha dado en llamar inconsciente colectivo. En tal sentido, el mito de lucha del hombre con el dragón es arquetipo del triunfo del ego sobre las tendencias regresivas de la psique interior, sobre el lado oscuro de la personalidad. Es la rebelión del ánima —Jung— contra la tendencia devoradora del apegamiento a la madre.

El dragón fue, en su más remoto origen, una imagen más manejable del inabarcable caos, es decir, de ese vértigo que nos es dado imaginar como modalidad preformal del universo. En las más antiguas mitologías el dragón era el guardián del agua, que es el elemento cosmogénico por excelencia. Como tal se relaciona con la Luna y con el concepto de humedad. Frente a estos elementos se disponen sus opuestos: el Sol, el calor y la sequía. De la alternancia y oposición de unos y otros se desprende el proceso de germinación que reitera anualmente la sucesión de las estaciones y, con ellas, las oportunas cosechas. En la mentalidad primitiva tal alternancia o lucha se refleja, a nivel simbólico en el mito del enfrentamiento de un héroe solar contra el principio lunar que el dragón representa. A nivel histórico, este mito de lucha refleja hipotéticos conflictos armados entre pueblos matriarcales, adoradores del principio lunar, femenino, simbolizado por el Toro, y los pueblos patriarcales, mayormente indoeuropeos, adoradores del principio solar, masculino, que simboliza el carnero. Estos últimos prevalecieron finalmente y se impusieron a los otros, por lo que el héroe solar siempre vence al dragón, a pesar de sufrir algún revés inicial.

El enfrentamiento entre el dios Marduk y la serpiente Tiamat constituye el más antiguo mito de lucha que conocemos. Hacia el 1700 antes de Cristo, los caldeos celebraban su Año Nuevo reactualizando, en las orillas del Tigris, la victoria del dios nacional sobre la acuática serpiente que el río representaba. Un sacerdote arrojaba a las aguas una lanza que luego era rescatada por un nadador. A continuación se sacrificaban carneros —el animal solar de Marduk— y se celebraba una gran fiesta en la que participaba toda la comunidad.

En esta remota forma de mito, el más antiguo ritual atestiguado, se encuentran ya presentes todos los elementos esenciales que observaremos en sus ulteriores desarrollos. Un dios atmosférico, solar, masculino, relacionado con la luz y con el fuego, encarga la muerte del dragón a otro dios menor, quizá su hijo, que le está sometido (o que en algún momento de su vida sufre prisión o es vencido). Para que cumpla esta misión le entrega unas armas que son producto del fuego, lo que relaciona el mito con las tradiciones chamánicas de la herrería o de la alfarería, dos actividades remotamente sacralizadas. Observemos de paso que el dios herrero que colabora con el héroe matador del dragón suele presentar en su cuerpo las señales de mutilaciones rituales (puesto que unas veces es cojo, otras es tuerto, otras enano). El héroe se enfrenta al dragón en dos ocasiones. En la primera es el dragón el que resulta vencedor, lo que sugiere un estadio mítico arcaico en el que vencía el elemento lunar. La derrota del héroe justifica quizá el cautiverio o dependencia exterior que suele integrar los datos esenciales de su biografía. En un segundo enfrentamiento vence finalmente el héroe utilizando la astucia con la que contrarresta los poderes del monstruo, sacando partido, sabiamente, a la experiencia adquirida después del primer fracaso.

Ya en los albores de nuestra Era, un tercer elemento se incorpora a algunas versiones del mito: una mujer cautiva del dargón a la que el héroe ha de liberar. Otra repetida facultad del héroe solar es la de sanar a los enfermos o restablecer a los heridos.

Las más antiguas representaciones que conocemos del dragón se remontan al III milenio antes de Cristo. Es presumible que ya entonces existiese alguna forma sacralizada de mito de lucha que las justificara. Nos estamos refiriendo a la llamada "serpiente corredora" que reiteradamente aparece en las estelas de Samarra, a orilla del Tigris. Se trata todavía de un dragón incompleto que tiene forma de gruesa serpiente dotada de patitas delanteras y cola de ave. El prototipo evoluciona en Summer donde poco después encontramos la serpiente alada y cornuda. Pero su representación gráfica más completa será la de los dragones de la puerta de Ishtar en Babilonia, época de Nabu-codonosor II, en las que ya observamos el despiece completo del compuesto dragón: águila, serpiente, cuadrúpedo cornudo y escorpión. También el héroe ha ido completando sus atributos simbólicos. Suyos son los animales solares: el carnero, el caballo y el león, estos dos últimos obviamente solares por estar dotados de crines.

Las misteriosas migraciones del dragón nos llevan a todas las tierras posibles. En la India profunda encontramos a Indra, dios flechador, que recorre el cielo montado en el carro solar. Su victoria sobre el dragón Vitra, el Envolvedor u obstructor, tiene por objeto liberar las aguas. Nuevamente el héroe ha de emplear la astucia puesto que la serpiente era invulnerable a las armas convencionales. Poéticamente la vence con espuma de mar fabricada por el dios chamán Vichnú o Tvastri. El carácter solar del dios, ya reflejado en su vehículo celeste y en las flechas que ordinariamente emplea, queda curiosamente refrendado por su más íntima anatomía: perdió sus partes nobles en una refriega y sus compasivos amigos le recompusieron el cuerpo injertándole la virilidad de un carnero, el típico animal solar. En lo que curiosamente, y aunque sólo sea a nivel mítico, encontramos el primer precedente de los trasplantes de órganos, hoy tan en boga.

En otro mito de lucha de origen hindú, el del enfrentamiento de Rama con los dioses serpientes, encontramos ya el tema de la mujer cautiva, en este caso la bella Sita, que tanta fortuna tendrá en las variantes medievales del mito.

El mito se difunde rápidamente por Occidente. En egipto lo vemos encarnado en la lucha de Horus contra el cocodrilo Seth. Horus, a caballo, alancea a Seth con un arma que le ha forjado el alfarero Plah, artífice del fuego.

Con especial intensidad arraiga el mito en Asia Menor y en el Levante. El bíblico Daniel, héroe de una religión solar que tiene por símbolo el carnero, no lo olvidemos, se enfrenta a una monstruosa serpiente a la que los babilonios adoraban como a un dios, y la mata haciéndole tragar una mezcla combustible, es decir, por fuego y astucia.

Transportado por las corrientes indoeuropeas, arraiga el mito en las frías y boscosas tierras del norte de Europa. Allá encontramos al héroe nórdico Thor que da muerte a la serpiente marina Midgarsomir con ayuda de su famoso martillo forjado por los enanos metalúrgicos. En sus aspectos benéficos, como matriarcal símbolo de la fuerza que perdura, los vikingos adoptarán al dragón por animal totémico, coincidiendo en esto, curiosamente, con los chinos pero también con Agamenón, que lo luce en su escudo frente a Troya y con las legiones romanas y con Pendragón, el padre del mítico rey Arturo. De esta línea mayormente militar ha descendido el dragón, en su valor heráldico, hasta la actual bandera de Gales. Pero regresemos al dragón terrible y maléfico.

La tradición grecolatina hereda los mitos de lucha mesopotámicos, vía Asia Menor, y los recrea bellamente en un corpus mitológico que ejercerá profunda influencia en el ecumenismo cultural europeo que tan imprecisamente denominamos Edad Media.

Griega es la palabra que designa el monstruo en los mitos de lucha occidentales: dragón δρακων, que en principio significaba, simplemente "serpiente grande" si bien, a través de diversas y sucesivas acepciones traslaticias, ha ido ampliando su sentido para significar "caverna", "tragar", en el sentido de sumirse en la tierra, e incluso, en sus familiares derivaciones de la raíz δέρκομαι "ver" o "vigilante". El mito primordial nos representa a Zeus, dios de la luz, derrotando a la múltiple serpiente Tifón con ayuda de las armas forjadas por el cojo Hefaistos. Queda casi olvidado ante la fortuna iconográfica de otros dioses y héroes menores que también matan al dragón: el flechador y solar Apólo que vence a Pitón, serpiente microasiática; Perseo y Cadmo, de ascendencia canaanita, vía fenicia; Hércules, que tanta fortuna tuvo en la Edad Media, cuyas raíces son anatolias. Como héroe solar, Hércules se cubre con piel de león y es hábil flechador. De vocación precoz, ya en su cuna estrangula a un par de serpientes. Una de sus mayores hazañas consistió en acabar con la Hidra.

Hemos mencionado la relación de la palabra dragón con el concepto "ver". El dragón es el vigilante, el guardián del tesoro que unas veces resulta ser agua, otras oro acuñado y otras, a medida que se enriquece el concepto, la sabiduría iniciática. Por eso Jasón navega a las remotas regiones para arrebatar al dragón el vellocino de oro, la piel solar del carnero, emblema de la sabiduría inciática.

Al difundirse por Europa, el cristianismo encontró la tenaz competencia de otras religiones y creencias asentadas desde tiempos más antiguos. Entre ellas habría que consignar un nutrido cuerpo de supersticiones, igualmente religiosas, que aún persisten firmemente arraigadas después de veinte siglos de dominio cristiano. Con pragmatismo singular, el clero optó por incorporar estas creencias a la nueva doctrina como medio más directo de evangelización. Las piedras sagradas, morada de los númenes o símbolo de la Diosa Madre, fueron cristianizadas al implantar sobre ellas una imagen o una cruz. En los santurarios tradicionales se edificaron iglesias o ermitas y, finalmente, los dioses y héroes matadores del dargón se convirtieron en Cristo o en una legión de santos vencedores del mal. Y el multiforme y terrible dragón se tradujo en una serie de equivalencias simbólicas al servicio de la nueva religión. La antigua serpiente representaría, según las conveniencias del momento, al diablo, al Anticristo o a la herejía enemiga de la Iglesia. Recordemos que cuando el emperador Segismundo quema a Juan Huss y derrota a sus seguidores, lo conmemora precisamente instituyendo la Orden del Dragón Vencido.

Por esto caminos la manipulación del símbolo del dragón llega a extremos pintorescos. Coincidiendo con la aproximación misógina de la Iglesia hacia todo lo concerniente al mundo femenino, pues no en balde es heredera de las más puras esencias de otras religiones solares y patriarcales, sus ideólogos no tienen inconveniente, a partir del siglo IV, en asimilar a Cristo al cordero o al león, viejos símbolos solares, y llegan a equiparar la serpiente a la mujer, valorando exageradamente su mitológica y triste condición de portadora del pecado desde la caída del Paraíso. Beda deja claro que la serpiente del Paraíso tenía rostro de mujer, "virgineum vultum", y la iconografía medieval recoge esta peculiaridad. Por ejemplo en las deliciosas miniaturas del *Trè riches heures de Jean de France*.

Paralelamente, y a nivel popular, la identificación de la mujer y la serpiente o dragón se refleja en numerosas tradiciones populares como la de la Tragantía de Cazorla. Cuenta esta leyenda que un rey moro que se veía obligado a ausentarse temporalmente de sus estados, encerró a su hija, para preservarla de la violencia de sus enemigos, en un secreto subterráneo del castillo de Cazorla. Pero el rey murió y no pudo regresar para rescatar a la muchacha del soterraño refugio. La infortunada princesa enloqueció en el lóbrego laberinto y después asistió, sin espanto, a su metamorfosis en repugnante sirena cuya parte superior seguía siendo de mujer mientras que la inferior era de serpiente. El canto de la oculta Tragantía es mortal. Si un niño la oye cantar en la noche solsticial de San Juan, muere irremisiblemente. Tragantía es también una variedad rojiza del lirio que se da en la sierra de Cazorla. Una amable comunicante nos contaba hoy mismo que cuando una cazorleña descubre la bella y terrible flor entre los arriates de su jardín, se apresura a arrancarla con el terror pintado en el semblante como si de la propia y viscosa reptilina Tragantía se tratara.

En la curiosa leyenda cazorleña rastreamos vestigios de tradiciones clásicas. Recordemos que el canto de las compuestas sirenas enloquecía y perdía a los marinos de Ulises aunque el astuto griego se las ingeniara para escucharlas sin daño. En las curiosas ceremonias acuáticas asociadas a la tradición de la Tragantía perviven, además, notables vestigios de cultos precristianos. Así la costumbre de mojar a los amigos y conocidos, e incluso a los extraños que acierten a pasar por la calle, en ese señalado día. Así el baño ritual de las doncellas casaderas tras el cual se encierran desnudas en una habitación oscura y enciendan dos velas frente a un espejo. Si el pulido cristal azogado les devuelve la imagen de la Tragantía es indicio seguro de que conocerán el amor antes de la siguiente noche de San Juan.

La denominación Tragantía parece relacionarse con *dragontea*. Una ordinaria mutación fonética hace que el grupo *dr-* inicial griego pase a *tr-* en latín y lenguas romances. Por lo tanto del dragón griego se derivan, en última instancia las formas *tragón, tragantía* e incluso *tarasca,* otro dragón que a lo largo de la Edad Media se asociaba a los ancestrales festivales de primavera cristianizados desde 1264 como fiesta del Corpus. La Tarasca evolucionó curiosamente hasta alcanzar la complejidad de un auto sacramental en el siglo XVII, con la adición de una serie de personajes simbólicos tales como Luzbel, la Carne y el Tarasquillo. Este último, especie de marioneta graciosa, ha terminado por anular al dragón en fiestas como el Corpus granadino, donde la Tarasca es, en la creencia popular, ese Tarasquillo imagen de una mujer que cada año se hace escaparate de la moda del momento. En cualquier caso seguimos rastreando los vestigios de la identificación mujer-dragón que incluso ha dejado su impronta en el diccionario donde el término *tarasca* designa también a "una mujer fea y descarada o de carácter violento". Y como de tales tarascas sólo cabe esperar *tarascadas* mejor será que exploremos ahora otra región del mito.

La tradición cristianizada del mito de lucha perdura en la sociedad medieval sin perder su significado religioso. Más de treinta santos o ángeles matadores del dragón testifican su pervivencia en los nuevos tiempos. Reveladoramente casi todos ellos tienen un origen oriental, microasiático, palestino o egipcio y, aunque la codificación de sus historias ejemplares pueda en algunos casos remontarse al siglo IV de nuestra Era, período en el que parece haber una eclosión de dragones relacionados con las pías leyendas de ascetas cristianos en los desiertos que rodean al Fértil Creciente, lo cierto es que su difusión en Occidente parece coincidir con el trasiego cultural de las Cruzadas.

De estos santos quizá sea el más popular San Jorge, el patrón de Cataluña, Portugal, Inglaterra, de la caballería y de los armeros (caballo y forja, dos elementos solares que nos son ya familiares). San Jorge es singularmente popular entre los ortodoxos, griegos, coptos, maronitas y otras confesiones cristianas orientales. En él tenemos un fiel reflejo del Horus egipcio convenientemente cristianizado. Es un santo que escapa indemne de crueles torturas. Nada puede contra él, hierros candentes, plomo hirviendo, esos elementos de fuego, tradicionalmente aliados del héroe solar. Pero el elemento central de la vida de San Jorge es su enfrentamiento con la serpiente. Según la piadosa leyenda existía un dragón cerca de Silene (Libia) al que los aterrorizados habitantes de la región habían de ofrendar diariamente dos ovejas. Pero, acabadas las ovejas (animal solar) hubo que contentarlo con personas. Cuando le llegó el turno a la hija del rey apareció providencialmente el caballero Jorge justo a tiempo para salvarla decapitando al dragón. Otra versión nos lo presenta como liberador de las aguas que el cruel dragón retenía condenando al país a la sed. La leyenda de San Jorge no es sino una cristianización del mito nabateo del dios solar Tanmuz reforzada con la iconografía tradicional de Horus y algunos elementos de la leyenda de Perseo. Es interesante señalar que incluso los musulmanes veneraron a San Jorge bajo el nombre de El Khoudi.

La leyenda de San Jorge ha ejercido una persistente fascinación en los artistas medievales y renacentistas. En puridad pocos pintores anteriores al siglo XIX han resistido a la tentación, o al encargo, de imaginar al santo en la hora suprema en que libera a la princesa salvándola de la voracidad de la bestia. En estas pinturas suele repetirse una serie de detalles de conocido valor emblemático: el dragón, que procede de la parte izquierda (sinister, siniestro, el lado negativo, lunar y femenino, opuesto al derecho que es el solar y masculino); el Santo sobre caballo blanco y atacando con la espada; la lanza en la boca del dragón, a veces rota, lo que nos remite a una etapa anterior del combate en la que el ataque del santo fracasó; y, finalmente, la princesa acompañada del simbólico y solar cordero.

Nuestra charla acabaría siendo enfadosamente prolija si hubiesemos de pasar revista a los treinta y siete santos que de un modo u otro vencieron al dragón. Bástenos mencionar de pasada a San Miguel, que derrota a la bestia apocalíptica; a San Silvestre, que cautiva y ata a un dragón; a San Felipe, que lo expulsa al desierto; a San Benito, que lo doma; a San Mateo, que lo duerme; a San Donato que lo elimina, pintorescamente, de un salivazo.

Capítulo aparte merecen, por su curiosidad e interés, las santas que matan al dragón. Santa Marta de Betania se enfrenta a él con un caldero de agua bendita, lo rocía con el sagrado líquido y lo reduce a mansedumbre y dominio. No deja de ser revelador que durante la Edad Media se consagren iglesias a Santa Marta en lugares donde anteriormente hubo santuarios dedicados al héroe solar matador del dragón. Este es el caso de Martos, cuyo patronazgo detenta la santa. Su santuario se alzó sobre los cimientos de un templo pagano dedicado a Hércules. En estos casos se echa de ver que la santa no es más que la travestida transformación del héroe solar. Pero en otros casos la relación es mucho más compleja. Santa Margarita de Antioquía, por ejemplo, vence al dragón dejándose devorar por él y abriéndolo luego desde dentro del vientre con ayuda de una cruz de la que es portadora. El piadoso y terrible episodio, repetido en tallas y tablas medievales, nos muestra al dragón despanzurrado y a la santa emergiendo, dulce y virginal, del revoltijo de sus entrañas. Para que los alcances didácticos de la representación sean más evidentes, la cola del manto de Margarita aún asoma por las entreabiertas fauces del monstruo. La santa que obraba este prodigio tenía, para el hombre medieval, un claro paralelismo en la hidra, uno de los más pintorescos habitantes de ese zoológico fantástico que es el Bestiario. La hidra se deja tragar por el dragón y luego lo devora desde dentro. Así pues, a nivel simbólico, Santa Margarita queda asimilada a la hidra, monstruo serpentino ella en sí, lo que nos pone de manifiesto los muchos pliegues y sorprendentes costuras que el mito de lucha puede llegar a adquirir con el transcurso del tiempo y el repetido encuentro de enfrentadas tradiciones. El íntimo carácter solar de Santa Margarita queda establecido, no obstante, por su reveladora condición de pastora.

No es infrecuente observar, en ciertas leyendas de santos vencedores del dragón, una curiosa variante humana de la bestia. Algunas veces el monstruo adopta formas vagamente humanas, lo que quizá sea resultado de su identificación con el Diablo que ordinariamente se representa humanizado en el ángel caído. En cualquier caso, bajo este humanizado aspecto, volvemos a encontrar al dragón en la literatura de tradición bizantina. Recordemos al dragón de la deliciosa novela *Calimacos y Crisorroe* que habla como humano y se sienta a comer a la mesa y cierra y abre puertas y habita en un castillo. De esta tradición derivan, probablemente, los ogros y gigantes del folklore europeo y los gigantes procesionales igualmente asociados, como la Tarasca, a los antiguos festivales de primavera ya cristianizados.

Al margen de tales versiones populares del mito, los antiguos héroes matadores del dragón continúan ejerciendo profunda influencia en la literatura culta del período medieval. Recordemos los dragones de las novelas artúricas y la influencia que irradian posteriormente a las hispánicas novelas de caballerías. Recordemos también las puntuales apariciones de fantásticas sierpes y dragones en algunas famosas obras de los inicios de nuestra literatura. En el *Libro de Aleixandre* encontramos serpientes voladoras cuya ponzoña tenía como antídoto el agua de cierta fuente, a su vez custodiada por otras "fuertes serpientes". En *Tirant lo Blanc*, que es quizá, con el Quijote, la más lograda novela de las literaturas hispánicas, volvemos a toparnos con el dragón en lo que parece ser una divertida y curiosa versión del cuento de la bella durmiente. Por encanto de Diana, (que puede ser diosa maléfica en el sentir medieval), una princesa se ha tornado dragón. El caballero Espercius, besado por el falso dragón, se desmaya comprensiblemente pero el beso tiene la virtud de restituir a la doncella en su primitivo ser.

Al margen de la literatura de imaginación, el dragón medieval subsiste en los Bestiarios aunque, curiosamente, con mucho menos relieve que otros animales igualmente imaginados pero menos aparatosos. Esta peculiaridad pudiera obedecer al hecho de que el dragón es dinámico por naturaleza, puesto que se asocia a una historia concreta o leyenda que es el desarrollo, ya desacralizado, del antiguo mito, mientras que el retrato de los animales del Bestiario suele ser estático y casi científico.

El bestiario latino de Cambridge, copia del siglo XII de un Fisiólogo griego, compara significativamente al dragón con el demonio, pero antes nos lo describe como "la mayor de todas las serpientes y en realidad de todos los seres vivos que hay en la tierra"... "tiene cresta, boca pequeña y un estrecho gaznate"... "su fuerza está en la cola, no en los dientes". Por el contrario, el bestiario en prosa de Cambrai (hacia 1260) piensa que la fuerza está en la lengua "cuyos lamidos devoran al hombre". Una enciclopedia científica persa del siglo XIII, el *Nuzhatul-Qulub* o deleite de los corazones, nos brinda unas interesantes recetas: comer el corazón del dragón aumenta el valor, si se ata su piel a un enamorado se enfriará su pasión.

Como podemos comprobar, las visiones medievales del dragón fueron variadas y pintorescas, no siempre apocalípticas y terribles.

Deliberadamente hemos dejado para el final los resultados de una prolija exploración que iniciamos hace ahora catorce años en torno a una cuento maravilloso descendiente de uno de los mitos de lucha que aún persisten entre las formas de literatura oral en nuestra península. Fruto de este trabajo fue el libro "La leyenda del lagarto de la Malena y los Mitos del Dragón" publicado por la Caja de Ahorros de Córdoba en 1980. Nos estamos refiriendo a una leyenda que es popular en Jaén y su entorno: un lagarto de gigantescas proporciones habitaba en el manantial de la Malena de aquella noble ciudad. El monstruo devoraba indiscriminadamente personas y rebaños. En tan angustiosa situación, un preso condenado a muerte se ofreció al rey para acabar con el monstruo a cambio de su indulto. Accedió el monarca y suministró al héroe los instrumentos que le pedía para acometer su temeraria acción: un caballo, una lanza y una piel de cordero. El industrioso héroe rellenó la piel de cordero con yesca, le prendió fuego y montando en el caballo se acercó osadamente a la guarida del dragón. Apareció el monstruo al olor de la carne y el preso le arrojó el fingido cordero. El lagarto lo tragó, se abrasó las entrañas y reventó con un estampido que ha dejado huella hasta en el refranero local.

Este cuento, que era popular en el Jaén medieval tanto como en el de nuestros días, evidencia la existencia de un mito cuyos rituales, ya vacíos de significado, perduraron hasta la Edad Media. En la espléndida y mal conocida *Crónica del Condestable Iranzo,* obra probable de un tal Juan de Olid que vivió a finales del siglo XV, hallamos noticia de una curiosa y discreta invención con que se amenizaban ciertas fiestas en la aburrida ciudad fronteriza. Se trata de una dramatización en que un grupo de peregrinos procedentes de lejanas tierras *viniendo cerca de aquella ciudad, en el paso de una deshabitada selva, eran tragados por una muy fiera y fea serpienta y que pedían subsidio para dende salir. A la puerta de la cámara que estaba al otro cabo de la sala... asomó la cabeza de la dicha serpienta, muy grande, fecha de madera pintada, y por su artificio lanzó por la boca a uno de los dichos niños echando grandes llamas de fuego. Y así mismo los pajes como traían las faldas y mangas y capirotes llenos de agua ardiente, salieron ardiendo que parecía que verdaderamente se quemaban en llamas.*

Para la pequeña corte de Lucas de Iranzo esta representación no pasaba de ser un ingenioso pasatiempo que ayudaba a matar el tiempo en la apartada posición fronteriza. Quizá ignoraban que aquel juego descendía de un antiguo ritual de iniciación cuyo primitivo sentido habían perdido ya. Mauss nos lo resume así: la parte central del ritual corresponde casi siempre a la representación del mito de la muerte y de renacimiento: los niños son engullidos por un monstruo de donde salen ya hechos hombres y miembros del clan.

En la misma *Crónica del Condestable* hallamos noticia de las extrañas ceremonias que acompañaban a la erección de mojones o túmulos. Veamos el texto: *el señor Condestable, estando a caballo, echó una lanza que tenía en la mano en el dicho pozuelo, de cuento, que es el primero mojón de los dichos términos. E luego mandó a un moço de espuelas que se lançase dentro, y se sumió fasta que no paresció. E luego salió facia arriba. Y el dicho señor Condestable lo mandó sacar del dicho poço. E luego todos los moços y niños que estaban a derredor del dicho poço, tomando el agua del con las manos, se mojaron unos a otros un rato.*

La ceremonia descrita es en todo idéntica a la que inauguraba las festividades que rememoraban el triunfo de Marduk sobre la serpiente Tiamat en la antigua Babilonia. La influencia directa del mito babilónico sobre algunas formas del folklore medieval es, por lo tanto, innegable. De las mismas ceremonias de amojonamiento de los términos de Andújar y los lugares limítrofes nos transmite la *Crónica* otros datos no menos curiosos. En otra ocasión *porque quedase en memoria jugaron un grand rato (los moços y muchachos) en derredor del dicho mojón un juego que dician de las yeguas en el prado. Y des que ovieron jugado dieronse a puñadas, fasta que el dicho señor Condestable los mandó despartir.*

En otra ocasión la ceremonia es distinta: *e por memoria los dichos moços y muchachos de las dichas ciudades... mataron a un carnero a cañaverazos, con cañas agudas, y le cortaron la cabeza, la qual fue soterrada en medio del dicho mojón. E algunos dixieron que le pusiesen por nombre el mojón del carnero.*

Todo ello nos da noticia de un sacrificio conmemorativo, (*e por memoria*), y ritual de un carnero muerto a manos de los recién iniciados y cuya cabeza se entierra en el túmulo cuya erección están conmemorando. Es curioso que apliquen al carnero, animal de sacrificio en las fiestas de Marduk en Babilonia, la muerte lúdica a manos de la colectividad que en época medieval sólo se aplicaba al toro y que se reproduce en el mismo día, esta vez con un toro, para conmemorar la erección de otro monjón. También es reveladora esa otra conmemoración de un rito caballar que descubrimos en el *juego de las yeguas* seguido del simulacro de lucha que celebra la construcción de un mojón. Tanto el combate ritual como la adoración de divinidades equinas, solares, se remontan al menos a época ibérica.

Por qué prolijos caminos pudieron llegar estos ritos y ceremonias a nuestra tierra es algo que está por descubrir. A no ser que aceptemos que sólo se trata de una curiosa coincidencia, habremos de admitir que el mito del dragón y sus muchas implicaciones y alcances rituales, seguían vivos en la imaginación medieval. Hoy, desde que algunos naturalistas del siglo XVIII establecieron que el dragón era una criatura puramente imaginaria, incurrimos en la arrogancia de despreciar sus antiguos terrores. Pero el testarudo arquetipo del dragón sigue habitando sigilosa y serpentinamente las tinieblas del alma humana. Sólo eso explica que la amable e indulgente audiencia aquí presente, de la que me propongo no abusar más, haya tenido la paciencia de soportar el torpe y desmañado recuento de mis indagaciones sobre la gran serpiente primordial. Muchas gracias.

Herencia de la literatura fantástica en los siglos de oro

Julia Castillo

Entre los historiadores de la literatura, es de suponer que siempre habrá quienes se inclinen a hablar de "ruptura" entre Edad Media y Edad Moderna, y quienes, por otro lado, insistan en que fenómenos como clasicismo o barroco no pueden comprenderse sino partiendo de etapas más antiguas. Quizás sean los estudiosos más interesados en la filosofía de los humanistas del renacimiento los más propensos a hablar del derrumbe de la antigua imagen de la realidad y de su suplantación por una nueva imagen, mientras que aquéllos que conciben el Renacimiento como un fenómeno esencialmente literario y artístico, tienden a valorar en mayor medida las constantes analogías y concomitancias de los temas renacentistas y medievales.

Para quienes contraponen Medioevo y Renacimiento, y basan su análisis en el terreno del pensamiento, no debería ser fácil, sin embargo, sustraerse a la verdad que encierra la frase de Gentile, en el sentido de que la filosofía de los humanistas estuvo elaborada por lo no-filósofos: poetas, literatos, juristas, etc. Garin, en su defensa de la concepción verdaderamente nueva de lo real que aportó el renacimiento, afirma e ilustra cómo era precisamente esa llamada no-filosofía la nueva filosofía que empezaba a nacer. Ahora bien, en cuanto a la literatura renacentista, tal vez con no menos razón podría decirse que ésta era la obra de poetas filósofos.

Nosotros, sin ser historiadores, y estando lejos de dejar de percibir, frente a lo medieval, lo personal de la virtud, lo humano del prodigio, lo vivo y libre de la transformación en las grandes obras del renacimiento y del barroco, creemos, no obstante, que la Edad Media es fuente de todo el "milagro".

Así, nos seduce la afirmación de Curtius: "Si los españoles del siglo XVII emplean dos metáforas tan artificiosas y rebuscadas como "hidropesía" y "cítara de pluma" (se refiere, claro está, a Góngora y a Calderón), y si los poetas latinos del siglo XII hacen otro tanto, este solo hecho basta para demostrar los vínculos que unen al "barroco" español con la teoría y la práctica de la literatura latina medieval". Curtius añade, tajantemente, que "no se llegará a una satisfactoria comprensión histórica y estilística del culteranismo y del conceptismo españoles sino cuando se haya hecho un inventario de todos los artificios y metáforas de la poesía latina de 1100 a 1230, y otro inventario correspondiente de la poesía española de 1580 a 1680".

Sin duda, es mayor el parentesco que guarda el siglo XVII con los llamados siglos oscuros de la Edad Media que el que pueda establecerse entre éstos y el siglo XVI, pero en lo que a los temas y elemento fantásticos se refiere, la deuda se extiende a ambos siglos por igual en la literatura española. Si se trata de evaluar el alcance de lo fantástico en nuestros siglos de oro, se insinúa el hecho de que, en lo que a este tema se refiere, no existe apenas delimitación entre éstos y el XV, e incluso, nada en el XV que no deba ser referido a siglos anteriores.

Los orígenes de la literatura fantástica coinciden, a nuestro modo de ver, con los orígenes de la novela; y ya Menéndez Pelayo, al señalar que éstos han de buscarse en los relatos fabulosos de la antigüedad, en el apólogo y el cuento oriental, apuntaba que sólo los especialistas en lenguas orientales podían, con sus descubrimientos y conclusiones, ir contribuyendo eficazmente a un verdadero esclarecimiento del tema. Así, el historiador de las fuentes de la literatura fantástica española deberá partir de las distintas direcciones seguidas por el género de la narración poética en prosa entre árabes y hebreos, y no porque sea grande la aportación de éstos, sino porque, como es sabido, tuvieron y cumplieron la misión histórica de poner en circulación una cultura anterior. Temas hay, en efecto, de la literatura de la Edad Media española, de los pertenecientes al género didáctico-simbólico, cuyos orígenes han de buscarse en la India, o que derivan, no ya de una tradición literaria concreta, sino de un fondo popular muy remoto en el tiempo y en el espacio. La primitiva versión de algunos temas, muy arraigados en España durante la Edad Media, y cuya presencia por lo tanto es rastreable a lo largo de los Siglos de Oro, ha resultado a menudo ser persa, siríaca, babilónica o egipcia.

En la transmisión a Occidente de este fondo popular oriental, y de algunas formas remotas de la tradición literaria, el papel de España resulta difícil de precisar, lo que es sólo señal, en nuestra opinión, de su importancia.

Lo que venimos diciendo explicará por qué no nos vamos a proponer en estas páginas el esclarecer el origen de los elementos fabulosos que hallamos en la literatura de los siglos XVI y XVII, y sí el iniciar un recorrido por ellos, que nos permita delimitar la huella de la fantasía medieval a lo largo de los mismos, poniendo en relación o pasando revista a autores y géneros muy diversos.

Literatura morisca

La herencia oriental de la novela, y esa deuda que lo fantástico en nuestra literatura tiene contraída con la aportación, propia y ajena, de los árabes, es motivo de que nos ocupemos en primer lugar de una literatura de reliquias, la aljamiado-morisca del siglo XVI, para algunos algo anterior, rica en leyendas y fábulas maravillosas. La *Historia de los amores de Paris y Viana* es una adptación de la literatura provenzal a la morisca. Ahora bien, se considera que esta novela fue incorporada al acervo literario morisco precisamente porque se aproxima en muchos aspectos a las narraciones epico-caballerescas musulmanas; éstas, como ha señalado Alvaro Galmés de Fuente en su libro *Epica arabe y epica castellana* y en el prólogo a su edición de la mencionada *Historia...*, se caracterizan por su realismo e historicidad, y porque en ellas la descripción de los sucesos reales, y la humanidad del héroe, prevalecen sobre los escasos elementos ficticios y fabulosos.

El *Libro de las batallas* es una colección de epopeyas caballerescas, cuyo núcleo fundamental se refiere a hechos históricamente comprobados (en torno a las expediciones guerreras de los primeros tiempos del Islam), y cuyo protagonista y paladín invencible es Ali b. abi Talib, primo y yerno de Mahoma. Ali está en poder de esa espada hiperbólica (ya considerada por Ramón Menéndez Pidal como motivo tradicional y frecuente en la épica francesa), que de un solo golpe parte en dos al enemigo y al caballo, hincándose luego con fuerza en la tierra. Pero los elementos fantásticos del *Libro de las batallas* —aves y árboles parlantes, anillo mágico, gigante, dragón que custodia un palacio encantado, demonios, genios, etc.— logran en pocas ocasiones empañar la veracidad o estorbar la fidelidad a los hechos que preside todos los relatos. La aparición de Gabriel a Mahora, aconsejándole sobre una batalla o advirtiéndole de sus peligros, es tradicional en el Islam, y no puede ser considerada como un elemento fantástico, pero es interesante destacar que el ángel Gabriel se aparece igualmente en sueños al Cid Campeador y a Roland, y que en tales ocasiones sí parece que dicha aparición reviste un carácter de ficción, aun cuando responda también a lo que conocemos por milagro.

No podemos olvidar el *Racontamiento del rey Alixandre,* el llamado por los árabes Iskender-Kulkarnain o Alejandro el de los dos cuernos. Fuentes árabes y europeas se entremezclan en esta versión morisca de la fabulosa historia del conquistador macedonio, que aparece en ella convertido en el gran defensor y propagador de la religión de Allah. Su autor, no por manejar muchas y diversas fuentes, debe dejarse de considerar como un autor fantástico; su principal mérito, sin embargo, debió de consistir en ser trasmisor de la levadura de la fantasía persa a nuestro idioma.

Pueblos fabulosos, con un solo ojo, con cabeza de perro, con orejas que le dan sombra; aves y animales prodigiosos; virtudes escondidas en los metales y en las piedras, elementos todos de las leyendas griegas y persas de Alejandro, se ven reunidos en la prodigiosa historia del *Racontamiento del rey Alixandre*.

Queremos referirnos también a los *Libros Plúmbeos del Sacromonte*, a pesar de estar escritos en su mayor parte en árabes, pues son una creación de la imaginación desesperada de los moriscos del siglo XVI, que tras haber nacido en España, donde su cultura venía desarrollándose a lo largo de ocho siglos, veían ahora acercarse el momento de su extrañamiento definitivo. Habían ensayado ya las guerras y los levantamientos, pero no un método de acercar el Islam al Cristianismo. Con este fin escribieron sobre planchas de plomo unos evangelios, falsificando la vida e identidad de algunos santos. No sólo concibieron dichos libros de plomo como una falsificación, sino que idearon el modo en que su hallazgo viniera precedido (en 1588) y profetizado por el de un pergamino, en las ruinas de la torre Turpiana junto a unas reliquias igualmente falsas. Su (en apariencia azaroso) descubrimiento despertó una santa expectación, y más tarde una abultada polémica, que bien pudo haber desembocado, de no haber sido descubierto el fraude, en el fin que los moriscos granadinos pretendían: justificar ante los cristianos sus creencias islámicas, y renovar el prestigio de lo árabe ante la nueva situación política creada en España por los Reyes Católicos. Consideramos, pues, a los *Libros de Plomo,* y sobre todo, al indescifrable y enigmático *Libro Mudo,* como una obra, si bien, interesada, de la imaginación, que llega a tomar los hechos de religión y las creencias como material propio de sí, en un intento de conjurar el sino o el futuro; de modificar la realidad, no mediante una ideología o utopía que se ofrece, sino mediante la falsificación, en sus raíces, de la propia utopía religiosa de los contrarios. Lo novelesco del hecho, y de la situación a que dió origen, debió de presentirse desde un primer momento, razón quizás por la cual Cervantes recurre a una caja de plomo encontrada en los cimientos de una antigua ermita, como lugar que depara el hallazgo de los graciosísimos epitafios en alabanza de la vida y costumbres de los personajes de su *Quijote.*

Del hallazgo de los Libros Plúmbeos del Sacromonte, publicados por primera vez por Miguel Hagerty, se cumple este año el 4º centenario.

Los libros de caballerías

El apogeo de los libros de caballerías coincide con la expansión de la imprenta, a lo largo de la primera mitad del siglo XVI, lo cual no quiere decir que aquéllos fueran un producto espontáneo de este siglo. Se considera al género de los libros de caballerías como prolongación o degeneración de la poesía épica, es decir, de la poesía general del Occidente cristiano durante los siglos XII y XIII. No vamos nosotros a entrar en la polémica del origen (gótico u oriental) de la *ficción romántica*, que así era denominado el linaje de la literatura caballeresca en el siglo XIX. Dicho origen no hay sino que buscarlo en las enmarañadas entrañas de la Edad Media, y si nosotros, tratando del siglo XVI, nos vemos obligados a ocuparnos de los libros de caballerías, es porque en España un movimiento literario basado en una épica de carácter *ficticio* se dejó sentir algo más tarde que en otros pueblos de Europa, aunque una vez admitido, se ampliara, perfeccionara y conservara con mayor tenacidad que en ningún otro, como ya señalaba Pascual de Gayangos.

Hemos de comenzar por referirnos a la versión que de un antiguo relato caballeresco hiciera un regidor de Medina del Campo, de nombre Garci Rodríguez de Montalvo. Pues *Los Cuatro Libros del virtuoso caballero Amadís de Gaula,* lectura favorita de la infancia de Santa Teresa o San Ignacio, cuya primera edición conocida es de 1508, es obra directamente responsable de la inundación que sufrieron las imprentas con sus muchos descendientes y variados imitadores.

Sin duda el golpe definitivo le fue asestado a los libros de caballerías por el postrero y mejor de los caballeros andantes, el Caballero de la Triste Figura, pero *Amadís,* que "como único en su arte" se libró de la hoguera que siguió al escrutinio de la biblioteca del Ingenioso Hidalgo, debió de pesar a la hora de concebir Cervantes la sin igual batalla literaria. *Amadís de Gaula* gozó en su tiempo de una popularidad, dentro y fuera de España, que no dejará nunca de asombrar a críticos e historiadores. Y esta popularidad (hasta treinta ediciones, entre 1508 y 1587), junto a la de los Esplandianes, Lisuartes, Reinaldos, Oliveros y Belianises, despertaría la indignación de un Luis Vives, un Arias Montano, un Malon de Chaide o un Fernández de Oviedo. Quiero decir que no sólo los hallaron reprobables ascéticos y moralistas, sino que ninguno de los preclaros hijos de nuestro Renacimiento dejó de dolerse de que anduvieran impresos tales "engaños de la razón".

Debemos considerar el hecho de que los libros de caballerías, aun siendo enteramente obras de la imaginación y de la fantasía, debían caer en su tiempo en manos de quienes no acertaban a leerlas y a considerarlas como tales. Los detractores del género suelen basarse en que sus lectores tenían a menudo las aventuras de paladines caballerescos por ciertas. Se conserva alguna anécdota referente a las abundantes lágrimas que era capaz de despertar la muerte de Amadís, y entre sus aficionados debieron contarse verdaderos "precursores del Quijote". En este sentido, cabe afirmar que la fantasía propia de los libros de caballerías debió constituir en los albores de la imprenta, y para quienes no gozaban del hábito de la lectura, un alimento de la imaginación algo más fuerte del que hoy supone para nosotros.

Quizás contribuyera a ello el marcado carácter realista, en lo que a estilo literario se refiere, con que algunas de las fantásticas criaturas, o hechos fabulosos, se ven descritos en tales libros. Los autores del siglo XVI pretenden una mayor "visualización" de los hechos que sus antecesores medievales. He aquí el fragmento en el que Montalvo describe al Endriago que habrá de vencer el Caballero de la Verde Espada, en una bella y temerosa aventura del tercer libro de Amadís:

"Tenía el cuerpo y el rostro cubierto de pelo, y encima hauía conchas superpuestas unas sobre otras, tan fuertes que ninguna armas las podía passar, y las piernas y pies eran muy gruessos y rezios. Y encima de los ombros auia alas tan grandes que fasta los pies le cubrían, y no de pendolas, mas de vn cuero negro comno la pez, luziente, velloso, tan fuerte que ninguna arma las podía empeçer, con las quales se cubría como lo fiziese vn hombre con vn escudo. Y debaxo dellas le salian braços muy fuertes assi como de león, todos cubiertos de conchas más menudas que las del cuerpo' y las manos hauia de fechura de aguila con cinco dedos, y las uñas tan fuertes y tan grandes que en el mundo podía ser cosa tan fuerte que entre ellas entrasse, que luego no fuese desfecha. Dientes tenía dos en cada vna de las quixadas, tan fuertes y tan largos que de la boca un codo le salían; y los ojos grandes y redondos, muy bermejos como brases, assi que de muy lueño, syendo de noche eran vistos y todas las gentes huyan dél. Sa taua y corría tan ligero que no hauia venado que por pies se le pudiesse escapar' comía y beuía pocas vezes, y algunos tiempos ningunas, que no sentía en ello pena ninguna. Toda su holgança era matar hombres y las otras animalias biuas' y quando fallaua leones y ossos que algo se le defendían, tornaua muy sañudo, y echaua por sus narizes vn humo tan spantable que semejaua llamas de huego, y daua vnas bozes roncas espantosas de oyr' assí que todas las cosas biuas huyan ant'él como ante la muerte. Olía tan mal que no hauía cosa que no emponçoñasse; era tan espantoso quando sacudía las cochas vnas con otras y hazía cruxir los dientes y las alas, que no pareçía sino que la tierra fazía estremeçer…"

No nos detendremos en el genial *Tirant lo Blanch* del valenciano Johanot Martorell, publicado en 1490 y cuya primera traducción al castellano fue impresa en 1511, pues se asemeja más a una novela histórica que a un libro de caballerías. El único episodio fantástico de esta obra, (que presenta la histórica expedición de catalanes y aragoneses a Grecia), es aquél en que el caballero Espercius se muestra con ánimo suficiente como para besar a un temible dragón en la boca, desencantando así a la noble doncella que había sido mudada en dragón por la diosa Diana; y tal episodio está tomado directamente de los *Viajes* de John Mandeville.

Tanto Amadís como Tirant lo Blanch son obras de arte personales, que ocupan un lugar capital en los anales de la novela de todos los tiempos, lo que no puede decirse de la progenie del primero. Su mismo autor, Garci Rodríguez de Montalvo escribió las hazañas del hijo de Amadís, en las *Sergas de Esplandían* (1510). Consagrado como caballero a Cristo, Esplandián nos trasmite los ideales religiosos y el espíritu de cruzada de la España de aquel siglo, de forma más nítida que su enamorado padre, lo cual es interesante destacar, porque en los libros de caballería españoles, si bien puede ser fantasía todo lo que reluce, hay mucho también de doctrina para el aprovechamiento de las almas. Los hechos del virtuoso Esplandián debieron darse a conocer en una edición anterior, pues ese mismo año de 1510 salió a la luz *Florisando,* que pretendía tildar de mentiroso a Esplandián, y que, con razón, no gozó de gran éxito, reimprimiéndose tan solo en una ocasión. *Lisuarte de Grecia,* hijo de Esplandián y nieto de Amadís, sí llegaría a ser muy popular (trece ediciones desde la primera, en 1514, hasta 1587). Un segundo *Lisuarte* aparecería en 1526, y pasaría casi desapercibido: los lectores no debieron perdonar a su autor, Juan Díaz, el que se decidiera a matar tan pronto a *Amadís,* arrancándolo del sueño encantado en que le había sumido Montalvo, en espera de que un caballero de su estirpe le libertara. Del primer *Lisuarte* no se conoce autor, pero la antorcha pasaría de su mano a la de Feliciano de Silva, que continuaría la historia a partir de aquél, tras resucitar a *Amadís* y manifestar su desprecio hacia la obra que había pretendido dañar lo que sobre tan ilustre genealogía estaba escrito. Las obras de Feliciano de Silva, *Amadís de Grecia* (1530), *Florisel de Niquea* (1532), *Rogel de Grecia* (1535) y *Cuarta Parte de D. Florisel* (1551), le parecían "de perlas" a Don Quijote. El úitimo descendiente de *Amadís* fuc cl esforzado *Don Silves de la Silva* (1546), obra de Pedro de Luján, y que no tuvo continuación en España, pero sí en Italia. Mambrino Rosseo fue el encargado de esta tarea, así como la de dar muerte definitiva a *Amadís.* Hízole morir a manos de dos gigantes, en una batalla en la que junto a él sucumbieron tres emperadores, varios reyes y hasta 55.000 caballeros cristianos: "que no se requería —dice Menéndez Pelayo— menor hecatombe para los funerales de Amadís".

Simultáneamente a esta estirpe, pero imitándola muy de cerca, floreció en España la de los Palmerines. Sus más legítimos representantes son *Palmerín de Oliva* (1511), *Primaleón* (1516) y *Palmerín de Inglaterra* (1547), cuyas aventuras en el castillo de Miraguarda encareció tantísimo el Licenciado, cuando el libro apareció en la nutrida biblioteca de Don Quijote.

Jerónimo de Urrea se inspiraría bastante en el *Orlando Furioso,* que tradujo, a la hora de componer *Don Clarisel de las flores,*que en el estilo supera a todos los de la lista que vamos mencionando. Los últimos que merecen ser citados son: *Belianís de Grecia* (1547), de Jerónimo Fernández, que se libró con razón (a nuestro entender, no así al de Menéndez Pelayo) de la hoguera en el patio de la casa de Don Quijote; *Felixmarte de Hircania* (1556), obra de Melchor Ortega, con la que no hubo compasión en aquella ocasión, y *El Caballero del Febo* (1562).

En realidad, la gran herencia de la fantasía medieval, a través del revivir de la pasión caballeresca que supusieron los libros de caballería, hay que buscarla en América. Y no sólo en los libros. Tal herencia es rastreable en los propios hechos de la conquista. La obra de Leonard Irving, *Los libros del conquistador,* que contiene un pormenorizado estudio del mecanismo de comercio de libros en el Nuevo Mundo, pretende mostrar la posible influencia de una forma popular de literatura, la caballeresca de origen medieval singularmente, sobre la conducta y los actos de sus contemporáneos. En efecto, el panorama de islas maravillosas, seres extraños, monstruos prodigiosos y tesoros ocultos que la literatura caballeresca ofrecía a los conquistadores, sirvió de acicate para que éstos se lanzaran a fantásticas aventuras en el mundo nuevo que súbitamente se abría ante sus ojos. La exótica geografía de las novelas de caballerías, con sus islas encantadas, archipiélagos mágicos y deslumbrantes ciudades, debió cobrar verosimilitud ante quienes marchaban ahora por selvas intrincadas y parajes nunca vistos.

Es así cómo en los albores de la edad moderna, a lo largo de una de sus más significativas aventuras, la del descubrimiento, fueron unas creencias medievales engrendadoras de interacciones mutuas entre lo real y lo imaginario, entre los hechos y la literatura. El propio Colón, y Vasco de Gama volvieron de sus viajes con noticias de islas misteriosas habitadas por amazonas, y dando positivas indicaciones sobre la proximidad del paraíso terrenal. Como recuerda Irving, los mapas del engrandecido mundo fueron ornados de extrañas bestias y hombres, cuya existencia, vislumbrada en los libros de caballerías, debió parecer entonces más presumible que antes del descubrimiento. No se puede dudar del poderoso ascendiente que tales imágenes, debían ejercer, junto a los relato oídos, sobre la mente del cronista de Indias, que no dudaba en asimilarlos a la descripción de los hechos, lo cual no había de ser difícil dado que la realidad parecía competir, y en ocasiones sobrepasar, a las propias historias de ficción.

Si los propios cronistas, testigos y protagonistas de los hechos que con veracidad relataban, estaban sugestionados con gigantes, sabios, enanos, amazonas, fuentes de juventus, y con las riquezas que en las aventuras de paladines medievales se ofrecían, también algún escritor de novelas sintió la tentación de incluir en sus relatos de aventuras algún mito clásico al tener noticias de éste a través de los viajeros del Nuevo Mundo. En efecto, el autor de Amadís de Gaula, Garci Rodríguez de Montalvo, introdujo en las aventuras del hijo de Amadís, las *Sergas de Esplandián*, de que ya hablamos más arriba, todo un episodio dedicado a Calafia, la reina de las amazonas que habitaba una escabrosa isla de nombre "California", muy cerca del paraíso terrenal, famosa por su ejército de mujeres guerreras y por su gran abundancia de oro y de joyas, que desafía a duelo a Esplandián y a Amadís, pero cae cautiva y abraza el cristianismo.

La novela de aventuras

Otro de los grandes conjuntos que, en nuestra opinión, componen esa huella de la fantasía medieval en la literatura del siglo XVI está constituído por las novelas de aventuras de raigambre bizantina.

El amor como premio de las novelas de caballerías es reemplazado en ellas por un amor hermoso, humano y sobrenatural, influído por esa otra gran caballería del siglo XVI, la mística, y por la doctrina neoplatónica. Qué cosa sea el amor, y las vicisitudes que atraviesa, no es en efecto sólo tema de novelas pastoriles, cuando la *novella* italiana deja sentir su influjo, sino el tema que con insistencia preside los múltiples y entrelazados argumentos de este género de aventuras que se pone de moda a partir de al lectura que algunos escritores hacen de las antiguas novelas bizantinas a mediados de siglo.

Citaremos en primer lugar la obra de Alonso Núñez de Reinoso, *Historia de los amores de Clareo y Florisea y las tristezas y trabajos de la sin ventura Isea* (Venecia, 1552), que sólo en sus primeros capítulos es una clara imitación de *Leucipo y Clitofonte* de Aquiles Tacio. Originales de Núñez de Reinoso se consideran bastantes eipisodios, como el de la Insula Deleitosa y la historia de Narcisiana, cuya belleza y fuerza en el mirar mataban, de modo que se cubría el rostro con un velo para poder ver, y en caso de ser vista, no provocar la muerte. La aparición en escena del paladín Felesindos convierte la obra de Reinoso en un libro de caballería más, pero su estilo contribuye de hecho a la importancia de que goza por ser la más antigua imitación de las novelas griegas publicada en Europa, y porque se hallan bastantes reminiscencias de ella en el *Persiles* de Cervantes.

La *Selva de aventuras* (1565) de Jerónimo de Contreras es un bello relato del viaje emprendido por el caballero Luzmán para buscar alivio a su amor no correspondido por la doncella Arbolea. Si bien Luzmán visita en su largo peregrinar la cueva de la Sibila Cumea, la acción del libro es más realista que la novela de Reinoso.

Lo propio de las novelas de argumento helenístico son los personajes disfrazados, los cautiverios, raptos y reconocimientos, las islas y cuevas misteriosas, los lances de solución inesperada y los peregrinos rodeos hasta el fin de la aventura, la intervención de bandidos y piratas, la presencia de un nigromante y la de algún anacoreta también.

Nada o casi nada de esto falta en la mejor obra de este género, en *Los trabajos de Persiles y Segismunda* (1617) de Cervantes, cuya dedicatoria al Conde de Lemos hubo de escribir aquél en el lecho de la muerte, al día siguiente de recibir la extremaunción. "...Ha de ser o el más malo o el mejor que en nuestra lengua se haya compuesto", decía Cervantes de su *Persiles* en la dedicatoria a la Segunda Parte del *Quijote*. En general la crítica ha sido muy dura con esta obra, en la que sí se sabe que su autor puso grandes esperanzas. Algunos parecen no perdonarle a Cervantes que, tras el *Quijote,* haya salido él también con un libro de la especie de la caballería... De hecho, el juicio del canónigo toledano sobre los libros de caballerías parece incluir un resumen o proyecto del *Persiles;* pero tan injusto y desacertado sería creer que éste es un libro de los tales, como que el *Quijote* es una pura parodia de los mismos. Quienes, por otro lado, conceden que el *Persiles* tiene un alto valor simbólico y que sus variadas peripecias se refieren a la peregrinación espiritual del hombre, afirman que en aras de esta intención ideológica fue sacrificada su plenitud como novela. Tiempo vendrá, digo yo, en que sean reconocidas ambas su trascendencia y su factura literaria. Algunos de los innumerables y entrelazados sucesos del *Persiles* tienen por escenario geográfico los desolados mares del Norte, las fantásticas (por desconocidas) regiones sepultadas en la nieve, y son éstas las que nos trasmiten de forma más nítida la atmósfera de irrealidad que a nuestro entender impregna toda la novela. Pero la aventura lo es, en el *Persiles,* física y espiritual. Lo maravilloso no deja de ser verosímil, y lo verosímil participa de una metafísica, de un simbolismo no sólo moral, sino trascendente.

Sin asomo ya de influencia bizantina, pero llena de extravagancias, apareció en 1628 la novela *Casos prodigiosos y cueva encantada,* cuyo autor es el gran amigo de Lope, y a pesar de ello, algo culterano, Juan de Piña. La historia de Don Juan Bernardo parece, como dice su autor "cuento de libro de caballerías", aunque él apostille "cierto que no lo es, sino verdadero suceso". La verdad es que esta obra, si en lo macabro no, en la fastuosidad de las apariciones y visiones, es comparable a la de Potocki, sin que ello haya sido antes señalado. No causan espanto los muchos, inmundos y feroces animales con los que Don Juan tropieza a la entrada de la cueva. Pero causan admiración las grandezas que éste halla en su interior, en una casa también encantada. Conozcamos el estilo de Juan de Piña: "Desangrado el elefante, cayó aquella máquina de cuerpo sobre el dragón, que ya lleno de sangre el suyo, no se pudo desasir, y ambos quedaron muertos a un mismo punto. El jáculo mató a la fiera y no vista igual culebra y voló victorioso; y hallándome perplejo sin saber lo que había de ser de mí, y que el trabajo, mala noche y hambre, prohijaba a dar fin a mi vida, cuando esperaba algún consuelo y remedio, se acabó de hundir lo que de aquel sitio había quedado; los broncos y caballos que los hacían resonar y la máquina peñascosa de su misma pesadumbre venida al suelo, y toda ella y los batalladores, y yo entre ellos, envueltos sangre y polvo, caímos al más profundo valle que se pudo imaginar, entre mayores riscos y peñascos que los fugitivos de sus cumbres [...] Todo cuanto había visto se desapareció, yo me hallé solo, sin que me pudiese conocer, turbado, sin color, perdida la esperanza; y como creía que no había de parecer, y hallándome sin pensar en una selva amena y deleitosa, ví · puesta una mesa, muy albos los manteles, con labores y aprensaduras, en que había los fieros animales, batallas, destrozos, muertos y cuanto había visto; manjares diferentes, aves y curiosas golosinas, principios y postres a la italiana, todo de una vez, pan reciente, dulces y preciosos vinos, sin ver quién me hacía esta gracia; y temiendo no se desapareciese como lo demás de aquella encantada cueva, arremetía a lo que más a propósito me pareció a no acabar la vida".

¿Cómo no recordar a Potocki? En el interior de la cueva, lo que Don Juan vió *fuera menester para referirlo, como para verlo, un año.* En una de las estancias, halla encendidas más de doscientas bujías de cera blanca sobre candelabros de plata, y siendo tan solo uno el misterioso caballero que en aquella casa habitaba, *pasé a saber* —dice Don Juan— *que se hacía por encantamiento.* He aquí una de las más bellas apariciones del recorrido: "Entróme [el caballero] en otra sala donde ví lo que aún dejo de creer. Estaba colgada de telas de oro tan ricas, que el arte despreciaba naturaleza, sillas de la misma tela, tablas de excelentes pintores de Roma y España y otras naciones, todo admirable y costoso. Aquí salió por la puerta de la sala donde había otras tantas luces, una gruesa nave con sus velas, jarcias, cables y los demás pertrechos que pudo tener la de Colcos de Europa, o la más rica y artillada que los mares han visto en sus hombros. Portentosa era la nave de la quilla al tope; venía sobre un mar tan artificioso, que no pudo buscar en la tierra cosa que más le imit ase. Era, pues, un mar de azogue, cuya inquietud formaba las olas como si fuera de sus aguas cerúleas. Por sí solo se movía el mar, en quien no se hundía el hierro por muy pesada y grande cantidad que le echasen; y la nave que parecía la real de su armada, estando a la mitad de la sala, comenzó a disparar tantos tiros de artillería, que me llenó de humo y de asombro, temiendo derribarse el edificio. De la una y otra banda disparó a un tiempo cuantos tiros llevaba, la pólvora de buen maestro y bien seca según los truenos y respuestas. Salió por la puerta frontera sin haberla navegado mano humana".

La erudición "fantástica"

Hemos de mencionar también un género de libros en los que lo fantástico se mide por la erudición, o al revés. A pesar de que ejercieron una gran influencia en la literatura de su tiempo, su importancia es mayor en lo que a los saberes tradicionales se refiere. Algunos procuran tan sólo entretener, mientras que los hay de carácter enciclopédico y "científico". Plagados de citas clásicas, es lástima que no pudieran disfrutarse antes, pues en la Edad Media (de donde proceden casi todas las leyendas y supersticiones que en ellos encontramos), hubieran gustado tanto o más que en los siglos XVI y XVII.

En España, el más popular de estos libros fue la *Silva de varia lección* (1540) de Pero Mexia, reimpreso muchas veces, y traducido en 1552 al francés, lengua en la que inspiró algunas de las *Historias prodigiosas y maravillosas de diversos sucesos acaecidos en el mundo,* que compilaron Boaistau, Belleforest y Tesserant, y que traducidas a su vez al castellano, se publicaron en 1586. El amante de lo inverosímil hallará en la *Silva de varia lección,* junto a episodios de la vida de Heliogábalo o Tamorlan, todo lo concerniente a la naturaleza de hombres peces, Tritones y Nereidas, la inteligencia de las hormigas, o las singulares propiedades de algunos ríos, lagos y fuentes. En cuestiones meteorológicas Mexia se muestra prudente, bastante osado en materia astrológica, y candoroso o tierno cuando considera las señales misteriosas grabadas en las piedras (las mismas, suponemos, que la arqueología hoy investiga) como "juegos y pasatiempos de la naturaleza".

Antonio de Torquemada en su dialogado *Jardín de flores curiosas* (1570), escogerá temas más populares, como la existencia de una raza humana cuyos hombres y mujeres poseen cabeza de perro y cuyo lenguaje consta sólo de dos palabras, o de otra cuyos individuos pueden envolverse en sus largas orejas. En todo el libro pueden encontrarse explicaciones a las más remotas tradiciones supersticiosas.

Buena acogida tuvieron las *Noches de invierno* de Antonio Eslava, pues se conocen cuatro ediciones distintas entre 1609 y 1610. Entre las variadas historias que alrededor de una tertulia celebrada en la noche se cuentan en este libros, se halla el relato de la soberbia del Rey Nicíforo, con el incendio de sus naves y las artes mágicas del rey Dardano, modelo más que probable de *La Tempestad* de Shakespeare; curiosas versiones del nacimiento de Roldán y del de Carlomagno; la historia de la Reina Telus de Tartaria, o la bellísima leyenda de la fuente que refleja la imagen de la amada.

Del siglo XVII citaremos un tratado de monstruos y fantasmas, *El Ente dilucidado* (1676) de fray Antonio de Fuentelapeña. La fantasía que encierra este tratado (y otros semejantes, de Nieremberg, Castrillo o Menescal) es difícil de encarecer, pero los índices suelen ser de por sí elocuentes. Fuentelapeña se envanece de presentar ante el Rey un nuevo orbe lleno de vasallos invisibles, los duentes, no dudando en calificarse a sí mismo de "Colón de climas más ocultos", en el prólogo. Sobre los duendes contestará, a lo largo de su voluminosa obra, a todo tipo de cuestiones: si son demonios, por qué unos los ven y otros no, si aparecen en figura de religiosos, si beben y comen y qué, si escupen y estornudan, si pueden engendrar otros, si pueden engendrarse en el cuerpo humano, si pueden elevarse y tenerse en el aire, por qué su principal ocupación es asustar a los hombres con pequeños ruidos y hurtar de su vista los objetos... Pero Fuentelapeña nos dará también cumplida noticia de diamantes que paren diamantes, de alguna planta (como el bejuco) que tiene sentido, de cadáveres que derraman sangre a la vista del matador, de un águila de metal que vuela, de árboles que crian aves, de un fuego que no quema, de la geometría que se halla en la golondrina, de cómo la mujer puede concebir antes de nacer, etc.

Con la tradición medieval de los lapidarios enlaza en el siglo XVII el más sorprendente de todos ellos, el libro de Gaspar de Morales *De las virtudes y propiedades de las piedras preciosas;* dadas las virtudes de algunas piedras (acrecentar la riqueza, aumentar la memoria, otorgar la victoria, domesticar los animales) no queremos dejar de mencionarlo aquí.

El *Libro del infante don Pedro de Portugal, el qual anduvo las cuatro partidas del mundo,* de Gómez de San Esteban, y cuya primera edición es de 1547, puede considerarse como un epítome del libro de viajes imaginarios de Mandeville, al que ya nos referimos como fuente de un episodio del *Tirante.* El infante don Pedro de este relato parte de su villa de Barcellos con doce compañeros, y concluye su viaje a las puertas del Paraíso terrenal. Antes de llegar a Tierra Santa atraviesan el país de los centauros, y en las sierras de Armenia distinguen desde lejos el Arca de Noé con sus costados cubiertos de musgo y de plantas marinas. En las proximidades del Mar Muerto contemplan la estatua de sal de al mujer de Lot. La parte más puramente fantástica del relato está, sin embargo, tomada directamente del Mandeville: los pigmeos, el reino de las Amazonas, los antropófagos gigantes, y la visita a la corte del Preste Juan. Pero ha sido lamentado que este prodigioso príncipe, en demanda del cual se emprendieron auténticos viajes a la India y a Etiopía, y que dió origen a un tan singular mito geográfico, no diera motivo en la literatura española a una obra de mayor calidad literaria que la de Gómez de San Esteban.

Muy interesantes, sobre todo por la influencia que ejercieron en el Romanticismo, entre los poetas, son las obras de Cristóbal de Lozano, publicadas a mediados del siglo XVII, Joaquín de Emtrambasaguas, editor de una selección de las *Historias y Leyendas* contenidas en los distintos libros de Lozano, afirma en su prólogo que el mayor mérito de éste es "el haber servido de enlace entre la época clásica y la moderna, a través del impotente siglo XVIII, recogiendo y conservando en sus obras las más populares historias y las más sugerentes leyendas, formadas principalmente en la Edad Media y enriquecidas por los poetas dramáticos del seiscientos, entregándolas con su belleza original a la poesía romántica..." De muy variado origen son, en efecto las historias y leyendas narradas por Lozano, y si el asunto de las mismas (religioso, histórico, mitológico o bíblico) no es nunca original suyo, no por eso podemos dejar de atribuir a Lozano un gesto por las fábulas como el de ningún otro escritor de su época, así como un estilo nada indigno de leerse hoy.

Una utopía lunar

Decíamos en nuestra introducción que la fantasía no se circunscribe, en los siglos XVI y XVII, a ningún género en concreto, sino que constituye una herencia que abarca géneros muy distintos. Vamos a abordar ahora el *sueño,* género medieval por excelencia: recordemos a Dante, y en España, a Berceo, y al Marqués de Santillana, por citar sólo a los más grandes. Nos detendremos en un solo ejemplo, publicado por Miguel Avilés en su libro *Sueños ficticios y lucha ideológica en el Siglo de Oro.* Si bien Avilés considera la forma *sueño* como recurso literario utilizado por el escritor para combatir en el campo de batalla de las ideas, y dichos *sueños ficticios* como productos ideológicos de la Edad Moderna española, el recorrido de uno de ellos, el *Sueño* de Maldonado, nos permite a nosotros una lectura "fantástica", cuyo itinerario trazaremos con brevedad.

He aquí el comienzo, en su moderna versión castellana, del *Sueño* de Juan Maldonado que junto a otras obras también en latín del mismo autor publicóse por primera vez en Burgos, en el año 15451:

"En los meses otoñales de aquel año en que el César Carlos, rey de las Españas, rechazó de Panonia a Solimán, príncipe de los turcos y en que yo, en Burgos, comencé a enseñar humanidades, con sueldo oficial, apareció, durante algunos días, por la parte de oriente, en las últimas horas de la noche, un cometa brillantísimo, de extraordinaria cabellera. [...] Por cierto que a mí, que maldormía en aquellos días de mediados de octubre, me sacó de mi lecho y de mi techo antes de la hora precisa [...] me vestí a la carrera y, con mi capote a medio poner, salté desde mi alcoba hasta la muralla colindante, corrí por la barbacana y vine a dar en aquella torre que hay en la esquena de la ciudad, junto a la ceca.

Era una noche clara, aunque ya se notaba que era otoño. Cerca todavía del horizonte y con los cuernos del cuarto menguante bien visibles, lucía una luna espléndida. Más el cometa, que debía preceder a la aurora, aún no había salido. [...] *me recosté sobre el césped que había en el suelo de la torre, cabeceando de sueño, por haber velado casi toda la noche. Así pues, me quedé profundamente dormido"*.

Maldonado pudo haber comenzado así, para hacer creíble lo que iba a relatar, pero también es verdad que el tono empleado es uno que predispone a la espera de la aparición de un cometa, algo en definitiva, en aquel tiempo, más cerca de lo sobrenatural que de lo acostumbrado. Más como la aparición del cometa no tiene lugar, y sí lo soñado, ¿a qué dar credibilidad a un sueño? ¿No corresponde el clima creado por Maldonado a aquél con que se inician, desde el siglo XIX, algunos relatos de ficción? El autor de uno de éstos, ¿no se habría expresado así?: Todo comenzó en una torre de las murallas de Burgos que hay junto a la ceca, en la noche del 15 de octubre de 1532...

En el sueño se le hace presente a Maldonado la difunta María de Zayas, que tras preguntarle qué hace esperando el cometa éste, como el resto de los astros, obedece en sus apariciones y ocultamientos tan solo al Creador, le invita a acompañarla: "Yo la seguí ágilmente, como si fuese una pluma arrebatada por un remolino. Burgos se vio pronto tan pequeño como si fuese una aldea o un villorio". Desde lo alto, Maldonado parece dispuesto a confirmar el parecido de España con una piel de toro; Africa se le antoja mucho más grande de lo que creyó Tolomeo; las tropas del Emperador enfrentadas al ejército turco le dan la impresión de que las ranas y los ratones anduvieran en guerra a la orilla de un río. "Pero ahora —dice María de Zayas—, dejemos el globo terráneo. Levanta hacia arriba tu mente y tus ojos". Y el relato continúa: "Miré hacia la Luna y quedé asombrado de su tamaño. Estábamos en aquella región del espacio que hay entre la Tierra y la Luna. Su tamaño era aparentemente igual al de la Tierra, la cual, en aquellos lugares en que los mares la cubren, comenzaba ahora a brillar por el oriente con los reflejos del Sol. De la misma forma que la Luna se mostraba menguada y con cuernos, así el océano que rodea las tierras lucía también un poco arqueado y formando cuernos". Se sitúan entonces sobre el ojo izquierdo de la luna, lo que da lugar a que María de Zayas reflexione sobre cómo los hombres antiguamente vivían satisfechos en su frugalidad, mientras que ahora por nada se deciden a que sea la naturaleza quien guíe sus actos. Y puesto que la nariz y los ojos de la luna corresponden a regiones habitables, muy pronto se hallan, tras atravesar un magnífico bosque, en una ciudad rodeada por siete murallas, cuyo puente de plata, casa de jaspe y templo de diamantes parecen naturalmente corresponder a la belleza de los jóvenes que la habitan, y a la felicidad y armonía en que viven. Pero no es nuestra intención detenernos en el mensaje ideológico del texto, sino en el recorrido fantástico que éste ha requerido y que lo sostiene. En la órbita exterior de Mercurio, Maldonado entrevé indicios de un placer inaudito, y María de Zayas, reprochándole su embeleso, le comunica que ello no es nada comparado con la visión de Venus, Marte, Júpiter, Saturno, o del mismo Sol, ojo del universo. Ya de vuelta a la Tierra, sobrevuelan el Mediterráneo, admirando el Ponto Euxino, las bocas del Danubio, el Nilo y sus misteriosas fuentes. Al apartar los ojos de Africa, surge "un territorio algo más largo". Esas, dice María, "son las tierras recién descubiertas a las que los españoles, que ocupan algunas de sus playas, llaman Tierra Firme. Creen haber encontrado un Nuevo Mundo". Allí echa pie a tierra Maldonado, y en la conversación con las gentes que halla se centra de nuevo el contenido utópico de la narración. Embarcado luego junto a unos pescadores para recorrer el resto del país, la nave se estrella contra un arrecife y se viene a pique. "Yo no sé qué ocurrió a los pescadores. De mí sólo sé decir que, con el ruido que hizo la nave al chocar, me desperté del sueño". Así concluye Maldonado, algo bruscamente, su relato. Nosotros le imaginamos despertando de su sueño en lo alto de una torre, en el esplendente Burgos del siglo XVI. Por una vez, la utopía, el platonismo, y el español desengaño de las apariencias de este mundo, habrán recurrido, aunque sólo sea como medio, a la fantasía. Ante el pudor que, como creo, sentían nuestros clásicos ante lo inverosímil, esta obrita de Juan Maldonado constituye una excepción de rara belleza literaria. Bien es verdad que le guiaba un propósito, el de exponer sus ideas, y que además, su fantástico viaje guarda la disculpa de haber sido "soñado". Pero siempre encontramos esta prevención en nuestros clásicos. Sólo la fantasía de los libros de caballerías no necesitó de una razón de ser, ni de una intención más alta que le sirviese de justificación.

La poesía y el teatro. La fantasía moral

Desde mediados del siglo XVI, el *Orlando Furioso* de Ariosto es traducido por Jerónimo de Urrea, Hernando Alcocer, Vazquez de Contreras y Nicolás de Espinosa. Y naturalmente, la influencia del *Orlando* se deja sentir en nuestra literatura, aunque no tanto que no tenga que competir con la de crónicas, romances y libros de caballería autóctonos en, por ejemplo, *El verdadero suceso de la famosa batalla de Roncesvalles* (1583) de Francisco Garrido de Villena, o en las *Hazañas de Bernardo del Carpio* (1585) de Agustín Alonso. Claro está que el *Orlando* no había de parar en ejercer una influencia más o menos grande, sino que gozó también de imitadores y continuadores, que así los llamaremos, por no insistir en aquello de la apropiación nacional del tema. Barahona de Soto, "uno de los más famosos poetas del mundo, no sólo de España", como dijera el Cura amigo de Don Quijote congratulándose de haber salvado su obra de las llamas, concibió *Las lágrimas de Angélica* (1586) a partir del episodio de Angélica y Medoro del poema italiano. *Las lágrimas de Angélica,* poema que Ignacio Luzán hubiera preferido al de Ariosto de haber sido escrito antes que éste, bien puede ser considerada como una obra excepcional de la literatura fantástica española de los siglos de Oro, y aún diremos que no es tanta ni tan buena *La hermosura de Angélica* (1622) de Lope de Vega, que pueda compararse a sus lágrimas. Existe otro mayor laberinto de fábulas, sueños, visiones y encantamientos, un poema épico que no dudamos en calificar de fantático: *El Bernardo o Victoria de Roncesvalles* (1625) de Bernardo de Balbuena, cuyo asunto es la investidura por Bernardo del Carpio de la armadura de Aquiles, que le capacitará para vencer, con la ayuda del sabio mago Orontes, a los paladines franceses y a Roldán, en el desfiladero de Roncesvalles. *El Bernardo* es un cruce de al menos cuatro elementos: el tema nacional del Bernardo, los libros de caballerías, los Orlandos, y la mitología clásica. Así, el autor hace un uso brillante de las innumerables formas de Proteo, en lucha con Bernaldo. No faltan hombres que se conviertan en gusanos de seda, ni anillos mágicos. De fantástica debería ser calificada la existencia de este poema en nuestra literatura. ¿Hay algo más ajeno a ella que toparse con un carro conducido de mujer hermosa, que en llegando a la playa se trasforma en un corzo con cuernos de oro? Pero no hay que engañarse, porque si grande es la imaginación de Balbuena, mayor es el barroco artificio de sus símbolos y alegrías; antes que nuestro entretenimiento, lo que persigue es un canto a la grandeza española.

No faltan elementos fantásticos en nuestro teatro de estos siglos, pero descifrarlos supone entrar de lleno en el campo de la literatura mitológica y alegórica, que de ninguna forma es, a nuestro entender, asimilable a la literatura fantástica. La leyenda histórica y el cuento popular como argumento de algunos importantes dramas y comedias tampoco justifican su tratamiento en este lugar.

No dejaremos de mencionar, sin embargo, algunas obras cuyo argumento está basado en una leyenda de origen medieval, como el *Bur-*

lador de Sevilla de Tirso, cuyo episodio macabro, el convite a la estatua de un muerto, era popular en Francia, Dinamarca, Alemania y España; o *El Purgatorio de San Patricio,* que trataron entre otros Lope, Calderón y Pérez de Montalbán, y que se basa en el hallazgo de una cueva que conduce directamente al purgatorio; o *Lo que puede el oir misa* de Mira de Amescua, e incluso, *La devoción de la Cruz* de Calderón, que recogen el tema del caballero que llega tarde al combate por cumplir con el voto de oir tres misas todos los días, encontrándose con que todos le aclaman como héroe y admiran sus heridas pues ha estado en combate sin saberlo, leyenda medieval ésta última que aparece en Jacobo de La Voragine, Cesareo de Heisterbach, o en Las Cantigas de Alfonso X.

Indice general